L'Enfant des bois

Diane Chamberlain

L'Enfant des bois

FRANCE LOISIRS

Titre original : *The Courage Tree*.
Publié par Mira Books, Canada.

Traduit de l'américain par Évelyne Gauthier.

Édition du Club France Loisirs,
avec l'autorisation des Presses de la Cité.

France Loisirs,
123, boulevard de Grenelle, Paris
www.franceloisirs.com

On ne peut pas être un héros sans être parfois un lâche.

GEORGE BERNARD SHAW

Remerciements

Merci à tous ceux qui m'ont aidée pour *L'Enfant des bois*, équipe de sauveteurs et de secours en montagne, personnel médical, patients et leurs familles. Merci aussi à mes collègues écrivains qui ont veillé à ce que je ne m'égare pas. Merci également à Ann Allman, Tim Arthur, Mary Alice Kruesi, Gretchen Lacharite, Kathleen Lawton, Char LeFleur, John Nelson, Alice Soto et Monica Walton pour avoir généreusement partagé avec moi leur expérience et leurs connaissances.

Mon éditeur, Amy Moore-Benson, a montré envers moi une incroyable patience dont je lui suis particulièrement reconnaissante. Je pense avec gratitude à mes lectrices Beth Joyce et Esther Jagielski et au panier original qu'elles m'ont confectionné pour me remercier de mes ouvrages précédents et m'encourager dans mes efforts. Et je n'oublie pas Craig MacBean, grâce à qui j'ai pu survivre aux plus difficiles moments de cette aventure.

Prologue

« Je n'aurai même pas de musique, là-bas... »

Le salon avait un plafond voûté, et son immense baie vitrée ouvrait sur l'océan Pacifique. Zoe, debout au milieu du tapis blanc, regardait fixement la grosse enceinte placée dans un coin de la pièce. Elle avait accepté de renoncer à la plage et à l'odeur de la mer, elle pouvait se passer de télévision, elle préférait même ne pas voir ces hordes de jeunes actrices. Et journaux et magazines ne lui étaient pas indispensables. Mais ne plus écouter de musique ? Cette perspective lui donna presque envie de tout abandonner. Puis ses yeux tombèrent sur la photo de Marti, dans un cadre posé sur le piano quart de queue. Marti, vingt ans à l'époque, avait été photographiée sur la plage, à côté de Max. Elle était tout près de lui, ils se touchaient presque, mais rien ne semblait passer entre eux, comme si, en fait, le cadre avait renfermé un montage formé de deux photographies prises séparément. Cette séparation invisible troubla Zoe. Si la photographie l'avait représentée, elle, Zoe, à côté de Marti, y aurait-il eu cette impression de distance entre elles ? Oui, peut-être... Il était temps d'y remédier.

Marti était très belle, sur cette photo, avec son charme un peu androgyne. Zoe examina attentivement les cheveux blonds très courts, le corps mince et musclé, les petits seins, les immenses yeux bleus bordés de longs cils, ces longs cils qui révélaient sa féminité.

« Oui, j'ai pris la bonne décision. » Le choix entre Marti et la musique n'en était pas un. Rien au monde ne comptait devant sa détermination à sauver sa fille.

Tournant le dos au mur du salon consacré à la chaîne hi-fi, elle monta le large escalier en colimaçon, de nouveau résolue à faire ce qui devait être fait. C'était très facile, en fait, de disparaître à jamais. Elle avait tout organisé bien à l'avance et n'avait même pas besoin de préparer une valise. D'ailleurs, que pourrait-elle mettre dans une valise qui soit susceptible de durer jusqu'à la fin de ses jours ? Et puis, quelqu'un pourrait remarquer qu'il manquait une valise... Peu probable, pourtant : une pièce entière du deuxième étage était pleine de valises et de sacs de voyage. Mais enfin, c'était un risque qu'elle ne pouvait se permettre de courir.

Elle entra dans la chambre de Max. Max et elle avaient dormi côte à côte pendant les quarante années de leur vie conjugale, mais ils disposaient en outre chacun d'une chambre personnelle. Ils s'y réfugiaient quand ils avaient besoin d'être seuls et tranquilles, de réfléchir, de lire sans réveiller l'autre, de téléphoner tard la nuit si l'un d'eux avait un travail en cours. Zoe savait qu'elle trouverait exactement ce dont elle avait besoin dans la chambre de Max.

Lorsqu'elle ouvrit la porte du dressing, le parfum épicé de la petite pièce la surprit. Quatre mois après la mort de son mari, l'odeur de sa lotion après-rasage y flottait encore. Depuis cette affreuse journée de novembre, elle n'avait pas touché aux vêtements rangés sur les étagères du dressing. Devant ses yeux qui se remplirent, leurs contours devinrent flous.

Comment un simple parfum avait-il le pouvoir de lui faire éprouver aussitôt tant de chagrin, d'évoquer tant de souvenirs ?

« Ce n'est pas le moment de m'attendrir. »

Elle s'essuya les yeux, alla chercher l'escabeau rangé dans un coin et le poussa le plus près possible des rayonnages. Elle y grimpa et se mit sur la pointe des pieds pour atteindre le fond de la plus haute étagère. Ses doigts trouvèrent l'étui du fusil, elle le saisit et le tira vers elle. Elle descendit de l'escabeau, posa prudemment l'arme sur la moquette, remonta les trois marches, sortit à tâtons une boîte de balles, un pistolet Beretta et quelques chargeurs. Elle n'avait jamais touché à ces armes et elle avait fortement désapprouvé que Max les possède. Probablement leur seul et unique pomme de discorde.

« La mort de Max Garson marque la fin du plus durable et, d'un avis unanime, du plus heureux couple de Hollywood », avait écrit le magazine *People*.

Dans l'ensemble, c'était tout à fait exact. Et, à cet instant, Zoe était bien contente que Max ait passé outre à sa phobie des armes à feu. Et d'avoir, à l'époque, parlé à ses amis de ces armes était une chance.

Elle leur en avait même indiqué la cachette. Ils ne manqueraient pas de signaler leur existence à la police, et celle-ci découvrirait la disparition du fusil et du pistolet.

« C'est parfait ! »

Sans aucun doute, la police irait aussi interroger Bonita, la psychothérapeute qui suivait Zoe depuis la mort de Max. La veuve n'avait pas eu besoin de faire appel à ses talents d'actrice pour feindre la dépression.

13

« Vous pensez quelquefois au suicide ? avait demandé Bonita lors d'une récente visite de sa patiente secouée par une crise de larmes.

— Oui.

— Vous avez un plan ? »

La question avait troublé Zoe une seconde. Comment la psy pouvait-elle savoir ? Puis elle avait compris que celle-ci lui demandait si elle avait envisagé une façon de mettre fin à ses jours, rien de plus.

« Non, pas du tout. »

Elle savait bien que, si elle avouait avoir élaboré des plans de cet ordre, Bonita s'arrangerait pour la faire enfermer quelque part. La presse people en ferait ses choux gras. Zoe avait bel et bien un plan, mais pas du genre auquel Bonita songeait.

En emportant les armes dans la chambre, elle aperçut son reflet dans le miroir de la coiffeuse. Le spectacle l'horrifia, elle était absolument grotesque. Ses longs cheveux pendaient sur l'étui du fusil, sa frange lui descendait jusqu'aux yeux et, sans doute à cause de l'éclairage, elle avait le teint jaune et les yeux cernés. Zoe n'était pas une frêle poupée, elle était grande, avec des formes, et, à l'époque où elle jouait dans les films de James Bond, elle avait ce qu'on appelait une silhouette voluptueuse. Maintenant, elle était juste une femme solide, une amazone vieillissante. Cette description d'elle-même, lue elle ne savait plus où, l'avait fait se hérisser, mais elle admit soudain qu'elle était exacte. Qui croyait-elle donc abuser en se coiffant encore comme à l'époque de ses vingt-cinq ans et en se teignant à forte dose pour dissimuler ses cheveux blancs ?

Elle tourna le dos au miroir et se dirigea vers l'escalier.

« Ouf! Plus de séances à deux cents dollars à l'institut de beauté! »

Elle traversa la cuisine, entra dans le garage et déposa armes et munitions sur le siège arrière de sa Mercedes couleur argent. Puis elle retourna dans la maison, s'assit à la table de la salle à manger et réfléchit à la dernière tâche lui restant à accomplir dans ce foyer qu'elle avait aimé pendant tant d'années. Sans doute la plus difficile.

Sans quitter des yeux la feuille de papier à lettres imitation parchemin et couleur crème, elle prit le luxueux stylo offert par Marti plusieurs années auparavant. C'était un cadeau de Noël, à l'époque où le monde était encore souriant et l'avenir riche de promesses.

A la veille de mon soixantième anniversaire, je n'ai d'autre choix que de mettre fin à mon existence.

Elle s'écarta de la feuille et, la tête un peu penchée, relut la phrase. Elle avait une écriture de vieille femme, sa main tremblait au-dessus du papier.

— Minable vieux débris, va! murmura-t-elle avant de se remettre à écrire.

La vie n'a plus rien à m'offrir. Mon cher époux est mort, ma fille est à tort condamnée et incarcérée pour le meurtre de Tara Ashton. Les torchons de la ville se font une joie d'annoncer haut et fort la moindre apparition d'une autre ride sur mon visage et je ne peux plus chanter. Bien que je n'aie jamais été meilleure actrice que maintenant, plus personne

15

ne reconnaît mon talent. Les rôles qui, autrefois, me revenaient d'office sont attribués à des actrices beaucoup plus jeunes.

Elle leva les yeux vers la baie vitrée, dans laquelle s'encadrait la mer. Cette dernière phrase fleurait la mesquinerie et l'amertume, il valait mieux l'omettre. Mais cela signifiait recommencer toute sa lettre. Toujours cette susceptibilité, cet irritant narcissisme qui, ces dernières années, ne l'avaient pas quittée, et qui semblaient s'obstiner à la suivre dans sa pseudo-tombe !

Quelles raisons de vivre me reste-t-il ? J'espère mettre fin à mes jours en un lieu où personne ne me trouvera. Je ne veux pas être vue dans cet état. Marti chérie, je te demande pardon. J'ai tout essayé pour prouver ton innocence, mais le système nous a vaincues toutes les deux.

Les larmes lui montèrent de nouveau aux yeux et l'une d'elles tomba sur le mot « innocence ». Elle l'essuya d'un revers de main. Certes, elle avait échoué, avec Marti. Jamais elle n'avait agi comme elle aurait dû. Elle avait chaque fois privilégié les exigences de sa carrière aux dépens des besoins affectifs de sa fille. Elle l'avait confiée à des nounous toute la journée, elle l'avait envoyée en pension, laissant à d'autres le soin de s'occuper des sautes d'humeur et des bêtises de la fillette.

Les soupçons ne seraient pas retombés sur toi si tu n'avais pas été ma fille, la fille de Zoe. Je t'aime, ma chérie.

Sa gorge se serra et elle contempla longuement la mer avant de conclure.

Il faut que tu sois forte. Je t'aime. Ta mère.

Elle repoussa la feuille au milieu de la table, se leva, essuya ses paumes moites à son pantalon kaki, retourna au garage. Ses jambes flageolaient, elle avait du mal à se tenir debout. Les impardonnables mensonges qu'elle venait d'écrire et une lourde appréhension devant le voyage qu'elle entreprenait la faisaient trembler de tout son corps.

1

Janine avait l'impression d'étouffer, dans la petite maison d'hôtes aux quatre pièces inondées de soleil. A quatorze heures trente, elle éteignit la climatisation et ouvrit grand les fenêtres, en commençant par sa chambre et celle de Sophie, puis elle passa à la cuisine et finit par la salle de séjour. La chaleur entra aussitôt dans la maison, mais, fait rare en juin dans le nord de la Virginie, l'air était sec. Et la faible brise apportait des effluves de magnolia et de lavande.

Assise sur le canapé dans le sens de la longueur, le dos appuyé à un accoudoir trop rembourré et pieds nus sur les coussins, la jeune femme contemplait les jardins d'Ayr Creek. Encore un quart d'heure et elle pourrait partir. Elle arriverait en avance, mais elle n'en pouvait plus d'attendre ici.

De la fenêtre, la vue sur les jardins était somptueuse. Des taches et des bandes de rouge, de violet, de rose, de jaune se succédaient sur plus d'un demi-hectare de terrain ondulé, avant de se perdre dans la profondeur des bois séparant la maisonnette de la demeure principale. Celle-ci, une construction du XIXᵉ siècle, jaune à volets noirs, était, à cette saison, à peine visible entre les arbres luxuriants. Janine pouvait s'imaginer mener une vie indépendante et oublier qu'elle habitait chez ses parents. Quoiqu'ils ne soient pas vraiment propriétaires d'Ayr Creek, plutôt ses régisseurs. Le domaine appartenait à la

Fondation Ayr Creek, gérée par les descendants du propriétaire d'origine, Angus Campbell. Celle-ci allouait au comté assez d'argent pour ouvrir chaque week-end au public les jardins et une partie de la demeure. Et, par quelque arrangement privé, la mère de Janine, Donna Campbell Snyder, avait été autorisée à y habiter jusqu'à son décès, bien qu'elle n'eût pas hérité d'un seul centime de la fortune familiale. Ce qui, avait toujours pensé Janine, expliquait son amertume.

Donna et Frank Snyder, néanmoins, adoraient Ayr Creek. Tous deux professeurs d'histoire à la retraite, ils prenaient grand plaisir à superviser l'entretien et éventuellement les restaurations de la maison et des jardins. C'était de bon cœur qu'ils hébergeaient Janine et sa fille, Sophie, dans la maison d'hôtes. Ce nom n'était d'ailleurs qu'un euphémisme destiné à masquer le passé, car cette maison faisait autrefois partie des quartiers réservés aux esclaves.

Le store était légèrement déchiré. En se penchant un peu, Janine voyait un superbe hortensia bleu s'encadrer dans la fente. En inclinant légèrement la tête à gauche, elle apercevait des roses plantées autour du puits aux souhaits.

« Je ferais mieux de raccommoder ce trou, au lieu de jouer avec ! »

Mais elle se contenta de changer de position et de s'abîmer dans la contemplation des jardins.

Cette anxiété, cette sensation d'étouffement ressenties depuis le début du week-end venaient d'elle, et non de la chaleur. Elle n'avait pas respiré à pleins poumons depuis le vendredi soir, à l'instant où elle avait regardé sa fille partir en minibus avec les autres fillettes de son équipe de scoutes. Sophie riait et agitait la main, une petite fille de huit ans apparemment en aussi bonne santé que les autres. Si l'on ne remarquait pas sa pâleur et la minceur de ses membres.

Janine avait fait des signes d'adieu jusqu'à ce qu'elle ne puisse plus distinguer les cheveux roux de sa fille derrière la vitre teintée. Puis elle avait salué d'un bref sourire les deux autres mères garées à côté d'elle sur le parking de Meadowlark Gardens, et s'était hâtée de remonter dans sa voiture en espérant que son anxiété ne se lisait pas sur son visage. Depuis cinq ans, elle n'avait pas vécu une seule journée sans être dévorée d'inquiétude.

Elle avait prévu de consacrer ce week-end solitaire à un grand nettoyage de sa maison, mais, en fait, elle n'avait pas fait grand-chose. Elle avait passé le samedi chez ses parents, dans la grande demeure, à aider sa mère à rechercher sur Internet du papier peint à motifs anciens, destiné à l'une des chambres. Une fois de plus, la maîtresse de maison se plaignit de Lucas, le chef jardinier, responsable des jardins, mais, au fond d'elle-même, Janine savait que Sophie occupait toutes leurs pensées. Comment allait-elle, aujourd'hui ? Même aux yeux de Janine, huit ans était un âge bien tendre pour aller camper avec les scoutes en Virginie-Occidentale, à presque deux heures de chez elle. Et sa mère était furieuse qu'elle ait autorisé l'enfant à y aller. Janine, assise dans le bureau (une des pièces modernes ajoutées à la maison), avait du mal à se concentrer sur son écran, tandis que, derrière elle, sa mère protestait.

« Il fait chaud dehors, alors elle va trop boire... elle va oublier de prendre ses comprimés... elle ne va pas suivre scrupuleusement son régime, tu sais comment sont les enfants !

21

— Tout ira bien, maman », avait répondu Janine en serrant les dents.

Elle ne pouvait toutefois s'empêcher de partager ces inquiétudes. Si Sophie revenait de l'expédition plus malade qu'elle n'était partie, ses parents ne cesseraient de le lui reprocher. Joe aussi serait furieux. Il l'avait appelée la veille au soir pour demander s'il pouvait venir voir Sophie le soir même de son retour, et Janine savait qu'il éprouvait les mêmes sentiments qu'elle, un profond amour pour la petite et une incoercible anxiété. Et, tout comme la mère de Janine, il avait fort désapprouvé que Sophie participe à ce voyage. Une raison supplémentaire pour nourrir la colère de Joe. C'était une colère difficile à ignorer parce que, comme Janine le savait fort bien, elle était la conséquence, non seulement de son attachement à sa fille, mais aussi de son attachement à son ex-femme. Même lors des épisodes les plus pénibles de leur séparation et de leur divorce, Joe n'avait cessé de l'aimer.

A quatorze heures quarante-cinq, Janine sortit de chez elle et monta en voiture. Elle suivit la longue allée bordée de buis aussi vieux que le domaine lui-même, et jeta en passant un bref coup d'œil à la maison principale. A l'intérieur, ses parents devaient attendre impatiemment qu'elle leur ramène leur petite-fille. Elle espérait quand même disposer d'un peu de temps seule avec l'enfant, avant de devoir la partager avec les grands-parents et le père.

Meadowlark Gardens se trouvait à moins d'un kilomètre d'Ayr Creek, et le parking attenant était plus rempli qu'elle ne l'avait jamais vu. En tournant dans l'entrée donnant sur Beulah Road, elle vit sortir d'un des bâtiments de brique des gens en vêtements de noce. Sans doute se préparaient-ils à poser pour les traditionnelles photos. Il y avait une autre mariée près du belvédère à côté de l'étang.

« Une belle journée pour un mariage », pensa-t-elle en se dirigeant vers l'angle sud-est du parking, lieu de rendez-vous avec l'équipe de petites scoutes. Ses pensées revinrent bien vite à sa fille. Elle n'avait plus qu'un désir, la prendre dans ses bras. Elle accéléra, traversa bien trop vite le parking et se gara dans un coin.

Elle était en avance, mais une autre mère était déjà là et lisait un roman, appuyée à sa voiture. Janine la connaissait de vue et savait qu'elle se prénommait Suzanne. Elle était plutôt jolie, un peu plus âgée que les autres mères d'enfants de l'âge de Sophie, avec des cheveux coupés au carré qui pouvaient être blonds très pâle ou déjà gris. Janine lui sourit et s'approcha d'elle.

— Elles ont eu un temps superbe, n'est-ce pas ?

Suzanne plaça la main en visière devant ses yeux.

— C'est sûr ! (Janine s'appuya au break, à côté d'elle.) Je suis bien contente que ça n'ait pas été trop humide.

— Oh, ça ne les aurait pas gênées, remarqua négligemment Suzanne en lançant son livre dans la voiture, les gosses se moquent pas mal du temps qu'il fait.

« Pas Sophie », pensa Janine, mais elle garda la correction pour elle. Elle essaya en vain de se souvenir de la fille de Suzanne. A vrai dire, elle n'avait guère prêté attention aux autres petites filles de l'équipe. Il était si rare que Sophie puisse prendre part à leurs activités que Janine n'avait pas eu

23

l'occasion de faire leur connaissance, ni celle de leurs mères.

— Votre fille... excusez-moi, j'ai oublié son prénom...

— Emily.

— Emily a déjà participé à un camp comme celui-ci?

— Oui, mais jamais si loin. Et c'est une première pour Sophie, n'est-ce pas?

— Oui.

Elle était touchée que Suzanne connaisse le prénom de sa fille. Les autres mères devaient en parler entre elles.

— C'est formidable qu'elle ait pu y aller. Elle va mieux, alors?

— Beaucoup mieux.

L'amélioration était si spectaculaire qu'elle lui faisait presque peur.

— J'ai entendu dire qu'elle participe aux essais cliniques d'un nouveau traitement.

— C'est exact... (Elle marqua un temps d'hésitation.) Elle participe à un programme expérimental de médecine douce. Depuis deux mois seulement, mais son état s'est énormément amélioré. Je prie le ciel pour que ça continue.

Janine eut du mal à prononcer le mot « amélioré », tellement elle craignait que cette amélioration ne dure pas.

Depuis le début du traitement, non seulement Sophie n'avait pas été hospitalisée une seule fois, mais elle avait enfin appris à faire du vélo, elle avait pu manger à peu près tout ce dont elle avait envie et était même retournée à l'école la semaine précédente.

Pendant pratiquement tout le reste de l'année, elle avait suivi des cours particuliers, soit à la maison, soit à l'hôpital, et il en avait été de même l'année précédente. Mais le signe le plus net de l'amélioration de son état était qu'elle n'avait plus besoin d'être dialysée chaque nuit. Ces quinze derniers jours, il avait suffi de deux dialyses par semaine. C'est ce qui lui avait permis, pour la première fois de sa vie, de passer une nuit loin de chez elle avec ses petites amies.

Les progrès de Sophie semblaient miraculeux, bien que le Dr Schaefer, responsable de cette étude clinique, ait averti Janine que Sophie avait encore beaucoup de chemin à parcourir. Pendant un an encore, elle devrait recevoir deux perfusions hebdomadaires d'Herbaline, nom qu'il avait, pour rassurer ses jeunes patients, donné à son cocktail végétal.

En dépit des progrès de la fillette, le spécialiste qui la soignait depuis trois ans considérait cette expérience avec scepticisme, comme d'ailleurs tous les spécialistes à qui Janine en avait parlé. Ils avaient insisté pour que Janine laisse sa fille participer à un autre programme de recherche, plus conventionnel, pour un médicament allopathique, mais Sophie avait déjà servi de cobaye à plusieurs expériences de ce genre, et Janine ne pouvait plus supporter de la voir subir les effets secondaires dus à la toxicité des mélanges. Sous Herbaline, Sophie allait mieux et n'avait souffert ni d'éruptions cutanées, ni de maux d'estomac, ni de gonflements, ni de somnolence.

Selon son médecin traitant et ses collègues, ces résultats positifs ne pouvaient être qu'une rémission, une diminution temporaire des symptômes. La maladie n'en continuait pas moins à suivre son cours dévastateur. Ils prétendaient que Schaefer n'offrait à ses patients que de faux espoirs, sans toutefois aller jusqu'à traiter de charlatan le petit homme à la voix douce. Janine comprenait leur point de vue : après tout, cela faisait des décennies qu'ils se battaient avec la forme d'insuffisance rénale dont souffrait sa fille et cherchaient un moyen d'arrêter sa funeste progression. Et, soudain, un confrère adepte des médecines douces prétendait accomplir avec son arsenal d'herbes et d'écorces ce que personne n'avait réussi à faire : guérir une affection incurable. Le médecin de Sophie qualifiait le traitement de cautère sur une jambe de bois, et Janine était terrorisée à l'idée qu'il puisse avoir raison. Elle était en train de voir revivre sa fille, et l'idée qu'elle puisse la perdre à nouveau était insupportable.

Elle regarda l'entrée du parking. Il était presque quinze heures.

— Où sont les autres parents ?

— Oh, je crois qu'il n'y aura que vous et moi. Je vais ramener quelques petites chez elles, Gloria et Alison se chargeront des autres. Mais on s'est dit que vous seriez certainement impatiente de retrouver votre fille, alors on ne vous a pas proposé de la ramener.

— C'est vrai. Il me tarde de savoir comment ça s'est passé.

— Elle semblait très enthousiaste en montant dans le minibus vendredi soir.

— Elle l'était.

Les yeux de la jeune femme s'emplirent de larmes. Dieu merci, elle portait des lunettes noires.

« Ma petite fille... » C'était si rare de voir une telle joie sur les traits de Sophie, si souvent froncés par la douleur ou la peur. La sorte de peur qu'un enfant ne devrait jamais éprouver.

— Elle est si mignonne... De qui tient-elle ses cheveux roux ?

— Oh, un mélange des miens et de ceux de son papa.

Elle passa la main dans ses cheveux blond vénitien. Joe avait des cheveux bruns et des yeux bleus. Les mêmes yeux que Sophie.

— Elle souffre d'insuffisance rénale, c'est ça ?

— Oui.

Les questions ne dérangeaient pas Janine, sauf quand on les lui posait devant sa fille, comme si celle-ci était non seulement gravement malade mais aussi sourde et aveugle.

— Vous n'avez pas envisagé une greffe ?

— On lui a greffé un de mes reins. (Elle sourit tristement.) Son organisme l'a rejeté.

Joe aussi avait offert un rein, mais il n'était pas compatible. Et maintenant la petite malade avait dépassé le stade où une greffe aurait pu la sauver.

— Oh, je suis désolée. Elle semble si bien faire face à la situation... J'avoue avoir été surprise, la première fois que je l'ai vue, je lui donnais six ans, pas plus, et puis j'ai entendu une voix de fillette de huit ans, utilisant un vocabulaire d'enfant de dix ans. Elle m'a vraiment sidérée.

Janine sourit.

— Les enfants souffrant d'une insuffisance rénale grave ont tendance à être plus petits que la moyenne.

— Vous avez dû passer de bien difficiles moments. Quand je pense au souci que je me fais dès qu'Emily est enrhumée ! Sincèrement, je vous admire.

Janine ne se sentait pas le moins du monde admirable. Elle agissait de la seule façon dont peut le faire une mère désespérée, cherchant des solutions, s'efforçant au maximum de donner à Sophie une vie aussi heureuse et insouciante que possible... et réservant ses larmes pour la nuit, lorsqu'elle était seule.

— Emily m'a dit que vous étiez pilote d'hélicoptère.

— Oh... C'était il y a longtemps, avant que Sophie ne soit malade.

Elle avait appris à piloter des hélicoptères à l'armée, et, à la fin de son engagement de réserviste, elle avait travaillé pour une compagnie spécialisée dans leur location. Sophie racontait-elle qu'elle pilotait toujours ? Peut-être était-elle gênée par la métamorphose de l'aventureux pilote en mère au foyer ? Mais quelle autre solution, avec une enfant souffrant d'une grave affection chronique ?

— Emily entretient le secret espoir que, quand les filles de l'équipe seront plus grandes, vous leur apprendrez à piloter.

Janine y avait pensé elle-même, dans un des rares moments d'optimisme où elle voyait Sophie atteindre l'adolescence.

— Peut-être un jour... On s'amuserait bien.

Elle se retourna pour surveiller l'entrée du parking.

— Vous devez vous faire bien du souci pour Sophie quand elle n'est pas avec vous, remarqua Suzanne.

Janine devina que son anxiété se lisait dans son regard, à moins que ce ne soit dans sa façon de croiser et de décroiser les mains.

— C'est la première fois, vous comprenez. Sophie n'a jamais quitté la maison sans son père ou moi.

Et, raison avancée par son père pour s'opposer à cette excursion, jamais non plus elle ne s'était trouvée si loin d'un service hospitalier d'urgence. Mais Sophie avait tant supplié qu'on l'autorise à participer à la sortie! Elle demandait rarement quoi que ce soit et sa mère pouvait faire si peu de chose pour elle... Alors celle-ci avait accepté, après avoir demandé son avis au Dr Schaefer, qui avait lui-même appelé Joe pour lui assurer que tout irait bien, à condition qu'elle ne boive pas trop, qu'elle soit chez elle le dimanche soir pour la dialyse et à son cabinet le lendemain pour sa perfusion d'Herbaline. Joe, qui perdait facilement patience, lui avait raccroché au nez.

De même que les médecins traitants de Sophie, Joe pensait que le programme expérimental du Dr Schaefer était du pipeau, et il avait tenté de dissuader son ex-femme de faire de sa fille un cobaye. Bien que Joe et Janine eussent divorcé alors que Sophie avait cinq ans, ils étaient en général d'accord sur tout ce qui concernait sa maladie et son traitement. Mais l'expérience du Dr Schaefer avait créé un différend entre eux et envenimait les relations, déjà passablement difficiles, de Janine avec ses parents. Eux non plus ne voulaient pas entendre parler de médecine douce pour Sophie.

Face à la désapprobation de Joe ou de ses parents, Janine n'avait pas pour habitude de s'obstiner, du moins ces dernières années. Mais Sophie souffrait d'une maladie incurable, dont l'issue ne pouvait qu'être fatale. Même les dialyses quotidiennes devenaient insuffisantes, et on ne lui donnait plus que quelques mois à vivre. Qu'avait-elle à perdre?

— Vous n'avez aucune raison de vous inquiéter, Janine. Gloria est une cheftaine très consciente de ses responsabilités, elle veille très bien sur son équipe.

— J'ai quelques doutes sur Alison, quand même.

Alison était la plus jeune des deux cheftaines. A vingt-cinq ans, célibataire et sans enfants, cela faisait deux ans qu'elle était cheftaine bénévole, et les petites l'adoraient. Elle était gaie, avec un grand sens de l'humour et un esprit d'aventure particulièrement apprécié des enfants, même si les parents l'appréhendaient plutôt. Il était arrivé à la jeune femme de se montrer un peu légère, mais rien de grave ni de dangereux. Néanmoins, c'était la première fois qu'elle était responsable d'une fillette aussi fragile et nécessitant autant d'attention que Sophie.

— Oh, je trouve Alison géniale ! Combien de jeunes femmes sans enfants connaissez-vous qui soient disposées à travailler bénévolement avec des gosses ? Et les petites l'adorent. Elle est un bon exemple pour elles.

Janine se sentit gentiment remise à sa place, et regretta de ne pas avoir tourné sept fois sa langue dans sa bouche avant de parler. Elle allait s'excuser quand elle vit un minibus blanc entrer sur le parking.

— Les voilà, non ?

— On dirait, oui...

Le minibus se dirigeait vers elles. Janine s'écarta du véhicule de Suzanne en regrettant de ne pas distinguer les visages des enfants derrière les vitres teintées.

« Patience ! » se morigéna-t-elle. Si elle se précipitait vers le véhicule ou, pire encore, fondait en larmes en apercevant Sophie, celle-ci serait gênée.

Le minibus s'arrêta à côté de la voiture de Suzanne et Gloria en descendit, les salua d'un geste de la main

30

et alla ouvrir la porte arrière. Cinq petites filles en uniforme de scoute crasseux descendirent, Suzanne s'approcha pour serrer Emily dans ses bras et Janine regarda derrière elle, attendant que descende la sixième fillette. Elle s'approcha du minibus, essaya de voir à travers les vitres teintées : il semblait vide.

— Janine, s'étonna Gloria, comment se fait-il que vous soyez encore ici ?

— J'attends Sophie... Elle n'est pas avec vous ?

— Alison n'est pas encore arrivée ?

Janine fronça les sourcils.

— Alison ?

« Gloria n'a quand même pas laissé Sophie revenir avec Alison ! » Janine s'obligea à parler calmement.

— Non. Je suis ici depuis moins dix et je ne l'ai pas vue.

— C'est bizarre, ça... (Gloria sortit un des sacs à dos du minibus.) Sophie et Holly ont voulu revenir avec Alison, et elles sont bien parties dix minutes avant nous.

Suzanne avait dû remarquer le regard affolé de Janine.

— Alison les a peut-être ramenées directement ?

Gloria sortit un autre sac à dos.

— Elle savait qu'elle était censée revenir ici.

— Peut-être qu'une des fillettes lui a demandé de la ramener chez elle...

— Non. Elle savait que Janine viendrait chercher Sophie ici.

Janine regardait alternativement les deux femmes, comme si elle suivait un match de ping-pong.

— Je vais appeler à la maison et demander si elles sont arrivées là-bas.

Les mains tremblantes, elle ouvrit sa portière de

31

voiture et prit son téléphone portable. Elle appela Ayr Creek et sa mère décrocha.

— Je suis à Meadowlark Gardens, j'attends Sophie. Je voulais juste savoir si sa cheftaine ne l'a pas conduite chez vous.

— Je ne l'ai pas vue. Tu crois qu'elle pourrait être chez toi?

— C'est possible.

Pourtant... Si Sophie avait été ramenée à la maison et n'y avait pas trouvé sa mère, elle serait certainement allée chez ses grands-parents.

— Tu peux aller voir, Frank, s'il te plaît? (Vagues bruits au bout du fil.) Frank?

Janine imagina son père assis à son endroit favori, dans le fauteuil inclinable en cuir de la bibliothèque d'Ayr Creek, lisant ou travaillant sur son ordinateur portable.

— Tu peux aller à la maison d'hôtes, voir si Sophie y est? Il se peut qu'on l'y ait ramenée directement.

Sa mère revint au téléphone.

— Merci, maman.

— Pourquoi l'aurait-on ramenée à la maison alors que tu devais la retrouver à Meadowlark Gardens?

Janine se raidit. « C'est parti! »

— Il se peut qu'il y ait eu un malentendu.

— Eh bien, si les cheftaines ne sont pas capables de s'entendre sur quelque chose d'aussi simple, Dieu sait sur quoi elles peuvent aussi s'être trompées!

— Allons, maman...

— Elle n'a que huit ans, et elle est extrêmement fragile. Je ne t'aurais jamais laissée aller camper à cet âge, et tu étais forte comme un cheval.

Exact. Ses parents n'avaient jamais autorisé Janine

à aller camper. Elle avait été obligée de se trouver d'autres aventures. Et Dieu sait si elle l'avait fait !

— Je pense que ça aura été une merveilleuse expérience, pour elle.

Cela faisait plusieurs semaines qu'elle avait ce genre de discussion avec ses parents et Joe, et elle savait bien que ça ne menait nulle part. Elle entendit la voix de son père à l'arrière-plan, mais ne put distinguer ses mots.

— Elle n'est pas là-bas, répéta sa mère.

— Ah bon. Rappelle-moi sur mon portable si elle arrive, d'accord ?

— Combien de retard a-t-elle ?

— Elle n'est pas vraiment en retard, maman. C'est juste pour vérifier, au cas où elle aurait été ramenée directement à la maison. Il faut que j'y aille, maintenant.

Elle raccrocha et retourna au minibus. Les deux autres femmes bavardaient, Emily s'appuyait avec lassitude contre sa mère. Janine envia leur proximité sans complication. Elle voulait sa fille auprès d'elle, elle aussi. Tout de suite.

Gloria et Suzanne ne quittaient pas des yeux l'entrée du parking. Janine en fit autant, mais peu de véhicules venaient s'y garer.

— De quelle couleur est la voiture d'Alison ?

— C'est une Honda bleue. Sophie n'est pas à la maison ?

Janine secoua la tête.

— Elles auront peut-être fait un arrêt pipi ? suggéra Suzanne.

— Nous, on en a fait trois, grogna Emily. Tiffany a voulu s'arrêter trois fois !

— Allons, Emily...

Janine se retourna pour inspecter le coin opposé du parking, dans l'espoir d'y apercevoir une Honda bleue. Alison confondait peut-être les points cardinaux... mais le lieu de rendez-vous était le même que pour le départ et elle aurait sûrement repéré le minibus, maintenant.

— Je suis sûre qu'elles seront ici d'une minute à l'autre. Elles ont dû être coincées dans un embouteillage.

— Mais vous auriez été coincées aussi, Gloria. Alison n'a pas de portable?

La voix de Janine restait étonnamment calme, malgré sa colère envers la responsable, qui n'aurait jamais dû laisser Sophie revenir avec la jeune cheftaine.

— Oui, bien sûr! Je n'y pensais plus. J'ai son numéro dans le minibus.

Elle s'arrêta pour dire un mot à sa fille et retourna au véhicule.

— Sophie va bien, dit Suzanne d'une voix rassurante.

Janine essaya d'acquiescer, mais sa nuque semblait de bois.

— Elle s'est vraiment bien amusée, madame Donohue, ajouta Emily, percevant intuitivement que la mère de son amie avait grand besoin de réconfort.

— Qu'est-ce que vous avez fait, alors, pendant le week-end? demanda Janine, un œil sur le minibus, où Gloria était en train de téléphoner.

— On est montées à cheval. C'est ce que j'ai préféré.

— Ah bon? Sophie aussi?

— Oui...

Elle lui énuméra d'autres activités, mais Janine

avait sur la rétine l'image de sa fille à cheval, pour la première fois de sa vie. Gloria posa le téléphone et s'approcha.

— Vous l'avez eue?

— Pas de réponse. Elle l'a sans doute éteint.

« Génial ! »

Les autres fillettes commençaient à en avoir assez. Elles s'appuyaient au minibus, pressées de rentrer chez elles. Elles avaient des coups de soleil sur les joues et des cloques de piqûres de moustiques sur les bras.

— Un peu de patience, les enfants. Dès qu'Alison arrive, on vous répartit dans les voitures et on y va.

Gloria et Suzanne bavardaient calmement mais Janine n'arrivait pas à suivre leur conversation, et encore moins à y participer. Les minutes s'égrenèrent. Ses mains moites de transpiration agrippaient son téléphone et le monde autour d'elle devint irréel. Elle ne voyait plus que très vaguement le va-et-vient des automobiles, les gens, les autres fillettes, maintenant assises sur l'herbe entre le parking et Beulah Road. Elle n'arrêtait pas de regarder sa montre, dont la grande aiguille approchait maintenant de la demie.

Elle chercha dans sa tête des explications possibles à ce retard. « Sophie a été malade, les obligeant à s'arrêter... un embouteillage que Gloria a évité... Alison leur a proposé de les embarquer dans une nouvelle aventure... »

A quoi diable avait pensé Gloria en autorisant Sophie à revenir avec Alison? Celle-ci avait-elle les trois pages d'instructions dans lesquelles Janine avait détaillé les précautions à prendre? Ces femmes se rendaient-elles compte de la gravité de sa maladie?

35

Et si Joe avait eu raison de ne pas vouloir qu'elle participe à ce week-end de camping? Peut-être était-ce une très mauvaise décision. Grâce au traitement du Dr Schaefer, Sophie semblait en forme, il était facile à une cheftaine d'oublier combien elle était gravement atteinte.

Gloria essaya plusieurs fois d'appeler Alison sur son portable. En vain. A seize heures, Janine n'en pouvait plus.

— Vous avez son numéro à son domicile?

Elle entendit la sécheresse de sa propre voix et la regretta en voyant l'anxiété sur les traits de la responsable. Celle-ci connaissait le numéro par cœur et Janine le composa sur son portable.

— Allô?

Une voix féminine. La main de Janine se crispa sur le téléphone.

— Vous êtes Alison?

— Non, c'est Charlotte. Alison n'est pas là.

— Vous êtes sa... colocataire?

— C'est ça, oui.

— Je l'attends à Meadowlark Gardens. Elle devait ramener ma fille et une autre enfant de Virginie-Occidentale. Elle ne vous a pas appelée?

— Non... Je me demandais où elle était passée, en fait. Elle aurait dû arriver il y a une heure. On doit aller au Polyester, ce soir.

Janine n'avait aucune idée de ce qu'était le Polyester et s'en moquait éperdument.

— Ecoutez, si vous avez des nouvelles, dites-lui d'appeler tout de suite ce numéro.

— Vous pouvez l'appeler, si vous voulez, je vais vous donner son numéro de portable.

— J'ai essayé. Elle doit être hors réseau.

— Ça m'étonnerait. Elle a le même téléphone que moi et on n'est jamais hors réseau.

— Alors je suppose qu'elle l'a éteint.

Charlotte rit.

— Sûrement pas! Elle n'éteint jamais son portable, elle a trop peur de manquer un appel.

Janine dit au revoir et raccrocha. Elle regarda de nouveau l'entrée du parking : quelques voitures faisaient la queue pour sortir, mais aucun véhicule n'attendait pour entrer.

Pour une raison ou pour une autre, Alison avait éteint son portable.

2

Elles attendirent presque jusqu'à quatre heures et demie pour appeler les parents de Holly. A force de s'empêcher de pleurer, Janine avait les muscles du visage comme tétanisés.

« Comment une autre mère réagirait-elle dans la même situation? Une mère d'enfant en bonne santé ne se tracasserait sans doute pas pour un léger retard. »

Elle aurait bien voulu se comporter en mère ordinaire d'enfant ordinaire, mais elle ne savait pas faire.

Gloria était à côté de Janine lorsqu'elle téléphona aux parents de Holly, et il était clair d'après ses réponses qu'ils n'étaient pas chez eux.

— Tu es la sœur de Holly? Tu voudras leur dire de m'appeler dès qu'ils rentrent?... Oui, c'est important... Non, non, ne les inquiète pas, je suis sûre que

37

tout va bien, protesta-t-elle d'une voix tendue mais gaie. Holly va revenir du camp avec un peu de retard, et je voulais les prévenir, c'est tout.

Elle donna à son interlocutrice son numéro de portable et sourit à Janine.

— Ils ont sept enfants, vous vous rendez compte?

« Il leur en resterait six, s'ils en perdaient un » fut la pensée qui lui vint à l'esprit. Puis elle eut honte d'une idée aussi irrationnelle et aussi cruelle.

— Holly est l'enfant du milieu, trois avant et trois après, continua Gloria.

Suzanne jeta un coup d'œil à Emily, allongée sur la pelouse avec les quatre autres fillettes.

— Em aussi est une enfant du milieu, mais, pour le moment, aucun signe du syndrome.

— Jason, par contre, oui, sans aucun doute. (Gloria faisait référence à son fils.) Et comme il est coincé entre deux sœurs, c'est plus que le syndrome de l'enfant du milieu.

Janine était incapable de prendre part à leur conversation. Comment Suzanne et Gloria pouvaient-elles discuter tranquillement de la psychologie de leurs enfants alors que Sophie et Holly avaient plus d'une heure et demie de retard? Elle s'écarta des deux femmes pour essayer de nouveau le numéro de portable d'Alison. Toujours rien. Pourtant Charlotte avait bien dit que sa colocataire avait trop peur de manquer un appel pour éteindre son portable. Avait-elle conduit le portable collé à l'oreille? Et, distraite par une conversation, foncé dans un arbre? Mais Gloria avait pris la même route, elle aurait appris l'accident. A moins qu'Alison ait emprunté un autre chemin, auquel cas, bien sûr, Gloria ignorerait tout de ce qui s'était passé.

Suzanne mit un terme aux suppositions de Janine.

— Je ferais mieux de ramener les petites, non ? demanda-t-elle à Gloria. J'ai le break, elles peuvent toutes monter dedans, y compris Randi.

Randi était la fille de Gloria. Cette dernière regarda sa montre et acquiesça.

— Excellente idée. Inutile de les faire attendre ici.

Suzanne serra brièvement Janine dans ses bras.

— Je suis sûre que tout ira bien. C'est juste un de ces stupides malentendus, vous verrez !

Janine essaya de sourire.

— J'espère bien !

Elle s'appuya au minibus et regarda Gloria et Suzanne aider les fillettes à entasser dans le coffre sacs à dos et duvets. Elle aurait sans doute dû leur donner un coup de main, mais elle n'arriva pas à se décoller du minibus. Elle ne pouvait quitter des yeux les jambes et les bras bronzés, solides des petites.

A l'autre extrémité du parking résonna soudain une cacophonie de sifflements, de cris, d'applaudissements. Elle se retourna, une automobile sortait du parking en traînant derrière elle un flot de rubans et de guirlandes. Elle était si absorbée par son inquiétude qu'il lui fallut un instant pour comprendre qu'il s'agissait de mariés partant pour leur lune de miel.

Le break de Suzanne démarra, Gloria s'approcha de Janine et regarda sa montre.

— On ferait peut-être bien de prévenir la police, quand même. Et de nous assurer qu'aucun accident n'a été signalé sur la route.

— Oui.

« Il y a longtemps qu'on aurait dû le faire ! »

Elle écouta une fois de plus Gloria parler de sa petite voix tendue, exposant le problème d'une façon qu'elle jugea bien trop légère. Elle mourait d'envie de lui arracher son portable pour expliquer sa version, mais elle garda les mains fermement crispées sur son propre appareil. Gloria mit fin à la communication.

— Ils envoient quelqu'un nous parler. Si seulement on pouvait leur dire quand ils arriveront qu'on n'a plus besoin d'eux !

Elle regarda en direction de Beulah Road comme pour y faire se matérialiser une Honda bleue.

— Je n'arrive pas à y croire, murmura Janine. C'est la première fois de sa vie que je laisse Sophie aller quelque part, et maintenant, elle est... qui sait où elle est ?

Gloria lui passa un bras autour des épaules.

— Allons, Janine, je suis sûre qu'elle va bien. Et elle en a vraiment bien profité, vous savez ! Ça m'a fait tellement plaisir de la voir enfin capable de s'amuser avec les autres. Je n'en croyais pas mes yeux, de la voir si bien.

— Je sais... mais il faut toujours qu'elle fasse très attention, qu'elle ne boive pas trop, qu'elle surveille son...

— ... son alimentation. On y a veillé, Janine, on a toujours gardé l'œil sur elle. Mais elle sait exactement ce qu'elle doit faire et ne pas faire, elle est très avertie en ce qui concerne sa santé.

— C'est vrai. Seulement c'est devenu plus compliqué, à cause de son traitement. Ses besoins en liquide varient constamment.

— Elle m'a parlé de l'Herbaline.

— Qu'est-ce qu'elle en a dit ?

— Qu'au début elle détestait ce traitement, que la perfusion était douloureuse et tout ça. Mais elle se rend compte qu'il lui fait du bien, et c'est un tel soulagement de ne plus être branchée à la machine à dialyse tous les soirs ! Elle se sent bien plus libre.

— C'est vrai, oui.

Janine n'avait pas oublié les pleurs de sa fille, la première fois qu'on lui avait enfoncé la grosse aiguille dans la veine. Mais les semaines suivantes elle s'était montrée courageuse, elle avait même tendu le bras. Grâce à Lucas et à son arbre à courage.

— Ça va la guérir, ou c'est juste un traitement palliatif ?

Janine soupira.

— Ça dépend à qui on pose la question. Le médecin qui a mis au point ce traitement pense qu'il finira par la guérir. Mais notre médecin traitant est persuadé que ça nous fait juste gagner du temps. Pas tellement, d'ailleurs.

Elle tourna la tête et regarda la route, les yeux de nouveau pleins de larmes. Gloria la serra contre elle.

— Même si c'est le cas, au moins pour le moment elle peut s'amuser un peu.

— C'est ce que je me dis.

Mensonge... Au fond de son cœur, elle n'acceptait pas que Sophie ne bénéficie que d'une rémission, elle voulait que l'enfant ait une chance de vivre normalement, tout comme la fille de Gloria.

— Elle est très sensible... ce n'est pas une critique, je ne veux pas dire qu'elle est susceptible. Elle est très sensible aux besoins des autres. Brianna avait le cafard, le soir, sa maison lui manquait, alors Sophie lui a raconté des histoires drôles.

— Je la reconnais bien là.

Sophie parlait toujours des autres petits malades de l'hôpital avec beaucoup de compréhension. Elle

41

déplorait qu'ils soient malades, comme si elle n'était pas dans le même cas.

— Elle m'a dit qu'elle s'inquiétait pour vous.

— Pour moi?

— Elle craignait que vous ne vous sentiez bien seule sans elle, ce week-end.

Janine secoua la tête et porta son poing à sa bouche pour ne pas pleurer.

— Je ne veux pas qu'elle se fasse du souci pour moi!

Mais c'était le cas. Combien de fois avait-elle vu depuis le couloir de l'hôpital le petit visage blanc contracté de douleur, jusqu'à ce que, s'apercevant de la présence de sa mère, un sourire insouciant apparaisse sur les traits tavelés de taches de rousseur.

« Et qu'en est-il maintenant? Où qu'elle soit, elle sait que je suis anxieuse, et elle en est bouleversée. » Sophie prenait trop à cœur les sentiments exprimés par les autres.

Une voiture de police entra sur le parking, tourna, s'approcha d'elles, se gara à côté du minibus. Janine regarda le policier descendre et reprit un peu espoir. Pourtant il avait l'air bien jeune, avec un coup de soleil sur le nez et une allure dégingandée. Un gamin ayant endossé l'uniforme de son père et ne sachant pas trop comment le porter.

— C'est vous qui avez signalé la disparition de deux petites scoutes?

— C'est nous, oui.

Janine trouva le choix des mots malheureux, « la disparition de deux petites scoutes » était une expression tellement définitive. Puis elle se reprocha d'avoir les nerfs à fleur de peau et de tout interpréter de travers.

— Elles devaient arriver à trois heures.

Gloria lui précisa l'itinéraire du voyage et lui donna les noms d'Alison et des deux fillettes. Il écrivit lentement les renseignements en lettres majuscules sur son petit carnet.

— Vous êtes certaine qu'elle a suivi le même itinéraire ?

— Presque. On a fait le trajet aller l'une derrière l'autre, je n'ai jamais pensé qu'elle pourrait emprunter un autre chemin au retour.

— Mais vous n'en êtes pas sûre ?

— Non.

— Vous n'avez rien remarqué d'inhabituel, en chemin ? Des travaux sur la route, une manifestation quelconque, une exposition d'artisanat, par exemple, où elles auraient pu s'arrêter ?

— Non. Mais je n'ai pas vraiment fait attention.

Le jeune homme relut ce qu'il avait écrit comme s'il hésitait sur l'interprétation à donner à ces détails.

— Bon. D'abord, on va demander à toutes les personnes concernées de venir ici. La colocataire de votre cheftaine, votre mari, madame... (Il fit un signe de tête en direction de Janine, qui eut un instant l'idée de préciser « ex-mari », mais, au fond, qu'importait ?) ... et les parents de l'autre petite fille. Je vais appeler mon chef, il peut vérifier tout le long du trajet si un accident a été signalé. Malheureusement, il n'y en a qu'une petite partie dans le comté de Fairfax, alors il va falloir contacter la police des autres comtés entre ici et le camp. En plus, on vient d'effectuer la relève des équipes, alors le personnel de service en ce moment peut ne pas être au courant de ce qui s'est passé avant.

43

Il se tapota le menton du bout du stylo et Janine commença à s'impatienter.

— Il y a bien des rapports sur les accidents antérieurs, quand même !

— Bien sûr. Je réfléchissais tout haut, c'est tout.

Il lui sourit et elle détourna les yeux.

« Il est trop jeune pour être père, il ne peut pas savoir ce qu'on ressent. »

Il repartit vers son véhicule. Le téléphone de Gloria sonna et celle-ci se hâta de répondre. C'étaient les parents de Holly, et Janine était si déçue qu'elle avait envie de hurler.

— C'est ça, oui, disait Gloria. Elle est dans la voiture d'Alison avec une autre petite, Sophie Donohue, et elles ne sont pas encore arrivées. Je suis certaine que tout va bien, mais on a quand même prévenu la police... Oui, venez. La police veut que tout le monde soit ici.

« Quand même, si la police a demandé que tout le monde vienne à Meadowlark Gardens, c'est qu'elle juge la situation sérieuse. »

— J'appelle mon ex-mari.

Pas de réponse au numéro de Joe, rien que la messagerie.

« Encore un portable éteint ! » Toutefois, s'agissant de Joe, elle savait plus ou moins où le trouver, et en compagnie de qui.

3

Il y avait longtemps que Paula n'avait pas joué avec autant d'acharnement. Joe plongea pour rattraper la balle, la manqua et s'emmêla les pieds.

« Elle doit enfin commencer à se remettre... » pensa-t-il en lui lançant la balle par-dessus le filet.

Cela faisait maintenant six semaines qu'il l'avait accompagnée en Floride pour les obsèques de sa mère. Il avait passé quelques jours avec elle dans la maison de son enfance et avait fait de son mieux pour la réconforter aux moments les plus douloureux. Sa mère était le dernier membre de sa famille qui lui restait, et sa mort avait désespéré la jeune femme. Son chagrin commençait juste à s'estomper. Cette souffrance-là, Joe la connaissait et ne la comprenait que trop bien.

A moins que ce ne soit qu'une impression. Paula lui semblait peut-être étonnamment combative parce qu'il n'avait pas la tête à la partie. Son esprit n'était pas sur le court de tennis, mais à Ayr Creek, où Sophie, tout excitée, devait raconter à sa mère son week-end de camping. Il voulait lui aussi entendre son récit. Bien qu'il eût été tout à fait opposé à cette expédition, il espérait de tout son cœur qu'elle avait passé un merveilleux moment et que la sortie lui avait fait du bien. Il n'avait vraiment aucune envie de voir se confirmer ses sombres prédictions.

Avec un cri de triomphe, Paula envoya la balle de match par-dessus le filet, loin derrière lui. Il n'essaya même pas de la rattraper et se pencha, mains aux genoux, pour reprendre son souffle après les rudes efforts auxquels Paula l'avait contraint.

— Félicitations ! lui cria-t-il par-dessus le filet.

C'était la première fois qu'elle le battait à plate couture. Il se redressa, s'approcha du filet et lui serra la main.

— Une fausse victoire ! rétorqua-t-elle en défaisant la barrette retenant ses cheveux.

Ils tombèrent en cascade sur ses épaules et elle les rejeta en arrière d'un coup de tête.

— Pourquoi dis-tu ça ?

Ils marchaient l'un à côté de l'autre de chaque côté du filet en direction des bancs placés au bord du court.

— Parce que tu n'as pas prêté beaucoup d'attention à ton jeu.

— J'étais peut-être un peu distrait, mais tu as mérité ta victoire.

Paula s'assit sur un des bancs et s'essuya le visage avec sa serviette.

— Tu t'inquiètes pour Sophie, n'est-ce pas ?

— Ce n'est pas vraiment de l'inquiétude, on nous aurait avertis s'il y avait eu un problème. (Il glissa sa raquette dans son étui.) Mais j'ai hâte de savoir comment ça s'est passé. C'est la première fois de sa vie qu'elle fait ce genre de chose.

— Tu veux dire que c'est la première fois de sa vie qu'elle peut le faire.

Joe voyait bien où la jeune femme voulait en venir.

— Exact.

Il prit sa bouteille d'eau et but longuement.

— Et tu refuses toujours d'admettre que c'est grâce à ce traitement de phytothérapie.

— Si, je veux bien admettre que ce n'est pas

46

impossible. Mais tout le monde, à part bien sûr le médecin responsable de cette étude...

— Schaefer... Je peux finir ta phrase pour toi... Tout-le-monde-dit-que-cette-amélioration-n'est-qu'un-effet-passager-du-cocktail-de-plantes, ânonna-t-elle.

— Tout à fait. Alors qui croire ? L'insuffisance rénale dont souffre ma fille existe depuis longtemps, elle a été étudiée sous tous ses angles par des chercheurs qualifiés. C'est eux que je dois croire, ou bien un spécialiste des médecines douces surgi de nulle part avec sa poudre de perlimpinpin ?

— Il n'en est pas moins vrai que Sophie va beaucoup mieux.

— Je reconnais que ces perfusions la font se sentir beaucoup mieux. Ça ne signifie pas qu'elle va mieux.

— Tu vas la voir à Ayr Creek, ce soir ?

— Oui. Tu veux venir ?

— Si ça ne te dérange pas. A moins que tu n'aies envie d'être un peu seul avec elle et Janine.

Il lui fut reconnaissant pour son tact, mais il connaissait l'affection qu'elle éprouvait pour Sophie.

— Non, j'aimerais bien que...

Une portière de voiture claqua et ils se tournèrent vers le petit parking. Le court était entouré d'arbres et Joe se leva pour essayer de voir à travers les branches. Une femme courait vers eux. Il fronça les sourcils.

— On dirait Janine...

— Joe ! cria celle-ci en ouvrant la porte en grillage du court.

Elle était assez près de lui pour qu'il distingue l'angoisse sur ses traits. Il se figea. « Sophie... il est arrivé quelque chose à Sophie ! »

Paula se leva et lui agrippa le bras.

— Qu'est-ce qui se passe? articula Joe comme si les mots lui arrachaient la gorge, Sophie va bien, au moins?

Janine jeta un bref coup d'œil à Paula, puis ses yeux revinrent à son ex-mari.

— Elle est en retard, haleta-t-elle. Elle est montée dans la voiture de la deuxième cheftaine, avec une autre petite. Je suis allée la chercher à Meadowlark Gardens, mais elles ne sont pas encore arrivées.

— A quelle heure étaient-elles censées être de retour?

— Trois heures.

Il regarda sa montre. Six heures et demie.

— Tu veux dire qu'elles ont trois heures et demie de retard!

— Oui...

— Il faut appeler la police, et...

— C'est fait. (Des boucles blondes étaient collées à son front humide de transpiration.) La police a demandé que les familles viennent à Meadowlark Gardens pour essayer de comprendre ce qui se passe.

— Bon Dieu! (Il donna un coup de poing sur le grillage et Paula vit Janine pâlir.) Je savais bien qu'elle n'aurait pas dû participer à cette sortie!

Paula posa la main sur son bras.

— Allons, Joe... On vous suit, ajouta-t-elle à l'adresse de Janine. Dans quel coin du parking est le lieu de rendez-vous?

— Juste à l'entrée, côté Beulah Road. (Elle fit demi-tour et repartit en courant vers sa voiture.) Vous verrez le minibus blanc de la responsable, leur cria-t-elle par-dessus son épaule.

Joe et Paula ramassèrent en hâte leur équipement et, sans même prendre le temps de le ranger dans les sacs, la suivirent.

— On va peut-être trouver Sophie là-bas en train de nous attendre, remarqua Paula en montant dans la voiture.

Paula était ainsi, rationnelle et optimiste. Elle était depuis quatre ans la collègue de Joe dans un cabinet d'experts-comptables. Sa collègue et sa plus proche amie. Parfois Joe se demandait comment il ferait s'il ne l'avait pas auprès de lui pour dédramatiser la situation. Mais, à cet instant, même Paula était impuissante à calmer sa colère.

— J'aurais dû traîner Janine au tribunal à propos de ce traitement expérimental, gronda-t-il en martelant le volant du poing. Je n'aurais jamais dû tolérer que ma fille serve de cobaye!

— Mais ça n'a aucun rapport avec le retard de Sophie...

— Bien sûr que si! Si elle ne s'était pas sentie mieux, elle n'aurait pas participé à cette sortie!

La jeune femme ne perdit pas patience.

— Voyons, Joe... C'est un raisonnement absurde. Tu ne trouves pas que pour elle il est merveilleux de se sentir enfin mieux?

— Sa maladie est toujours là. Toujours gravissime. Toujours en train de la tuer.

Paula se tut. Ils étaient depuis quelque temps en profond désaccord sur le sujet, et elle en avait assez de ces discussions.

Depuis trois ans, Sophie était soignée par une cohorte de médecins de renommée nationale. Quand Janine avait annoncé à son ex-mari qu'elle avait l'intention de faire participer leur fille à un programme expérimental de traitement par les médecines douces, il avait demandé à ces sommités de l'en dissuader. L'un d'eux avait répondu, bien trop franchement, que Sophie de toute façon était condamnée, et que peu importait le traitement qu'elle suivrait. Mais les autres avaient passé des heures à discuter avec Janine, soit au téléphone, soit face à face. Elle n'avait pas renoncé à son projet d'administrer à la fillette l'élixir magique du Dr Schaefer.

Joe avait même rendu visite au Dr Schaefer afin d'essayer de comprendre sur quelles bases scientifiques reposait sa conviction de l'efficacité de l'Herbaline. Schaefer était un petit homme chafouin, incapable de regarder son interlocuteur dans les yeux et son apparence n'avait pas rassuré Joe. Même sa voix était faible et hésitante et il avait seulement affirmé à Joe sa « quasi-certitude » d'avoir découvert un moyen de venir en aide aux enfants touchés par l'affection dont souffrait Sophie. Ce fut son unique réponse à toutes les questions de Joe. Un vrai perroquet.

Au début d'avril, le néphrologue qui suivait Sophie avait appelé Janine pour l'informer d'une nouvelle expérience en médecine traditionnelle effectuée à la célèbre université Johns Hopkins. Joe l'avait suppliée de donner cette nouvelle chance à Sophie, mais c'était devenu une obsession : elle refusait de voir leur fille continuer à souffrir si elle disposait d'un moyen de la soulager. Et un allié inattendu l'avait aidée à défendre sa position.

— Tout ça, c'est la faute de ce jardinier, maugréa Joe en prenant le virage sur la route 7.

— Qu'est-ce que tu dis ?

— Je parle du chef jardinier d'Ayr Creek, tu sais bien, Lucas Trowell, celui que les parents de Janine soupçonnent d'être pédophile.

Il avait à plusieurs reprises vu l'homme en train de tailler les azalées ou de pailler les arbres. Les rares fois où leurs regards s'étaient croisés, Lucas l'avait dévisagé. Pas un simple coup d'œil, un examen attentif, comme si Joe faisait partie d'une espèce que le jardinier n'avait jamais vue auparavant. Ce type, un grand maigre à lunettes, était vraiment bizarre.

— Comment est-ce que ça pourrait être sa faute ?

— Il lui a dit que faire suivre à Sophie ce traitement expérimental était une très bonne idée, qu'à ses yeux il paraissait tout à fait valable. Il est juste jardinier, ce type ! Et probablement pas très bien dans sa tête. Il habite une maison dans les arbres. Je n'arrive pas à croire que Janine l'ait écouté plutôt que les médecins de Sophie.

Les parents de Janine s'étaient joints à leur exgendre pour essayer de dissuader Janine de faire participer Sophie à l'expérience du Dr Schaefer, de même qu'ils avaient tout fait pour qu'elle n'autorise pas leur petite-fille à aller camper. En vain. Janine paraissait sous l'emprise d'un professeur Nimbus cinglé et d'un jardinier persuasif.

— Je comprends ce que ressent Janine, tu sais, répondit Paula de sa voix la plus calme, la plus rationnelle, la plus propre à calmer le jeu. A ce stade, sa priorité est la qualité de vie de Sophie. C'est exactement ce que je ressentais vis-à-vis de ma mère avant qu'elle ne meure.

— Eh bien moi, je pense qu'elle est tombée sur la tête !

Il klaxonna agressivement : un automobiliste venait de le doubler, séparant son véhicule de celui de Janine.

— Allons, Joe ! (Paula tira sur sa ceinture de sécurité de façon à pouvoir se tourner vers lui.) Tu es furieux, bouleversé et c'est normal de chercher un bouc émissaire, mais, si tu réfléchis, tu verras que le retard de Sophie ne peut pas être imputé à son traitement, ni à Schaefer, ni au jardinier pédophile, ni à Janine, ni à...

— Bien sûr que si, c'est la faute de Janine ! (Joe doubla la voiture qui le précédait et ralentit pour se replacer derrière son ex-femme.) Sophie n'aurait jamais dû aller camper. Elle n'a jamais été séparée de nous. Durant tous ses séjours à l'hôpital, elle avait toujours l'un de nous deux auprès d'elle. Janine n'a tenu aucun compte de mon opinion. Ça non plus, je ne le comprends pas. Ces dernières années, elle a toujours été d'accord avec moi pour tout ce qui concernait Sophie. Et maintenant...

— Tu veux dire qu'elle a toujours accepté toutes tes décisions...

— Qu'est-ce que ça signifie, ça ?

— Ça veut dire que depuis que Sophie est tombée malade, et que toi et ses parents l'en ont rendue responsable, elle n'a pas une seule fois osé se fier à son propre jugement.

— Je ne lui ai jamais reproché la maladie de Sophie, protesta-t-il, sachant fort bien que ce faible argument ne risquait pas de tromper Paula. Quoique je pense effectivement qu'il n'est pas du tout impossible que la maladie de Sophie soit la conséquence de la période militaire de sa mère.

— Oh! Joe, on ne cite aucun cas de vétéran de Tempête du désert ayant des enfants atteints d'une affection rénale. Ce n'est pas parce que Janine...

— Parlons d'autre chose, d'accord?

— Tu sais que tu dis toujours ça quand tu es à court d'arguments?

Il l'entendit à peine. Ils attendaient à un long feu rouge et il apercevait la nuque de Janine dans le véhicule devant lui. Elle écartait ses cheveux de son visage... ou bien elle essuyait ses larmes. Il se radoucit. S'il était avec elle, il pourrait la réconforter, lui prendre la main, peut-être. Cela faisait longtemps qu'ils ne s'étaient pas touchés, mais ça ne l'empêchait pas d'en avoir envie.

— Comment puis-je en même temps tellement lui en vouloir et avoir envie de lui sauter dessus?

Paula prit son temps pour répondre.

— Tu es toujours amoureux d'elle, c'est tout.

Il garda les yeux soigneusement fixés sur la route. Comment Paula le savait-elle? Il ne le lui avait jamais dit. A part sa dernière remarque, qui, il le savait, était malvenue et dépourvue de tact, il parlait plutôt de Janine en termes peu indulgents. Comment les femmes s'arrangeaient-elles pour toujours deviner les pensées qu'on avait dans la tête?

— Qu'est-ce qui te fait dire ça?

— Vouloir lui sauter dessus, c'est une expression de mec pour dire que tu l'aimes.

— C'est impossible, je suis trop en colère contre elle.

— Comme si l'amour et la colère ne pouvaient pas coexister! J'en sais quelque chose.

Paula avait divorcé cinq ans plus tôt d'un homme qui l'avait escroquée de toutes ses économies, et ce n'était que récemment qu'elle avait cessé de parler de lui avec tendresse.

— Je ne sais pas ce que je ressens envers elle, mais on formait une équipe, tous les deux... on pensait pareil... du moins pour tout ce qui concernait Sophie.

Il ne le niait pas : la cassure définitive était sa faute. Il s'était comporté de façon stupide et aurait donné n'importe quoi pour se faire pardonner. Il voulait récupérer Janine, elle et Sophie étaient sa famille. Paula interrompit sa méditation.

— Ecoute, Joe, pour le moment, Janine a besoin que tu la soutiennes, vous avez tous les deux besoin l'un de l'autre. Alors tu ne pourrais pas mettre ta colère dans ta poche et être juste un père, non ?

« Elle a raison. »

— Je vais essayer.

Le parking de Meadowlark Gardens était presque entièrement désert, à part un petit groupe de véhicules dans l'angle le plus proche de la rue. Les deux voitures le traversèrent l'une derrière l'autre, et Janine se gara entre le minibus blanc et une voiture de police. Espérant que Sophie était arrivée pendant que Janine était allée le chercher à Reston, Joe parcourut rapidement le groupe du regard, à la recherche d'une chétive petite rousse. Mais Sophie n'était pas là. Joe et Paula descendirent et suivirent Janine.

— Pas de nouvelles ? demanda celle-ci à une femme de grande taille.

Celle-ci fit un signe de tête négatif, puis regarda Joe.

— Vous êtes le papa de Sophie ?

— Oui.

— Je suis la cheftaine de l'équipe de Sophie.

Il lui serra la main de mauvais gré : il lui en voulait, à elle aussi, comme il en voulait à tous ceux qui, de loin ou de près, avaient contribué à mettre sa fille en danger.

— Qu'est-ce qui se passe ?

Il perçut de l'impatience et de l'agressivité dans sa voix, et sentit la main de Paula se poser sur son bras.

— Le brigadier Loomis vient d'arriver.

Elle montra un homme en uniforme, un Noir costaud, en conversation avec un jeune policier. Ce dernier accompagnait ses paroles de nombreux gestes de la main, tandis que son supérieur écoutait calmement.

Gloria présenta Joe, Paula et Janine aux parents de Holly, qui venaient eux aussi d'arriver dans une grande voiture bleu foncé. Tout le monde avait des questions à poser, mais personne n'avait de réponse. Ils attendirent près du minibus que le brigadier ait fini de parler dans sa radio. Joe mourait d'envie d'aller le voir et de lui dire de se remuer, mais savait bien que ce genre de comportement ne les aiderait en rien.

Une Honda entra sur le parking et tous eurent un sursaut d'espoir. Mais elle était gris argent et non bleue. Elle s'arrêta près de la clôture. Une jeune femme en descendit et s'approcha en courant.

— Je suis Charlotte, je partage l'appartement d'Alison. Pas de nouvelles ?

— Non. Vous non plus ?

Charlotte secoua la tête. Elle semblait très jeune, guère plus de vingt ans. Ses cheveux blonds coupés au carré lui descendaient aux épaules et elle portait de minuscules lunettes perchées sur un petit nez rond. Joe comprit au premier coup d'œil qu'elle était du genre à tout dramatiser.

— C'est terrible ! Alison n'est jamais en retard sans raison. On devait sortir, ce soir...

— La police a pris l'affaire en main, dit Gloria d'un ton peu convaincu.

Son anxiété se lisait sur son visage tendu, au front barré de plis et aux lèvres pincées. Gloria devait avoir dans les trente-cinq ans, l'âge de Janine et de Joe. Janine, en revanche, dissimulait son anxiété sous un calme obstiné. Ses traits ne trahissaient aucune émotion. Joe lui avait maintes fois vu ce visage, en attendant les résultats de tel ou tel examen médical. Elle s'effondrerait plus tard, une fois toute seule. Mais, pour l'instant, lui seul savait discerner l'angoisse qui lui serrait le cœur.

Les parents de Holly étaient différents et arboraient un sourire optimiste, comme s'ils n'entendaient pas se laisser abattre par une mésaventure de plus. C'était un couple légèrement plus âgé, ils avaient dépassé la quarantaine et auraient pu être décrits comme des hippies bien conservés. Steve portait une queue de cheval grisonnante, et les cheveux bruns de Rebecca tombaient raides et sans apprêt de chaque côté de son visage. Ils étaient accompagnés de deux de leurs sept enfants, un bébé qui marchait à peine et un petit garçon de six ans, à l'air grognon, prénommé Treat.

— Tout va s'arranger, vous allez voir, dit Rebecca à Joe en faisant sauter son bébé dans ses bras. Ça s'arrange toujours, on a déjà vécu ce genre de chose, on sait ce que c'est.

Leur optimisme était contagieux, ou du moins Joe

essaya de le partager en les entendant raconter diverses mésaventures arrivées à leurs rejetons. Leur voix rassurante et raisonnable lui donnait l'impression d'être un jeune père inexpérimenté.

Le brigadier Loomis les rejoignit enfin. Joe, debout contre le minibus entre Paula et Janine, écouta sa résonante voix de basse.

— On a demandé à toutes les brigades de police entre ici et le camp scout de signaler tout accident sur ce trajet. Jusqu'à présent, nous n'avons reçu aucun rapport d'accident impliquant un véhicule comme celui de Mlle Dunn. Il est possible qu'elles se soient simplement égarées.

— Mais Alison a un excellent sens de l'orientation, objecta Charlotte. Quand on va à Georgetown ou à Washington DC, elle retrouve toujours le chemin quand on est complètement perdues. Sauf qu'elle aime bien les raccourcis et que ceux-ci finissent parfois par rallonger le trajet.

— Mais elles ont quatre heures de retard ! protesta Joe, exprimant tout haut ce que chacun pensait.

Il passa la langue sur ses lèvres sèches.

— Elles se sont plus qu'égarées, elles sont complètement perdues, dans ce cas.

— Il est possible qu'elles aient fait une halte pour manger ou se reposer. Ou bien elles se seront arrêtées pour un événement quelconque, ou un spectacle, sans penser que leur retard inquiéterait tout le monde.

— Non. Alison m'aurait appelée si elle avait été en retard. (Charlotte se tordait les mains et Joe était fasciné par la façon dont ses doigts blanchissaient quand elle les serrait, puis redevenaient roses quand elle les lâchait.) Il leur est arrivé quelque chose de grave, c'est certain !

— J'avoue que c'est une possibilité. Mais il y en a d'autres.

— Il n'y a pas eu des auto-stoppeurs assassinés dans ce coin, récemment ?

Tout le monde la regarda dans un silence horrifié.

— Voyons, mademoiselle, inutile d'envisager le pire !

— C'est vrai, brigadier, il y a eu un meurtre récemment, près de notre camp ?

— Ni récemment ni vraiment près de votre camp. C'était à l'automne dernier, sur le Chemin des Appalaches. Deux femmes. Et ce n'est pas la peine de penser à ça.

« Du moins pas encore », compléta mentalement Joe.

— Est-ce qu'il y aurait une possibilité pour qu'Alison soit partie avec les deux fillettes ? (Loomis regarda Gloria, puis Charlotte, puis à nouveau Gloria.) Je ne dis pas que c'est ce qui est arrivé, mais il nous faut considérer toutes les hypothèses.

— Pfeuh ! C'est idiot ! Pour quelle raison ? Alison ne ferait jamais une chose pareille.

— Vous n'avez rien remarqué d'inhabituel dans son comportement, lorsqu'elle se préparait à emmener les deux fillettes ?

Gloria secoua la tête.

— Non, pas du tout. Et ça ne tiendrait pas debout. Alison est une personne très consciente de ses responsabilités. Je sais qu'elle a la réputation d'être un peu... évaporée, mais c'est juste qu'elle aime bien s'amuser. Elle ne ferait jamais ce que vous suggérez.

Joe entendait Janine respirer à côté de lui. De longues respirations, mais un souffle irrégulier. Toutes les deux ou trois secondes, son regard se portait vers l'entrée du parking. Normal. Lui aussi s'attendait à ce qu'Alison et les enfants arrivent d'un instant à l'autre et mettent fin à cet insupportable après-midi d'angoisse. La lumière baissait, le crépuscule approchait. Il ferait nuit d'ici peu.

— Quand même, Alison est un peu fantasque, commença Rebecca d'une voix traînante. Elle est tout à fait capable de décréter que Holly et Sophie ne se sont pas suffisamment amusées et de les emmener à une fête foraine, ou quelque chose de ce genre. Quelles fêtes y a-t-il en ce moment par ici, tu le sais, Steve?... Ou bien cet Aqualand?

— Non, elle ne ferait pas ça, protesta Gloria sans laisser à Steve le temps de répondre. Même si elle en avait envie, elle ne le ferait pas.

— C'est vrai, approuva Charlotte. Alison est parfois un peu follette et tout ça, mais elle savait qu'on sortait ce soir, et elle avait l'intention de revenir directement. En plus, je ne comprends pas qu'elle ne soit pas joignable sur son portable. C'est ça qui m'inquiète le plus parce que, où qu'elle soit, elle le garde allumé.

— Il arrive que les batteries se déchargent et que les portables tombent en panne, mademoiselle.

« Cette fille l'agace, mais il fait de son mieux pour le cacher », pensa Joe en constatant le calme du brigadier.

— Elles n'auraient pas pu être enlevées? demanda Janine. (Joe s'aperçut qu'elle n'avait jusqu'alors pas dit un mot.) Par quelqu'un d'autre qu'Alison...

— Si elles ne sont pas de retour d'ici quelques heures et en l'absence de tout accident signalé dans la région, il nous faudra effectivement envisager cette hypothèse, madame Donohue.

— Je vous en prie, envisageons-la maintenant, insista Janine d'une voix tremblante. Juste au cas où ça serait arrivé. On ne peut pas se permettre de perdre du temps.

— Pour l'instant, ma priorité est de m'entretenir avec chacun de vous séparément. En commençant par vous, madame Donohue.

— On est suspects, alors ?

Joe n'y avait pas pensé, mais quand un enfant disparaît, les parents sont les premiers soupçonnés. Et il n'est que trop fréquent qu'ils soient coupables. Alors il regarda les Kraft d'un autre œil. Trop décontractés, trop insouciants, ces deux-là.

— Je désire juste noter tous les renseignements que chacun de vous peut m'apporter. Séparément, vous pouvez vous souvenir d'un détail, avoir une idée qui vous échappe maintenant. Et j'ai besoin d'en savoir le plus possible sur les fillettes disparues.

Janine parut troublée.

— Vous ne pouvez pas commencer par quelqu'un d'autre ? Il faut que j'appelle mes parents. Je leur ai téléphoné tout à l'heure, et ils doivent se ronger les sangs.

Joe lui effleura le bras.

— Je m'en charge, Janine.

Elle redoutait certainement cette conversation avec ses parents, et c'était compréhensible.

— Ah bon. Merci, répondit-elle sans lever les yeux.

« Elle n'a pas envie de croiser mon regard. »

Elle savait bien que, même s'il se montrait obligeant, il la rendait responsable de ce qui se passait. Il la regarda accompagner le policier dans une des voitures à gyrophare, puis se tourna vers Paula.

— Je reviens tout de suite.

Il s'assit derrière son volant et composa le numéro d'Ayr Creek, espérant tomber sur Frank plutôt que sur Donna. Ni l'un ni l'autre n'accueillerait calmement ce qu'il allait leur annoncer, mais la réaction de Donna serait pire.

— Allô?

« Donna! »

— C'est Joe, maman.

Il voyait Janine assise dans la voiture de police, aux portières grandes ouvertes pour laisser entrer l'air.

— Joe! Je viens juste de t'appeler. Sais-tu où sont Sophie et Janine? Notre fille nous a appelés, il y a des heures de ça, pour demander si Sophie avait été ramenée ici, mais elle n'était pas avec nous. Alors j'ai pensé qu'elles étaient chez toi. Je croyais pourtant que c'était toi qui devais venir ici et...

— Un instant, maman. (Il hésita... « Comment lui présenter ça? ») Je suis avec Janine au parking où devaient arriver Sophie et toute l'équipe. Quelques enfants sont arrivés, mais la voiture dans laquelle était Sophie n'est pas encore ici.

Donna resta un instant silencieuse.

— Je pensais qu'elles devaient arriver vers quinze heures. Du moins c'est ce qu'avait dit Janine.

— C'est exact.

— Et elles ne sont pas encore là? Mais il est dix-neuf heures trente!

— Je sais, maman.

Il appelait toujours ses ex-beaux-parents papa et maman. Il avait bien essayé, lors de sa séparation d'avec sa femme, de les appeler par leurs prénoms, mais Donna et Frank l'avaient supplié de continuer comme avant. Lui-même le préférait ainsi : il n'avait plus de parents.

— On a appelé la police, ils recherchent le véhicule. Ils pensent qu'elles se sont égarées, ou quelque chose de ce genre.

Mensonge. Mais que pouvait-il leur dire d'autre ?

— J'avais pourtant bien dit à Janine de ne pas laisser Sophie y aller... (Donna était déjà en larmes et il entendit Frank à l'arrière-plan demander ce qui se passait.) Sophie n'est jamais partie un seul après-midi et elle l'a laissée aller camper à des milliers de kilomètres !

— Ce n'était pas si loin ! protesta Joe, bien qu'il partageât son anxiété. J'entends que Frank est là. Tu peux me le passer ?

Il y eut quelques bruits sur la ligne, puis la voix grave de Frank fut au bout du fil.

— Qu'est-ce qui se passe ?

Joe lui répéta ce qu'il venait de dire à Donna.

— Janine n'a pas les idées très nettes, ces temps-ci. Elle est redevenue une gamine étourdie, comme autrefois. Quand tout sera fini, je veux que tu ailles au tribunal et que tu obtiennes l'autorité parentale pour tout ce qui concerne Sophie. Un droit de veto, au moins.

Joe avait déjà pensé à cette démarche.

— Il y a plus urgent, papa.

— Vous ne pensez pas que ça pourrait avoir un rapport avec le chef jardinier ?

Donna était sur l'autre poste. Joe mit un instant à comprendre ce qu'elle voulait dire.

— Lucas Trowell ? En quoi est-ce que ça pourrait avoir un rapport ?

— Eh bien, peut-être savait-il à quelle heure Sophie devait revenir, il a pu l'enlever, avec l'autre fillette, ou bien...

— Mais non, maman ! Il n'irait pas jusque-là !

— Tu ne le connais pas, tu ne le vois pas toujours garder un œil sur la maison d'hôtes, à attendre que la petite sorte. Il travaille à peine, il se contente de donner des ordres à son équipe. Il essaie de se concilier Janine, de gagner sa confiance, et...

— Je sais que tu ne l'aimes pas, maman, mais ce n'est pas le moment d'en parler...

Joe ne faisait pas partie des fans de Lucas Trowell, mais il semblait vraiment improbable que l'homme puisse avoir un rapport avec la disparition de Sophie.

— J'ai toujours peur qu'il ne profite d'un moment d'inattention de Janine pour filer avec la petite. Tu sais bien que ça arrive tout le temps, ce genre de chose ! Et le coupable est toujours le jardinier, ou l'homme à tout faire, ou quelqu'un qui travaille à proximité.

« Une hypothèse tirée par les cheveux, mais pas impossible, après tout... »

— Je vais demander à un des flics de passer chez Trowell pour vérifier qu'il y est et qu'il ne s'y passe rien de louche, d'accord ?

Il vit Janine descendre de la voiture de police. Bien qu'il ne fît pas encore nuit, les lampes du parking s'allumèrent et Janine, surprise, s'arrêta une seconde sous l'une d'elles avant de retourner au minibus blanc. Elle paraissait prête à se casser, d'une fragilité qu'elle n'avait jamais montrée auparavant, même pendant toutes ces nuits passées à l'hôpital au chevet de Sophie à se demander si elle allait survivre. Puis le brigadier descendit de son véhicule et appela Joe d'un geste.

— Il faut que j'y aille, maman.

— On vous rejoint là-bas?

— Non. Il vaut mieux que vous ne bougiez pas. On vous appellera s'il y a du nouveau.

— Ça va? demanda-t-il à son ex-femme en passant près d'elle.

Elle acquiesça d'un signe de tête, dents serrées, et il devina que non, ça n'allait pas du tout.

— Il fait trop chaud là-dedans, dit le policier en essuyant son front couvert de transpiration. Restons parler dehors.

Joe s'appuya à la portière du véhicule et répondit aux questions de Loomis. Exactement les questions qu'il s'attendait à s'entendre poser. Pouvait-il détailler son emploi du temps de la journée? Avait-il de bonnes relations avec Sophie? Avec Janine?

— Votre femme m'a dit que vous étiez tout à fait opposé à ce qu'elle suive ce nouveau traitement.

— Exact. Mais je n'ai pas enlevé ma fille pour la conduire à Johns Hopkins, si c'est ce que vous voulez dire.

— Et vous ne vouliez pas non plus qu'elle aille camper. Vous n'aimeriez pas démontrer à votre ex-femme qu'elle a eu tort d'autoriser votre fille à participer à cette sortie?

64

L'irritation commença à gagner Joe. Où ce flic voulait-il en venir ?

— Je ne ferais jamais ça à ma fille, protesta-t-il en s'obligeant à ne pas monter la voix.

Loomis lui posa d'autres questions, sur son travail et sur Paula. Puis il soupira, regarda le petit groupe à une dizaine de mètres, regarda Joe. Il semblait avoir épuisé ses questions.

— Vous n'auriez pas votre petite idée là-dessus ?... enfin, une intuition, une hypothèse...

Joe hésita.

— Je viens d'appeler mes ex-beaux-parents, les grands-parents de Sophie. Ils sont un peu inquiets au sujet de leur chef jardinier. Sophie habite avec sa mère une maison située dans leur propriété, et le jardinier les connaît, bien sûr. Mes ex-beaux-parents le trouvent un petit peu trop intéressé par Sophie, alors ils se demandent s'il n'aurait pas quelque chose à voir avec cette affaire. Je leur ai dit que je vous en parlerais, au cas où vous voudriez passer chez lui vous assurer que... que Sophie n'y est pas.

— Qu'est-ce que vous en pensez, vous ?

— Il est possible qu'il s'intéresse un peu trop aux petites filles, mais franchement je doute qu'il ait un rapport avec ça.

— Vous connaissez son adresse ?

— Canter Trail. Du côté de Wolf Trap, mais j'ignore le numéro de sa maison. Une sorte de villa, une maison basse. En brique. Mais en fait, il habite le bois derrière, il a une maison perchée dans un arbre.

— Vous voulez parler de Trowell ?

— Vous le connaissez, alors ?

L'appréhension lui serra le cœur. Trowell, connu

65

de la police ? Etait-il pédophile, comme le craignaient Frank et Donna ?

— Non, pas personnellement, je sais seulement que c'est lui qui habite là. Tout le monde connaît sa maison dans un arbre.

— Vous pouvez vérifier s'il a un casier ? Son prénom est Lucas.

— Je le fais tout de suite. Et j'envoie quelqu'un faire un tour chez lui.

— Merci.

Il faisait nuit noire quand le brigadier eut fini de questionner tout le monde. Il alla sous un lampadaire et leur fit signe d'approcher.

— Bon, c'est tout pour ce soir. Vous...

— C'est tout ? demanda Joe, c'est tout ce que vous allez faire ? Il y a des gens à leur recherche ?

— Ecoutez, monsieur Donohue, on ne fait pas de miracles, nous. Tout ce qu'on sait, c'est qu'on a un cas de trois voyageuses non arrivées à leur destination, parties d'à peu près deux cents kilomètres d'ici, et dont l'itinéraire traverse plusieurs comtés. Et on sait qu'elles voyagent dans une Honda, qui n'est pas exactement un véhicule rare. On ignore si elles sont parties dans une autre direction, si elles se sont endormies sur une aire de pique-nique, si elles ont été enlevées, si elles ont décidé de s'arrêter manger ou quoi que ce soit. Alors on n'a guère de base pour progresser. On va demander aux équipes patrouillant sur le trajet de garder l'œil ouvert. Ce soir, on ne peut pas faire grand-chose d'autre.

— On ne pourrait pas demander dans les boutiques et les restaurants le long du chemin si on les a vues ? suggéra Paula.

— La plupart des brigades n'ont pas le personnel pour faire ça, madame. Du moins à ce stade de l'enquête. Alors pour l'instant, le mieux pour vous est de rentrer chez vous et de rester à proximité de votre téléphone.

« Rentrer chez nous ? »

Joe ne se voyait pas rentrer chez lui. Il vit dans les yeux de Janine qu'elle pensait exactement la même chose.

— Allons jusqu'au camp par le chemin qu'elles ont dû prendre.

Loomis l'avait entendu.

— On l'a déjà fait. Il est inutile que vous...

— Moi je tiens à le faire ! protesta Janine.

— Et nous, on reste ici, décida Rebecca. Au cas où elles auraient été retardées et finiraient par arriver.

Le policier soupira.

— Très bien... Vous avez tous des portables, et j'ai vos numéros. Assurez-vous que vous avez aussi les numéros les uns des autres.

Les parents de Holly n'avaient pas de portable mais Paula proposa de rester avec eux afin qu'ils puissent utiliser le sien. Joe lui fut reconnaissant de ne pas offrir de les accompagner, Janine et lui. Paula devinait qu'il voulait être un peu seul avec son ex-femme.

Ils échangèrent tous leurs numéros, et Janine monta dans la voiture de Joe. Dès qu'ils eurent démarré, ses larmes commencèrent à couler. Elle pleurait sans bruit, le visage tourné vers la vitre. Il se gara, arrêta le moteur, posa la main sur son épaule.

— Ça va s'arranger, tu vas voir...

Elle se retourna vers lui. La lumière d'un lampadaire éclaira ses yeux noisette et la larme qui roulait sur ses joues.

— Oh Joe, je regrette tellement de l'avoir laissée y aller !

Il ravala la phrase qui lui était montée aux lèvres.

— Tu ne pouvais pas savoir ce qui allait arriver.

Il se pencha et l'attira vers lui. Elle ne résista pas. Il comprit alors qu'il avait envie qu'elle redevienne sa femme.

4

Lucas détourna les yeux de son écran et tendit l'oreille. Quelque chose bougeait en dessous de la maison. Dans cette parcelle très boisée, les bruits nocturnes étaient fréquents, depuis les chants de cigales ou de grillons jusqu'au froissement de feuilles au passage des ratons laveurs, des opossums, parfois même des chevreuils. Mais ce qu'il entendait était, sans erreur possible, les pas lourds d'un homme.

— Monsieur Trowell ? appela quelqu'un d'en bas.

Il quitta en hâte Internet, se leva, ferma soigneusement la porte de son bureau, empocha la clef, traversa la salle de séjour, sortit sur la véranda et se pencha par-dessus la balustrade. Le faisceau d'une lampe torche l'aveugla. Il leva la main en visière devant ses yeux.

— Oui ?

La torche s'éteignit aussitôt.

— Pardon !

L'homme debout en bas était maintenant visible dans la lumière de la véranda, qui éclairait les arbres et projetait leurs ombres dans le bois. Un écusson brillait sur son uniforme, et Lucas sentit un frisson lui courir le long du dos. « Merde ! »

— Vous êtes Lucas Trowell ?

— Oui.

« Ce n'est quand même pas la municipalité qui m'envoie un policier un dimanche soir pour m'annoncer que ma maison ne répond pas à telle ou telle norme ! »

La municipalité ne savait pas trop quelle attitude adopter devant une maison perchée dans les arbres.

— Je peux monter un instant, monsieur Trowell ?

— Bien sûr.

Lucas se pencha par-dessus la balustrade et montra du doigt le tronc de chêne sur lequel s'appuyait la maison.

— Vous voyez les marches ? De l'autre côté du chêne...

— Je les vois, oui, merci...

Lucas écouta l'homme monter et grimaça en entendant un ou deux grincements. Elles n'étaient pas pourries, ni même abîmées, mais il ferait mieux de les réparer. Mais il avait si peu de temps à consacrer à sa maison, ces temps-ci...

Il s'en voulait de son appréhension. Est-ce que tout le monde se sent coupable en voyant un policier débarquer à la maison ? Est-ce que chacun cherche dans sa tête le motif de cette visite ? Ou bien seulement ceux qui ont quelque chose à cacher ?

Le policier rejoignit Lucas sur la véranda. Un jeune, très jeune policier, avec des yeux bleus, des cheveux blonds, un visage souriant. L'anxiété de Lucas diminua un peu.

— Génial ! Il y a longtemps que j'ai envie de voir

votre maison. Tout le monde en parle, mais je ne connais personne qui l'ait vue de près.

— Que désirez-vous?

— Vous habitez vraiment ici, ou bien vous montez seulement de temps en temps, pour vous changer de votre vraie maison?

Le flic n'était pas pressé d'entrer dans le vif du sujet. « Il me fait la conversation. Pour me mettre en confiance. »

Lucas regarda la masse sombre de la banale maison en bas, à la lisière du bois.

— J'y habite dans la mesure du possible. Je laisse mes provisions dans la maison du bas et j'y fais la cuisine. J'évite de monter de la nourriture ici, pour ne pas attirer les bestioles. Les arbres traversent la maison de part en part et j'ai déjà des colonnes de fourmis et des escouades d'araignées. Pour l'instant on cohabite sans trop de problèmes, mais je ne tiens pas à encourager la familiarité.

— Je pourrais voir l'intérieur?

Lucas commençait à en avoir assez de ce petit jeu.

— Dès que vous m'aurez dit pour quelle raison vous êtes ici.

— Certainement.

Le jeune homme eut l'air gêné et Lucas fut soulagé de voir que son intérêt pour sa maison était sincère, et non une ruse pour le faire parler. Les arbres l'avaient conquis. Il en était toujours ainsi, une fois perchés là-haut, ses visiteurs se détendaient et oubliaient, au moins provisoirement, le reste du monde.

— Je m'appelle Russo. Vous travaillez au domaine d'Ayr Creek, n'est-ce pas?

— Exact.

— Vous comprenez, la petite fille qui habite là-bas...

— Sophie ?

Son cœur se mit à battre plus vite, mais il garda un visage impassible.

— Sophie, c'est ça. Elle était partie en camp de vacances, ce week-end, et devait revenir à Meadowlark Gardens à quinze heures. Mais elle, une autre des petites et leur cheftaine ne sont pas rentrées. Alors je demande à tous les gens qui la connaissent s'ils ne savent pas quelque chose.

— Je ne comprends pas. Vous voulez dire que les autres filles de l'équipe sont rentrées ?

— Oui, elles sont arrivées à l'heure prévue. Mais la petite Donohue et l'autre enfant n'étaient pas dans le même véhicule.

— La voiture où se trouvait Sophie est peut-être partie plus tard ?

— Non, l'autre cheftaine l'a vue démarrer devant elle.

Une angoisse lui serra le cœur.

— Auraient-elles pu avoir un accident, ou bien...

— C'est ce qu'on est en train de vérifier. Pour le moment, elles se sont purement et simplement volatilisées.

— Je savais que Sophie partait en week-end, mais rien de plus. Je ne savais même pas où elle devait aller.

Mensonge, et sans doute inutile, mais il sentait que, concernant Sophie, moins il aurait l'air d'en savoir, mieux ça vaudrait.

— Vous avez passé toute la journée ici ?

— Presque.

71

— Quand vous n'étiez pas chez vous, où étiez-vous ?

— Où voulez-vous en venir ?

— Simples questions de routine.

— Je suis allé à Great Falls voir un ami, aux environs de treize heures, je pense. Je devais être de retour vers quinze heures.

— Votre ami pourra le confirmer ?

Lucas soupira. Il risquait de se retrouver dans une situation difficile. Il aurait mieux fait de mentir.

— Vous croyez que j'ai quelque chose à voir avec le retard de Sophie ?

— On vérifie juste l'emploi du temps de toutes les personnes en rapport avec Ayr Creek.

« Toutes les personnes en rapport avec Ayr Creek ou seulement le chef jardinier, que les Snyder n'aiment pas voir près de leur petite-fille ? »

— Mon ami pourrait le confirmer, mais je préférerais ne pas le lui demander.

— Très bien. Dans ce cas, je crois qu'on peut attendre un peu. Vous pouvez me faire visiter ? (Russo leva les yeux vers le second niveau de la maison.) Sur combien d'arbres repose-t-elle ?

— Elle est construite entre quatre arbres, en fait. (Il montra l'arbre soutenant la véranda.) Celui-ci est un chêne blanc d'Amérique, le second niveau s'appuie sur un caryer ovale. Il est difficile de le voir d'ici, mais je me suis servi d'un autre chêne blanc et d'un tulipier de Virginie pour le reste de la maison.

Russo tapa du pied.

— Ça a l'air parfaitement solide.

— Ça l'est. (Lucas ouvrit la porte et le fit entrer dans le salon.) Les jours de grand vent, par contre, tout se balance et je me demande si je ne suis pas cinglé d'habiter ici. Autrement il n'y a aucun danger.

— Bon Dieu!

C'était la réaction de tous ceux que Lucas faisait entrer dans son salon. Le tronc du caryer ovale traversait la pièce. Les lattes de sapin du sol étaient assemblées en queues-d'aronde et les murs entièrement lambrissés. De vastes baies s'ouvraient des quatre côtés, et il y avait un grand nombre de plantes vertes. Une banquette, accotée à l'un des murs, et trois fauteuils à dossier haut permettaient de s'asseoir.

— C'est superbe! J'aimerais bien que ma femme me laisse construire ça chez nous. On a les arbres qu'il faut, à mon avis.

Lucas alluma la terrasse de derrière, afin que Russo puisse admirer le sommet des arbres par les fenêtres.

— On croit rêver. Et vous avez même l'électricité. Et l'hiver?

Lucas montra les radiateurs au ras des plinthes.

— Je me chauffe. Et j'ai une excellente isolation.

— Eh bien... (Il eut un hochement de tête admiratif.) Montrez-moi le reste... Où est la chambre?

— Là-haut.

Lucas désigna l'escalier montant au second niveau, passa devant et ouvrit la porte de la chambre. Russo entra, jeta un coup d'œil au grand lit et à l'armoire. Un climatiseur, peu décoratif mais indispensable, s'encastrait dans la fenêtre.

— Ça doit être génial de dormir là!

Il ouvrit l'armoire, regarda à l'intérieur.

« Ce n'est pas par simple curiosité qu'il m'a demandé de visiter », pensa Lucas, qui commençait à s'impatienter.

— On redescend ?

— On y va. (Il désigna l'orthèse bleue enserrant le poignet de son hôte.) Vous souffrez du canal carpien, c'est ça ?

— Exact.

Il expliquait si souvent son orthèse par des problèmes de canal carpien qu'il finissait par y croire lui-même.

— Ma femme aussi, à cause de son travail sur ordinateur, expliqua Russo en redescendant l'escalier derrière lui.

Lucas avait l'intention de le reconduire droit à l'entrée, mais le policier avait remarqué la porte fermée au fond de la salle de séjour.

— Qu'est-ce qu'il y a, ici ?

— Mon bureau. (Lucas alla à la porte.) Il ne renferme que mon ordinateur, l'imprimante et quelques livres, vous savez. (Il prit la clef dans sa poche.) Mais je le ferme à clef, au cas où des gamins monteraient là-haut. Je n'aimerais pas qu'ils filent avec mon matériel.

Le cœur battant, il essaya de se souvenir dans quel état était le bureau. Avait-il laissé traîner quoi que ce soit de nature à éveiller les soupçons du flic ? Il ne savait plus trop... Dieu merci, il avait quitté Internet. Il entrebâilla suffisamment la porte pour que Russo puisse voir à l'intérieur sans entrer. Celui-ci jeta un coup d'œil et hocha la tête.

— Agréable... Oh, j'aime beaucoup votre économiseur d'écran, ajouta-t-il en désignant du menton une photo de baobab.

— Merci !

Russo recula, sans montrer le moindre intérêt pour le placard fermé par une porte à claire-voie, et Lucas sentit les muscles de son cou se détendre. Sauvé ! Du moins en ce qui concernait cette visite domiciliaire.

Mais Sophie avait disparu. Il mourait d'envie de demander si la police avait des pistes, mais ne voulait pas sembler trop s'y intéresser.

— La mère de Sophie doit être bouleversée...

Peut-être Russo lui dirait-il où elle était ?

— Oui, tout le monde est très inquiet.

— Elles ne se seraient pas égarées sur le chemin du retour ?

— S'égarer pendant cinq heures et demie ? Très peu probable.

— Je sais que la petite Donohue a des ennuis de santé. Il ne pourrait pas y avoir un rapport ?

— On n'en sait rien.

— J'espère de tout mon cœur qu'elle va bien, conclut Lucas de sa voix la plus indifférente en raccompagnant Russo en haut de l'escalier. Je vous souhaite bonne chance dans vos recherches.

— Oui... J'ai votre numéro de téléphone, je vous contacterai si on veut parler à votre ami...

Lucas écouta le policier descendre les marches et le suivit des yeux lorsqu'il s'enfonça dans le bois. Puis il regarda par-dessus le sommet des arbres en direction d'Ayr Creek, à trois kilomètres de chez lui. Que se passait-il là-bas, maintenant ? Est-ce que Janine y était, en train d'attendre anxieusement ? Est-ce que Joe l'avait rejointe ?

Sophie détestait l'obscurité. Il se souvenait de cette panne d'électricité, un soir où elle jouait avec sa mère et lui dans le salon de sa maison dans les arbres. C'était une coupure générale et là-haut le silence et les profondes ténèbres étaient merveilleux. Mais Sophie, terrorisée, s'était accrochée à sa mère jusqu'à ce qu'il ait allumé des bougies en suffisamment grand nombre pour qu'ils puissent se voir tous les trois. Alors, où que soit Sophie maintenant, il espérait qu'elle n'était pas dans le noir. C'est alors que la gravité de la situation le frappa. La petite fille aurait dû arriver à quinze heures, il était presque vingt et une heures. Un tel retard ne pouvait s'expliquer par un banal incident de parcours. Son regard se porta de nouveau en direction d'Ayr Creek. Si seulement il trouvait un prétexte pour y aller ! Mais pourquoi un jardinier irait-il sur son lieu de travail en pleine nuit ? Les Snyder croiraient que c'était son intérêt pour Sophie qui l'amenait. En quoi ils ne se tromperaient pas.

5

A force de tenter de percer l'obscurité, Janine avait les yeux qui la brûlaient. Depuis des heures, elle et Joe suivaient la route qu'auraient dû emprunter Alison et les deux fillettes pour revenir de leur camp de vacances. Joe était au volant et conduisait le plus lentement possible, tous deux scrutaient les bas-côtés à la recherche d'un véhicule accidenté dans l'obscurité. Ils s'étaient arrêtés dans toutes les stations-service et tous les restaurants encore ouverts pour demander si l'on n'avait pas aperçu deux fillettes. Plusieurs véhicules de police les avaient dépassés, leur confirmant qu'ils n'étaient pas seuls à chercher. Espérant entendre de bonnes nouvelles, ils avaient appelé le groupe resté sur le parking, mais la situation n'avait pas évolué. Rien de nouveau, sinon une angoisse grandissante.

En arrivant au camp, ils avaient parlé un moment au shérif venu poser quelques questions au directeur et aux autres moniteurs, puis avaient repris la même route en direction de la Virginie. Joe suggéra de s'arrêter à l'hôtel, en mentionnant sagement deux chambres, mais Janine ne se voyait pas passer la nuit en sécurité dans sa chambre d'hôtel alors qu'elle n'avait aucune idée de l'endroit où pouvait se trouver Sophie.

Appuyant sa tête contre la portière, la jeune femme ferma un instant les paupières. Aussitôt, comme cela lui arrivait fréquemment lorsqu'elle se trouvait en voiture et un peu désorientée, une image apparut malgré elle dans sa tête. Elle-même, aux commandes de son hélicoptère, traversant un nuage de fumée flottant au-dessus du désert d'Arabie Saoudite. Elle eut l'impression de sentir l'odeur âcre des produits chimiques qui, comme elle le craignait dans ses moments de pessimisme, avaient modifié quelque chose en elle et lui avaient fait donner naissance à une enfant dont les reins ne fonctionnaient pas comme ils devraient.

Si Lucas avait été à la place de Joe à côté d'elle, elle lui aurait parlé de ces souvenirs, mais elle n'avait pas l'énergie de les évoquer avec Joe. De toute façon, il ne l'aurait pas écoutée avec indulgence.

— Parle-moi un peu de cette Alison, dit-il sèche-ment, la ramenant sans ménagement au moment présent.

Janine ouvrit les yeux. Joe avait ralenti en passant devant un restaurant. Voyant qu'il était fermé, il appuya sur l'accélérateur.

— Y a-t-il une possibilité pour qu'Alison soit partie avec elle, tu crois ?

— Pas à mon avis. Elle est un peu fantasque, répondit-elle en se souvenant que Joe avait souvent utilisé cet adjectif en parlant d'elle-même. Elle a commis quelques erreurs avec les enfants, mais je ne la vois pas du tout se comporter de façon si irra-tionnelle.

— Quelle sorte d'erreurs ?

— Oh, eh bien elle leur a dit que les bébés ne nais-saient pas dans les choux, sans demander l'avis des parents, ce genre de chose...

Joe poussa un long soupir.

— Voyons les choses en face, Janine, elles n'ont jamais pris le chemin du retour. Je sais que la nuit est noire, mais on a inspecté toute la route sans trou-ver trace de Honda. Tu es bien d'accord ? (Elle hocha affirmativement la tête.) Ce qui signifie que la voiture et les petites sont ailleurs, dans un endroit où elles ne sont pas censées se trouver.

L'hypothèse était plutôt rassurante.

— Peut-être que Rebecca, la mère de Holly, a raison. Alison a pu vouloir les emmener s'amuser dans un parc d'attractions et les ramènera demain. Sophie peut probablement se passer de dialyse ce soir, mais il faut absolument qu'elle soit de retour demain...

Elle ne termina pas sa phrase mais Joe connaissait la suite.

— ... pour sa potion magique aux plantes, c'est ça ?

Les larmes aux yeux, Janine tourna de nouveau le visage vers la fenêtre.

— Elle se sent tellement mieux... Je voulais la voir de nouveau sourire pour de bon.

— Mais à quel prix ? Elle va se sentir mieux quelques semaines, un ou deux mois, puis sa maladie la rattrapera et la tuera.

— Tais-toi !

— Pourquoi est-ce que je me tairais ? On le sait tous les deux, qu'elle va mourir. Sa dernière chance était ce traitement à Johns Hopkins mais tu as tenu à essayer la médecine douce, quel que soit mon avis là-dessus.

Il freina brusquement. L'automobiliste derrière lui klaxonna, fit un écart pour les éviter et, avec un petit cri, Janine s'accrocha au tableau de bord. Puis elle vit ce que Joe venait de remarquer, un véhicule garé sur le bas-côté. Le cœur battant, elle abaissa sa vitre pour mieux voir. C'était une très grosse voiture, apparemment vide, avec un papier collé sur l'antenne.

— C'est... je ne sais pas exactement... une grosse voiture, pas une Honda en tout cas.

— Pardon de t'avoir secouée comme ça... (Il lui effleura la main avec une douceur inattendue.) Ça va ?

Elle aurait pilé de la même façon, si elle avait été au volant. Joe poussa un autre soupir.

— Revenons à Sophie, alors. Il y a quand même quelque chose que je n'arrive pas à comprendre... Toi et moi, on a toujours tout décidé ensemble lorsqu'il s'agissait d'elle, que ce soit à propos des soins médicaux ou de son comportement ou d'autre chose. Vrai ou faux ?

Elle approuva de la tête. Joe semblait sincèrement perplexe et elle se sentit coupable. Elle lui avait effectivement toujours demandé son avis et en avait toujours tenu compte. Toutes les décisions concernant Sophie avaient été prises à deux.

— J'étais fier de cette coopération. On était divorcés, mais, quand il s'agissait de notre fille, on continuait à former une équipe. Et puis, tout d'un coup, tu la fais contre mon gré participer à cette étude bidon.

— Désolée... je devais le faire. Je le pense toujours.

— Mais quelle mouche te pique ? Une femme intelligente comme toi, comment peux-tu croire que la potion magique de Schaefer peut guérir ce que personne d'autre n'a jamais été capable de guérir ?

— Mais je me suis renseignée ! protesta-t-elle d'une voix de petite fille.

Elle se sentait toujours en position d'infériorité avec lui, comme si sa présence lui retirait toute force morale et toute estime d'elle-même.

— Lucas Trowell s'y connaît en plantes, il a fait des recherches sur tout ce qui entre dans la composition de l'Herbaline. Il estime qu'il y a une chance que...

— Mais voyons, Janine ! (Il secoua la tête, mâchoires contractées, essayant de dominer sa colère.) Lucas Trowell est jardinier, pas médecin !

— Il est très calé en botanique.

— Comment le sais-tu ? Parce qu'il te l'a dit, c'est tout. Ce type est capable de raconter n'importe quoi pour s'approcher de Sophie...

« Et nous y voilà, leur parano de Lucas le pédophile ! »

— Mais c'est idiot, Joe ! Il est gentil avec Sophie, rien de plus. Elle l'aime bien.

Exactement les mots à ne pas dire. Joe faillit en perdre le contrôle de la voiture et fit une embardée. Derrière eux, un autre automobiliste klaxonna avec indignation.

— Je t'interdis formellement de laisser cet individu s'approcher de Sophie ! cria Joe en gagnant la file réservée aux véhicules lents. Je ne plaisante pas. Je ne veux pas de ce type près d'elle, pas du tout !

Elle détestait l'entendre crier. Joe ne l'avait jamais frappée, il n'en avait pas besoin. Il était grand, fort, ses violentes colères la terrorisaient et elle capitulait aussitôt. Elle se tassa dans son siège et ferma les yeux.

— Qu'est-ce que ça peut lui faire, à lui, que ce traitement marche ou non ? Sophie n'est pas sa fille, ça ne le regarde pas. Tu raisonnes vraiment de façon confuse !

Sans ouvrir les yeux, Janine appuya le front à la vitre. Elle savait qu'elle voyait juste, pour Lucas. La façon dont Sophie avait été amenée à participer à l'expérience du Dr Schaefer était un peu différente de la version qu'elle en avait donnée à ses parents et à Joe. C'était Lucas Trowell qui lui en avait parlé, sinon elle n'en aurait sans doute jamais eu connaissance. Il avait entendu à la radio une brève annonce d'un scientifique ayant besoin d'enfants malades pour participer à un programme de recherche en médecine douce sur les affections rénales infantiles. Janine avait téléphoné et appris qu'il s'agissait d'un

81

traitement de phytothérapie, administré par perfusion. Lorsqu'elle avait annoncé à ses parents et à son ex-mari son intention d'y faire participer Sophie, ils avaient poussé les hauts cris, sans même écouter ses arguments. Ils voulaient en revanche que Sophie serve de cobaye dans un programme de médecine traditionnelle, mené par l'université Johns Hopkins, visant à expérimenter un des plus toxiques et déplaisants produits qui, s'il ne la tuait pas, s'avérerait peut-être efficace.

Son approche phytothérapeutique diminuait fortement, lui avait assuré le Dr Schaefer, le risque d'effets secondaires, et Sophie se sentirait rapidement beaucoup mieux. Même munie de ces informations, Janine avait hésité à inscrire Sophie. Le Dr Schaefer, un petit homme chafouin et taciturne, un peu bizarre, même, lui paraissait manquer singulièrement du charisme et de l'assurance nécessaires à un directeur de recherches, particulièrement pour un projet de cette envergure. Elle s'était donc documentée sur lui. Il avait effectivement dirigé d'autres recherches, de moindre importance mais dans lesquelles ses hypothèses s'étaient immanquablement révélées correctes. Elle en avait conclu qu'il était de ces intellectuels qui, sous une apparence de professeur Nimbus, cachent un brillant cerveau.

Lucas avait effectué des recherches sur toutes les plantes en question. Effectivement, avait-il dit, il était possible que Schaefer soit sur une piste intéressante. Elle avait lu avec lui toutes les données botaniques récoltées sur Internet, et il lui avait expliqué le sens des termes scientifiques. Lucas était la seule personne avec qui elle pouvait discuter rationnellement des recherches du Dr Schaefer. Il les prenait au sérieux et ne reprochait pas à la jeune femme d'y faire participer sa fille. Ses parents et Joe s'obstinaient à refuser d'y voir une possibilité de traitement de l'insuffisance rénale de Sophie.

Il avait quand même fallu une rechute grave, dont les médecins affirmaient qu'elle annonçait la fin de la courte vie de la fillette, pour que Janine fasse ce qu'elle n'avait pas osé faire depuis des années : se rebeller contre l'autorité combinée du redoutable trio formé par Joe et ses parents. Elle avait, sans le leur dire, inscrit Sophie pour le traitement. Quand ils l'avaient su, les grands-parents et le père de l'enfant s'en étaient violemment pris à elle, et, sans Lucas, elle aurait renoncé. Grâce à son soutien, elle avait cessé de se sentir coupable et récupéré une partie de sa force morale. Et voilà où ça l'avait menée... voilà où ça avait mené Sophie.

Il y avait très longtemps, Joe avait admiré l'indépendance et l'audace de Janine. Ils s'étaient rencontrés au début de leurs études secondaires et, à cette époque, Joe l'avait souvent complimentée pour son énergie, sa combativité, son courage. Un peu plus tard, Joe avait commencé à voir en elle davantage qu'une fille qui gagnait toujours et ne refusait aucun défi, et ils avaient commencé à sortir ensemble. Alors Joe apprécia moins son côté rebelle et voulut qu'elle se comporte davantage comme les jeunes filles calmes, fidèles, féminines, avec qui sortaient ses amis. L'indépendance d'esprit de Janine la poussait à vivre sans honte sa sexualité. Elle avait décidé de perdre sa virginité et Joe était plus que prêt à lui rendre ce service, après toutefois s'être assuré qu'elle prenait la pilule.

Elle la prenait en effet mais, comme dans beaucoup de domaines, n'était pas très disciplinée. Elle n'était toutefois tombée enceinte qu'au printemps de leur année de terminale. Ses parents considérèrent que c'était entièrement sa faute, et furent les premiers à suggérer qu'ils se marient. La cérémonie eut lieu dans les jardins d'Ayr Creek, le week-end qui suivit la remise des diplômes au lycée. Janine, un peu dépassée par les événements, laissa ses parents s'occuper de tout. Ce fut un mariage tout ce qu'il y avait de traditionnel et de conventionnel, mis à part peut-être le ventre un peu arrondi de la mariée.

Ses parents adoraient Joe, qui était à leurs yeux le fils qu'ils n'avaient jamais eu. Et, pour Joe, Donna et Frank Snyder comblaient le grand vide que tout orphelin porte en lui. L'enfant n'avait qu'un an lorsque sa mère, droguée et alcoolique, avait quitté son père. Et celui-ci l'avait, d'une certaine façon, abandonné à son tour huit ans plus tard, victime d'un accident d'avion. Le petit garçon avait été élevé par une tante et un oncle âgés. Janine ne pouvait lui en vouloir d'être ravi de l'accueil bienveillant de ses parents. Pourtant, elle ne les avait jamais trouvés particulièrement bienveillants vis-à-vis d'elle.

Enseignant l'histoire, à l'époque du mariage de leur fille, dans des lycées de la ville, ils les avaient aidés financièrement, et le jeune couple avait loué un petit appartement à Chantilly. Sa mère avait acheté tout ce qui était nécessaire à un bébé, et son père avait fabriqué un berceau. Mais, durant toute sa grossesse, Janine avait vécu dans un état second, déconnectée du monde réel. Sa silhouette s'était arrondie sans qu'elle intériorise vraiment le fait que dans quelques mois elle allait être mère. A tout juste dix-huit ans, elle n'était pas du tout prête à s'installer dans la vie, et n'en avait aucune envie.

Elle fit pourtant de son mieux. Dès qu'elle sut qu'elle était enceinte, elle ne but plus une goutte d'alcool et cessa de fumer. Mais elle aimait le risque, escalader les falaises de Great Falls, faire du kayak dans les rapides du Potomac ou du canoë sur la Shenandoah. Et ça, elle n'y renonça pas. Elle annonça à Joe qu'elle voulait apprendre à piloter et se spécialiser dans l'acrobatie aérienne. Il lui répondit qu'il était temps de grandir, et que, de toute façon, ils n'avaient pas d'argent pour des leçons de pilotage. Il assurait leur subsistance en travaillant dans une épicerie, et Janine pensait qu'il était devenu du jour au lendemain terriblement conventionnel et vieux jeu. Il se passerait des années avant qu'elle ne comprenne que le sérieux de son mari vis-à-vis de son travail était signe de maturité. Et que sa propre indépendance d'esprit était celle d'une gamine gâtée et égocentrique, qui n'aurait jamais dû être mariée et encore moins mère de famille.

Ce fut durant une de ses sorties en canoë que le bébé décida de venir au monde. Joe n'était pas avec elle, il travaillait et n'aurait pas du tout aimé qu'elle aille passer la journée à faire du canoë avec des amis. C'était un week-end et, aux yeux de la jeune femme, ce n'était pas parce que son mari était au travail qu'elle devait rester chez elle. Elle le connaissait toutefois assez bien pour accepter l'invitation sans le prévenir. Elle n'y serait pas allée si elle avait su que le bébé allait naître avec six semaines d'avance. Elle était partie avec des copains de classe, et Ellie, sa meilleure amie. Ils étaient dans deux canoës, en train de lutter contre les rapides, loin dans la forêt, quand elle ressentit les premières contractions. Elle fut vite baignée de sang, et de plus en plus terrifiée. Ils pagayèrent jusqu'à la berge et Ellie resta avec Janine tandis que les garçons allaient chercher du secours. Ellie ne savait pas quoi faire et Janine, allongée sur un lit d'herbe et de mousse, s'aperçut à peine de la présence de son amie. Au contraire, elle se rappelait s'être sentie complètement seule sous le dais d'arbres dorés par l'automne, le souffle coupé par les douleurs, grelottante dans la fraîcheur d'octobre.

Quand les secours arrivèrent, elle avait mis au monde un bébé mort-né, qu'Ellie enroula dans son coupe-vent. On déposa Janine sur un brancard et on l'enveloppa de couvertures.

« Que diable faites-vous ici alors que vous étiez enceinte de presque huit mois ? » demanda l'un des secouristes.

Elle ne répondit pas, elle avait mérité l'agressivité de la question. Une fois dans l'ambulance, elle regarda le petit paquet immobile déposé au fond d'un berceau en plastique transparent et, pour la première fois, elle comprit qu'elle avait porté en elle un être vivant dont elle n'avait pris aucun soin, qu'elle avait en fait maltraité. Elle n'éclata pas en sanglots, mais des larmes se mirent à rouler silencieusement sur la civière.

Joe lui en voulut terriblement et ne lui adressa pas la parole pendant des semaines. Elle se sentait complètement seule et savait qu'elle avait mérité cet ostracisme. Ce bébé, elle le pleurerait jusqu'à la fin de ses jours. Elle était rongée de culpabilité, un sentiment amer, déplaisant, qu'elle ressentait pour la première fois. Ce ne serait pas la dernière.

— Tu dors ?

La voix de Joe traversa l'obscurité et la ramena au présent.

Elle se redressa, essuya les larmes sur ses joues. Ils étaient encore en voiture, quelque part sur Beulah Road, et elle aperçut devant elle les lumières du parking de Meadowlark Gardens. Elle se pencha en avant pour mieux voir les véhicules garés à l'entrée.

— Le minibus de Gloria, la berline des Kraft, ta voiture, dit Joe. On y est.

Ils entrèrent dans le grand espace vide et s'arrêtèrent près des autres véhicules. Paula, Gloria, Rebecca et Steve étaient assis sur des chaises de camping. Les deux enfants Kraft n'étaient plus là, et Charlotte était, semblait-il, rentrée chez elle. Des sacs en papier roulés et des tasses en carton vides jonchaient le sol. Tout le monde se leva.

— Des nouvelles? demanda Joe en ouvrant la portière.

— Rien, répondit Gloria. Et vous, de votre côté? Vous avez trouvé quelque chose?

— Non, rien qui puisse nous mettre sur la piste. Mais c'est si sombre, là-haut... Et les employés au travail dans les restaurants et les stations-service ne sont pas les mêmes que ceux de cet après-midi. Alors ça n'a pas servi à grand-chose.

— Sans compter que c'est fermé presque partout, maintenant, ajouta Janine.

— La police nous a dit de rentrer chez nous et de rester à proximité du téléphone, mais on n'a pas voulu partir avant votre retour.

— Vos parents ont appelé un million de fois, Janine, dit Rebecca. Ils sont très inquiets, vous devriez peut-être les rappeler.

Rebecca et Steve Kraft n'arboraient plus leur large

sourire optimiste. Ils avaient l'air épuisés, avec de grands cernes noirs sous les yeux, et Janine eut envie de serrer Rebecca dans ses bras. Quelque chose la retint, comme si la mère de Holly gardait délibérément une certaine distance. Alors qu'elles partageaient la même horrible épreuve.

Joe posa la main sur le bras de Janine.

— Je ramène Paula et je te rejoins à Ayr Creek. D'accord ?

Elle acquiesça en se demandant si avoir Joe avec elle pour affronter ses parents serait un avantage ou un handicap.

Elle retourna à sa voiture. Elle avait l'impression que des siècles s'étaient écoulés depuis qu'elle était arrivée sur ce parking, impatiente de revoir sa fille. Assise au volant, elle sentait le siège arrière vide, sans Sophie, et n'arrêtait pas d'y jeter de brefs coups d'œil comme si elle s'attendait à voir l'enfant surgir en criant « Coucou ! » et expliquer que c'était une idée de cette follette d'Alison. Mais Sophie n'était pas à l'arrière. En quittant la ville par de petites routes tortueuses et obscures, elle fit une prière : « Mon Dieu, faites que, où que soit Sophie, elle aille bien et n'ait pas peur... »

6

Janine ne retourna pas directement chez elle. Elle quitta le parking, suivit Beulah Road, un œil sur le rétroviseur, comme si elle espérait voir surgir une Honda derrière elle. Puis elle tourna et continua plus

vite en direction de chez Lucas. Sa propriété se trouvait au bout d'une impasse, un demi-hectare de terrain en majeure partie boisé, jouxtant le parc national de Wolf Trap. Elle se gara dans l'allée à côté de la
maison en dur et suivit en direction de la maison
dans les arbres le sentier obscur, mais maintenant
familier. Dieu merci, les lumières de la salle de séjour
étaient encore allumées, elle s'en serait voulue de le
réveiller.

Elle monta en s'aidant de la rampe le raide escalier
qui tournait autour du tronc de chêne. Lucas avait dû
l'entendre arriver, car il l'attendait en haut sur la
véranda et la prit sans un mot dans ses bras. Son
odeur de savonnette et de terre la réconforta, sans
toutefois la rassurer. Elle était provisoirement à l'abri
du danger, mais non en sécurité. D'ailleurs, en ce
moment, elle ne pourrait se sentir en sécurité nulle
part.

— Sophie a disparu...

— Je sais.

Elle sentait son haleine chaude contre son cou.

— Comment tu le sais ?

— Un flic est venu me poser des questions.

Elle le serra plus fort contre elle.

— Oh non... Je suis désolée...

— Ce n'est pas grave. Toujours pas de nouvelles ?

Elle s'écarta de lui, se passa la main dans les cheveux.

— Non, rien. Joe et moi avons fait un aller-retour
jusqu'au camp de vacances, en suivant leur itinéraire
présumé. Aucune trace de la voiture d'Alison, la cheftaine. Et on a demandé à tous les employés des stations-service et des restaurants encore ouverts entre

là-bas et ici. Personne n'a rien vu, elles se sont purement et simplement volatilisées.

— Entrons, Jan... (La tenant toujours aux épaules, il la poussa doucement en direction de la salle de séjour.) Tu as mangé ?

— Je n'ai pas faim.

— Tu ne veux pas un thé glacé, ou de l'eau gazeuse ?

Elle secoua la tête. La pensée d'avaler quoi que ce soit lui soulevait le cœur. Elle se laissa tomber sur le canapé et fondit en larmes.

— Je me sens tellement impuissante... murmura-t-elle en s'essuyant les yeux au mouchoir qu'il lui tendait.

Il tira un des fauteuils à côté d'elle, s'assit et lui prit la main droite, qu'il enferma entre les siennes.

— Raconte-moi tout. Qu'en pensent les flics ?

Elle passa le doigt sur l'orthèse bleue au poignet de Lucas et répondit d'une voix lasse à ses questions. Il suggéra les explications déjà ressassées par elle, Joe, Gloria, la police... les voyageuses s'étaient égarées... elles s'étaient endormies et avaient oublié l'heure... elles avaient fait un détour par un parc d'attractions... Toutes ces hypothèses semblaient tellement absurdes, maintenant, en plein milieu de la nuit ! Pour la première fois, Janine s'autorisa à imaginer le pire.

— Et si elle était morte ? Ça arrive toujours, que des enfants disparaissent. Et qu'ensuite on les retrouve morts quelque part.

— D'abord ça arrive très rarement, et en général on les retrouve en vie ! On ne parle que de ceux pour qui ça se termine mal. Ça ne sert à rien d'avoir ces idées-là, Janine.

— Elle était censée avoir une dialyse ce soir. Et il lui faut son Herbaline demain.

— Je sais, j'y ai pensé. Tu n'as jamais demandé au médecin ce qui se passerait si elle manquait une perfusion ?

— Non, je ne laisserais jamais ça arriver.

— Tu devrais l'appeler.

— Appeler Schaefer ? Au milieu de la nuit ?

— Je crois que la police devrait être avertie de sa maladie avec précision. Tu leur en as parlé ?

— Je l'ai mentionnée, mais sans entrer dans les détails. Je n'ai pas expliqué ce qui arriverait si elle n'avait pas son traitement.

— Tu ne crois pas qu'ils devraient le savoir ? Ils peuvent transmettre l'information aux médias, et ce sera dit à la radio. Il faut qu'ils soient au courant de l'urgence de la situation. En supposant... c'est une supposition, hein ?... que Sophie ait été enlevée, par sa cheftaine ou quelqu'un d'autre, et que cette personne apprenne que Sophie a besoin d'un traitement médical, qui sait si elle ne laisserait pas Sophie à l'hôpital ou quelque chose comme ça ?

Elle acquiesça. Il avait raison. Et puis appeler le médecin lui donnerait quelque chose à faire, diminuerait un peu son sentiment d'impuissance.

— J'ai le numéro en mémoire sur mon portable, mais est-ce que je peux utiliser ton téléphone ? Je veux rester joignable sur le mien.

Il lui tendit l'appareil et elle composa le numéro. Il était une heure du matin et l'opératrice de la messagerie vocale de Schaefer n'eut pas l'air d'apprécier d'avoir été dérangée.

— Je voudrais parler au Dr Schaefer. C'est urgent.

— Pour une urgence, il faut appeler le 911.

— Non, ce n'est pas cette sorte d'urgence. Je vous en prie... Contactez-le et demandez-lui de rappeler tout de suite Janine Donohue à ce numéro.

Elle lui indiqua le numéro de Lucas et, les mains tremblantes, raccrocha. Le médecin la rappela moins d'un quart d'heure plus tard. Il avait l'air bien réveillé, quoique son accent de Nouvelle-Angleterre, d'habitude à peine discernable, soit plus marqué.

— Sophie va bien?

Sa sincère inquiétude fit plaisir à Janine.

— Je ne sais pas... Vous comprenez, elle est allée passer le week-end en camp de vacances avec son équipe de scoutes et elle n'est pas rentrée. Elle et une autre fillette, et leur cheftaine... enfin, on ne sait pas où elles sont. Elles devaient revenir à quinze heures. La police fait des recherches mais en vain, pour le moment. Et j'ai peur qu'on ne la retrouve pas à temps pour sa perfusion de demain. Elle... ça ira quand même si elle ne l'a pas?

Il y eut un long silence à l'autre bout du fil. S'était-il rendormi?

— Docteur Schaefer?

— Oui... Ça paraît sérieux...

— Ça l'est. Mais pour le moment je m'inquiète pour sa santé. Que se passera-t-il si elle n'est pas de retour pour son rendez-vous de demain? Et elle devait avoir une dialyse ce soir.

Il hésita encore. S'il n'avait pas été aussi lympha-tique, elle aurait cru qu'il somnolait.

— Amenez-la dès qu'elle sera rentrée, ne vous occupez pas du rendez-vous.

— Et si elle ne rentre pas? Je veux dire, si elle n'est

pas retrouvée demain ? Que va-t-il se passer si elle n'a pas du tout de perfusion ? Et si elle manque aussi celle de jeudi ?

Elle regarda Lucas, qui, les coudes sur les genoux, se penchait vers elle.

— C'est évident, non ?

— Ça veut dire quoi, c'est évident ?

En entendant les réponses déçues de Janine, Lucas fit la grimace, visiblement agacé par l'attitude du médecin. Lui demandant d'un signe de tête la permission d'intervenir, il prit le téléphone. Elle le lui abandonna de bon gré.

— Docteur Schaefer, ici Lucas Trowell, je suis un ami de Mme Donohue. Peut-être pourriez-vous nous expliquer avec précision ce qui risque de se passer si Sophie n'a ni sa perfusion ni sa dialyse ? Et aussi nous donner quelques détails sur l'affection dont elle souffre, afin de les transmettre à la police.

Il prit une enveloppe derrière lui et fit signe à Janine de lui passer un stylo. Elle sortit le sien de son sac, le lui tendit, et le regarda prendre des notes, le combiné coincé entre le cou et l'épaule. Schaefer avait retrouvé sa voix, semblait-il, et Lucas recouvrit tout le dos de l'enveloppe de sa petite écriture serrée. Quand il raccrocha, il fit à Janine un sourire encourageant.

— Merci, Lucas, ce type était en train de me rendre folle ! Qu'est-ce qu'il a dit ?

— Ce à quoi on s'attendait. Sans la dialyse, les fluides et les toxines vont s'accumuler, bien sûr, mais bien plus lentement que si on ne lui avait jamais administré d'Herbaline. Plus elle manquera de perfusions, plus son état se dégradera, jusqu'à retourner au point de départ.

— Combien peut-elle manquer de perfusions avant que ça n'arrive ? Et est-ce que le traitement fera autant d'effet si elle le reprend après l'avoir interrompu ?

— Il ne semble pas savoir au bout de combien de temps elle aura éliminé le médicament, mais il pense que si elle doit recommencer depuis le début, il fera autant d'effet. Il m'a donné quelques détails sur son état de santé, tu pourras les transmettre à la police pour qu'elle les diffuse, mais il ne m'a rien appris que tu ne saches déjà.

Il lui avait plusieurs fois répété combien il admirait sa ténacité et son courage pour se documenter sans relâche sur la maladie de Sophie et les rares traitements disponibles.

— Tu ne veux pas appeler la police à ma place ? Tu liras mieux que moi tes propres notes. D'ailleurs, ce soir, je ne fais que des bêtises.

Elle décrocha de nouveau le téléphone et composa le numéro indiqué par le brigadier Loomis.

— Je le fais, mais à une condition : tu me promets de cesser de te dénigrer toi-même. D'accord ?

— D'accord.

Elle l'écouta parler au brigadier Loomis. Il commença par lui expliquer qui il était et pourquoi c'était lui qui appelait et non Janine. Savoir que, même au milieu de la nuit, le policier travaillait encore sur cette affaire la rassura un peu. Au moins, il ne s'était pas débarrassé de la tâche sur quelqu'un d'autre.

Tout en parlant avec le policier, Lucas lui prit la main. Il était très calme et solide, un vrai roc.

« Il sait trouver la bonne façon de faire avec tout le monde, pensa-t-elle, les jardiniers qu'il dirige, un

94

médecin, un flic, une fillette de huit ans. » Juste avant le départ de Sophie pour son premier week-end de camping, il lui avait cérémonieusement offert un petit canif multilame.

L'amour de Janine pour l'homme à côté d'elle lui fit monter les larmes aux yeux. Lucas, maigre mais musclé, était mi-travailleur manuel, mi-mordu d'informatique. Ses cheveux châtains blondis par le soleil commençaient à s'éclaircir sur les tempes. Il portait des lunettes cerclées de métal, derrière lesquelles ses yeux, sombres ce soir à l'intérieur de la maison, avaient à la lumière du jour une couleur très pâle, au point d'être presque transparents. Janine pensait toujours qu'elle pouvait voir jusqu'au fond de son âme.

— Je suppose qu'ils n'ont rien appris de nouveau ?

— Non, mais le brigadier te remercie pour tes renseignements. Ils vont faire immédiatement un communiqué à la presse.

— Merci d'avoir téléphoné à ma place.

Elle regarda sa montre et frissonna.

— Il faut que j'aille à Ayr Creek voir mes parents, maintenant. Joe doit y être depuis longtemps et se demande sûrement pourquoi je ne suis pas encore arrivée.

Lucas se leva.

— Ne les laisse pas rejeter la faute sur toi, Jan. Tu n'as rien fait de mal.

— Tu crois ? Alors pourquoi est-ce que je me sens si coupable ? Pourquoi est-ce que chaque fois que je prends une décision contraire à leur avis, ça tourne à la catastrophe ? Je fais du canoë enceinte et je cause la mort de mon bébé. Je m'engage dans l'armée et je provoque la mort de ma fille, je...

— Mais tu n'as provoqué la mort de personne !

Il la prit dans ses bras et la serra contre lui.

— Je la fais participer à un traitement expérimental auquel je suis la seule à croire et son état s'améliore tellement que je la laisse partir camper, contre l'avis de tout le monde. Mais je m'obstine, et maintenant Sophie est probablement morte au fond d'un fossé, et...

— Arrête, Janine !

Sa voix était d'une telle inhabituelle dureté qu'elle se tut aussitôt. Il lui serra les épaules.

— Je ne veux plus t'entendre parler comme ça, Jan, ça ne tient pas debout. Tu aimes Sophie comme toute mère aime son enfant, seulement tu te laisses depuis des années dominer par tes parents et ton ex-mari. Sophie n'est pas morte, alors cesse d'être aussi négative, tu m'entends ?

Elle appuya son front contre le sien, regarda le tapis berbère, les pieds nus de Lucas, ses propres sandales.

— Je vais essayer...

La main de Lucas se posa sur sa nuque.

— C'est mieux. (Il lui déposa un baiser sur le front.) Je t'aime, Janine. Tout ce que je te demande, c'est de commencer à t'aimer un peu toi-même.

7

Dans l'obscurité, le domaine d'Ayr Creek semblait tombé d'une autre planète, et, cette nuit-là, avec la demi-lune en partie masquée par les arbres, Janine eut l'impression de passer de l'autre côté du miroir.

Les vastes jardins aux multiples coins et recoins étaient profondément endormis et, au-delà des buis, les saules se penchaient vers le sol, drapés dans leur linceul de dentelle ponctuée d'or. La forêt entourant de trois côtés la maison et le parc était si épaisse que pas un rayon de lune n'y pénétrait. Une faible clarté tombait cependant dans la clairière où se trouvait la maison d'hôtes, à laquelle l'alternance d'ombre et de lumière donnait l'apparence d'une chaumière sortie de quelque sinistre histoire de sorcières.

On demandait fréquemment à la jeune femme si elle n'avait pas peur, dans cette maison cachée dans les bois, qui, selon certains esprits imaginatifs, était encore hantée par les âmes des esclaves y ayant autrefois vécu. Elle n'avait jamais trouvé l'ancienne plantation particulièrement sinistre, mais, cette nuit, le domaine et même le monde entier la regardaient d'un œil malveillant.

De jour, les jardins d'Ayr Creek n'étaient pas le moins du monde mystérieux. Ils étaient méticuleusement entretenus et des hectares étaient consacrés à la culture de variétés anciennes de buissons, d'arbres et de fleurs. C'était la raison pour laquelle Lucas avait été embauché comme responsable du parc et chef jardinier. Ses références étaient excellentes, puisqu'il avait travaillé à la célèbre plantation historique de Monticello, où l'on ne cultivait que des espèces de l'époque du président Jefferson. Si la décision avait dépendu des parents de Janine, jamais il n'aurait obtenu ce poste.

Le père de la jeune femme avait emmené le futur chef jardinier faire le tour du domaine. Lucas, avait-il raconté, lui avait paru distrait et fort peu intéressé jusqu'à ce que Frank lui explique que sa fille et sa petite-fille habitaient la maison d'hôtes. L'information avait semblé le réveiller et il avait posé à son guide suffisamment de questions pour faire naître des soupçons quant à ses intentions. Frank avait fait part de ses doutes à la Fondation, mais le comité, enthousiasmé par la perspective d'avoir un chef jardinier ayant travaillé dans un endroit aussi célèbre que Monticello, n'avait tenu aucun compte de ses réserves. Les Snyder n'avaient pu qu'avertir leur fille de garder l'œil sur Sophie lorsque Lucas était dans les parages et de ne jamais la laisser seule avec lui. Au début, Janine avait suivi leurs conseils, mais elle savait maintenant qu'ils avaient interprété de façon erronée son intérêt envers la fillette.

En approchant de la façade arrière de la noble demeure, elle vit la voiture de Joe dans le grand garage qui avait autrefois été l'écurie. Elle se gara à côté et pinça les lèvres : le moment était venu d'affronter « la redoutable triade anti-Jan ». Lucas surnommait ainsi le trio, en lui conseillant d'enfiler son armure. Mais, ce soir, elle se sentait dépourvue de toute protection et, en dépit des encouragements de Lucas, pensait qu'elle n'en méritait aucune. Elle serra les dents, entra par la porte de côté, traversa un couloir et pénétra dans la cuisine.

Ils s'y trouvaient tous les trois. Sa mère était assise à la table d'acajou et les deux hommes se tenaient debout, appuyés au comptoir. Ils se retournèrent en l'entendant entrer.

— Janine! (Sa mère bondit sur ses pieds.) Mais où étais-tu passée? Ce n'est quand même pas le moment de disparaître toi aussi! Joe dit que tu devrais être arrivée depuis longtemps.

Elle avait les yeux rouges et ses cheveux blonds, habituellement noués en catogan, retombaient en désordre autour de son visage. Donna Snyder passait sa vie à se tracasser mais, ce soir, les rides de son visage bronzé semblaient creusées au burin.

Janine posa son sac sur la table.

— Je suis restée un peu au parking, mentit-elle.

Joe, l'air épuisé et les cheveux hirsutes, se frottait les yeux.

— Pas de nouvelles?

Son père s'approcha d'elle et lui posa la main sur l'épaule, un geste de réconfort maladroit, et déjà un effort pour un homme si furieux. Car il était vraiment en colère. Ils l'étaient tous les trois, c'était clair. Même l'air de la pièce était chargé de reproches.

— Non, rien.

Elle s'assit à la table, regarda Joe.

— Toi non plus?

Il secoua la tête.

— Joe dit que la fille qui conduisait la voiture où Sophie est montée était très jeune et complètement écervelée. Je n'arrive pas à comprendre que tu l'aies laissée partir avec une personne comme ça.

— Elle n'est pas écervelée, protesta-t-elle, agacée par les racontars de Joe, juste jeune. Et il y avait une autre cheftaine avec l'équipe.

« Si seulement Sophie était revenue avec Gloria! »

— Mais enfin pourquoi l'as-tu envoyée à ce camp? continua sa mère. Je t'ai dit et répété qu'elle était trop petite. Même pour une fillette en bonne santé, les bois, la nuit, ne sont pas un endroit où aller à huit ans.

Joe intervint.

— Allons, maman, ce qui est fait est fait. Ça ne servira à rien de revenir sur cette discussion.

Son soutien inattendu surprit Janine et lui mit un peu de baume au cœur.

— C'est juste que... je trouve ça monstrueux! (Elle se rassit à la table, tournant ostensiblement le dos à sa fille comme si elle ne pouvait en supporter la vue.) Vous n'avez pas pensé que Lucas Trowell n'était peut-être pas étranger à tout ça? continua-t-elle à l'adresse des deux hommes appuyés sur le comptoir de chaque côté du réfrigérateur, comme deux serre-livres sur une étagère. Vous savez bien qu'il guette toujours Sophie du coin de l'œil. On devrait aller voir s'il est chez lui. C'est peut-être lui qui a enlevé Sophie et l'autre enfant. (Elle se retourna vers Janine.) Tu ne lui as pas dit qu'elle partait camper avec les scoutes, au moins? Tu es toujours en train de bavarder avec lui.

— Lucas n'a rien à voir avec ça.

— Qu'est-ce que tu en sais? Il est exactement le genre d'homme à avoir ces pratiques. Tu sais très bien qu'on découvre toujours après coup que ce sont des types très réservés, silencieux, un peu bizarres. Tout à fait Trowell. Les rares fois où on voit briller une étincelle dans ses yeux, c'est quand on parle de Sophie.

Janine ne se donna pas le mal de répondre. Elle avait maintes fois vu une étincelle briller dans les yeux de Lucas.

— J'ai demandé à la police de passer chez lui vérifier qu'il y était, annonça Joe.

100

« Ainsi c'est à lui que Lucas doit cette visite du flic !
Il sait vraiment comment agir pour plaire à mes
parents, lui ! »

Joe sortit son portable.

— Je vais m'assurer qu'ils l'ont fait.

— La police est passée le voir.

Elle n'avait pas vraiment eu l'intention d'admettre
qu'elle le savait. Tous trois se tournèrent vers elle.

— Comment tu le sais ?

Elle prit sa respiration et posa les mains sur la
table devant elle.

— Je le sais parce que je sors de chez lui. La police
est passée il y a trois heures.

— Tu es allée là-bas toute seule ! Tu perds la tête !

— Pourquoi es-tu allée là-bas, petite ? Tu espérais
y trouver Sophie ?

— Mais non, papa, je n'ai pas un instant soupçonné Lucas Trowell. Je suis juste allée l'avertir de ce
qui est arrivé.

— Mais pourquoi ? (Sa mère ouvrit des yeux
ronds.) En quoi cela le regarde-t-il ?

— C'était vraiment stupide d'aller là-bas toute
seule, gronda son père. Et si...

— Vous allez arrêter, oui ? (Janine se leva brusquement, envoyant sa chaise cogner contre le mur.)
Cessez donc ces accusations complètement para-
nos ! (Ils la regardèrent bouche bée.) Il n'a rien à
voir avec tout ça, et il se fait du souci pour Sophie,
lui aussi.

— Tu te fais des illusions. Tu ne vois donc pas
que...

— Non, je ne vois pas.

Elle fit le tour de la table en direction de la porte. Elle avait envie de prendre ses jambes à son cou mais elle se retourna et s'appuya au chambranle, les bras croisés sur la poitrine.

— Il m'est arrivé de faire des erreurs, mais j'ai encore assez de bon sens pour juger si Lucas est susceptible de faire du mal à ma fille. Il ne mettrait jamais la vie de Sophie en danger.

Sa mère ricana.

— Ecoute-toi un peu! C'est toi qui mets la vie de Sophie en danger, et ce n'est pas la première fois! Comment tu appelles ça, un week-end loin de la maison, pour elle? Et cette ridicule expérience avec des herbes magiques pour soi-disant guérir une insuffisance rénale à son stade ultime? Tu fais de ton mieux pour mettre Sophie en danger, tu veux dire!

— Maman, protesta Joe, tu vas peut-être un peu trop loin...

Le *peut-être* fit monter les larmes aux yeux de Janine.

— Espacer les dialyses était de la folie! continua Donna.

— Mais elle n'a plus besoin d'une dialyse quotidienne!

— Ta mère exagère sans doute un peu, intervint son père de sa voix posée d'enseignant, mais il faut effectivement qu'on reparle de tout ça. Et de tout ce qui s'est passé ces derniers temps.

— Ça veut dire quoi, exactement?

Elle se croisa les bras sur la poitrine. « Que savent-ils, au juste? »

— Ça veut dire qu'on a discuté avec Joe de certaines démarches à faire quand Sophie sera de retour... (Le père de Janine était grand et dégingandé, il avait toujours l'air d'un gamin monté en graine.) On pense que la garde de Sophie devrait être confiée à Joe. Ça ne t'empêcherait pas de continuer à l'avoir ici avec toi la majeure partie du temps, comme maintenant. Mais les décisions telles que son traitement médical ou un week-end de camping devraient être prises par Joe.

La calme méfiance de son père fit encore plus mal à la jeune femme que les accusations hystériques de sa mère. Joe s'approcha d'elle et effleura la main crispée sur le comptoir.

— Ce n'est pas le moment d'en parler. N'y pense plus, Janine. Pour l'instant, ce qui compte, c'est de retrouver la petite.

Il avait raison et sa bienveillance semblait sincère. Mais elle connaissait son ex-mari. Pas question de lui faire confiance, il était toujours de mèche avec ses parents. Elle s'écarta, prit son sac.

— Je rentre chez moi !

— Quoi ! (Sa mère était indignée.) On nous a dit de rester attendre ici !

— Je suis aussi facile à joindre chez moi.

Joe posa la main sur son épaule.

— Tu veux que je vienne avec toi ?

Elle refusa du geste, sans même l'honorer d'un regard, et sortit par où elle était entrée. Elle marcha dans le noir jusqu'à la maison d'hôtes, bouleversée et excédée par cette scène. Dieu merci, Joe n'avait pas insisté pour l'accompagner. La compagnie de son ex-mari était bien la dernière chose dont elle avait envie.

Ce serait trop insupportable de l'entendre faire des projets pour Sophie. Elle avait son compte de reproches. Et il en avait été ainsi pratiquement toute sa vie : ses parents et Joe se liguaient constamment contre elle. Leur inévitable désapprobation de tout ce qu'elle faisait avait petit à petit érigé entre eux et elle un mur invisible. Même en cette circonstance, où ils auraient dû la soutenir, l'aider à retrouver Sophie, elle restait l'ennemie. Une fois chez elle, elle appellerait Lucas. Il était le seul à la soutenir, et c'est auprès de lui qu'elle trouverait la force de se battre.

8

Zoe approcha le briquet des brindilles, et regarda le bois s'enflammer. Elle devenait douée pour allumer du feu, excellente, même. Pour une personne qui, en dépit de quatre cheminées dans sa maison de Malibu et de six au ranch de Max dans le Montana, n'avait jamais allumé de feu de sa vie, elle pouvait se considérer comme experte.

Une marmite était posée sur le sol auprès d'elle, contenant de l'eau, du riz et des morceaux du lapin qu'elle avait tué le matin. Elle posa la marmite sur la petite grille surmontant le feu, et s'assit sur un rocher plat pour attendre que l'eau arrive à ébullition.

Elle ne pouvait pas encore prétendre être à l'aise quand il s'agissait de la préparation de la viande, mais elle progressait. Elle avait à ce jour six animaux à son tableau de chasse : deux lapins, trois écureuils et, eh oui, un porc-épic. Elle avait tiré sur beaucoup plus et regrettait davantage d'en avoir terrorisé tant avec ses coups de feu que d'en avoir proprement tué quelques-uns. Pourtant, pour une personne végétarienne depuis douze ans, se mettre à la boucherie et consommer de la viande n'étaient pas faciles. Elle avait défendu avec tant de conviction les droits des animaux qu'elle refusait de porter des chaussures en cuir et s'était fait arrêter pour avoir manifesté devant des magasins de fourrure.

Si l'Association de défense des droits des animaux la voyait maintenant, en train de faire cuire un lapin qu'elle avait de ses propres mains tué, dépouillé et vidé !

Le couvercle de la marmite était resté à l'intérieur de la petite cabane en ruine, sa maison. Alors elle alla le chercher. Quand elle revint, elle se figea en apercevant un grand chien à quelques mètres de son feu. Un grand chien jaune et crasseux, cette fois, à la différence de l'animal noir et blanc qui lui avait rendu visite quelques jours auparavant. Tous les deux étaient aussi peu sympathiques l'un que l'autre, avec un pelage emmêlé et sale. Elle avait craint, à la vue du premier, qu'il n'appartienne à un voisin et qu'elle soit moins seule qu'elle ne le croyait dans ces grands bois de Virginie-Occidentale. Mais, vu leur apparence et leur air affamé, c'était sans doute des chiens sauvages.

La sale bête la regarda en retroussant les babines.

— Va-t'en ! Dégage !

Elle cogna le couvercle de la marmite contre le rocher, et le chien fit demi-tour et rentra dans le bois.

C'était bien sa faute si les chiens tournaient autour de sa hutte. Elle avait commis une erreur, au tout début. Elle avait tué son premier animal, un lapin aussi, et s'était, quoique à contrecœur, appliquée à le préparer suivant les instructions de son *Guide de survie en forêt.*

« Je n'ai pas le choix, il me faut des protéines pour vivre », s'était-elle répété en serrant les dents. Elle s'était fabriqué une superbe broche, et, bien que le fumet du lapin rôti lui eût mis l'eau à la bouche, elle n'avait pu en avaler une seule bouchée et avait fini par aller le jeter dans le bois. Elle avait passé la nuit à pleurer de regret d'avoir tué inutilement un être vivant et à écouter d'autres animaux, que maintenant elle savait être des chiens sauvages, se disputer dans l'obscurité la carcasse du lapin.

La fois suivante, elle avait davantage faim et sa détermination s'était renforcée. Marti mangeait de la viande, il faudrait bien que sa mère fût capable de tuer et de cuisiner du gibier pour la nourrir. Et, ce jour-là, elle avait tué et mangé son premier écureuil. Elle avait pêché au filet un petit poisson noir et avait réussi à le manger, bien qu'il ne ressemblât en rien aux poissons qu'elle connaissait et eût fort bien pu être toxique.

L'eau bouillait et elle se pencha pour remuer son ragoût avant de le couvrir. Le foyer était exactement au centre d'une petite clairière, à quelques mètres de sa hutte. C'est ainsi qu'elle appelait sa cabane délabrée, préférant ce mot à ceux de masure ou de bicoque, qui l'eussent décrite avec plus d'exactitude. Sa hutte était si bien cachée au fond des bois que Zoe était certaine que, à moins de savoir où la chercher, elle était introuvable.

Sa découverte lui avait demandé de longues recherches dans les montagnes boisées de Virginie-Occidentale. Au début d'avril, lorsque Marti et elle avaient échafaudé leur plan, elle avait trouvé plusieurs cabanes abandonnées. Celle-ci, aussi bien d'un point de vue pratique que d'un point de vue esthétique, était celle qui offrait le plus d'avantages. La voie d'accès la plus proche, une petite route à peine goudronnée et rarement empruntée, se trouvait à au moins huit kilomètres, et il fallait encore faire du chemin pour tomber sur une véritable route. Elle était vraiment loin de tout, et Zoe avait été ravie de l'existence d'un si vaste espace vide entre elle et le reste du monde. Ce monde qui la croyait morte et n'avait plus rien à lui offrir.

Sa nouvelle résidence ne figurerait jamais dans *Maisons et jardins*, mais elle était quand même plus attrayante que toutes les autres cabanes rencontrées. Elle en avait vu de tellement pourries qu'elles ressemblaient à un tas de bois mal rangé. Celle-ci était en rondins, en très vieux rondins, jointoyés avec un torchis autrefois blanc, mais maintenant vert de mousse sur deux des côtés, noirci et passablement émietté sur les deux autres. Le toit était en mauvais état et elle avait recouvert les bardeaux pourris et les restes de tôle avec une bâche. Puis elle avait pensé que, si quelqu'un tombait par hasard sur cette clairière, la bâche bleu vif trahirait la présence d'un habitant. Alors elle l'avait retirée, et quand il pleuvait elle disposait des seaux sous les gouttières les plus importantes.

La porte de la hutte s'ouvrait sur ce qu'elle appelait sa salle de séjour, qui occupait toute la largeur. A l'arrière se trouvait une autre pièce semblable. C'était tout. Une cabane en rondins, deux pièces, dont la superficie totale égalait à peine celle d'une de ses salles de bains de Malibu.

Mais cette hutte bénéficiait de ce qu'elle estimait maintenant être du confort. Dans la cour envahie de mauvaises herbes, une eau très claire coulait de la pompe rouillée. Un fourneau à bois en bon état occupait tout le centre de la pièce principale, un tuyau de cheminée mal ajusté traversait le toit. Le tuyau rond passait par un trou carré, ce qui résumait assez bien la négligence générale de la construction. Elle n'avait qu'une fois préparé son repas sur le fourneau, dont la chaleur avait rapidement rendu la température de la hutte étouffante. Conclusion de l'expérience : la cuisine se ferait dehors jusqu'à l'arrivée du froid. Mais, au moins, elle et Marti ne se gèleraient pas, l'hiver prochain, dans la hutte.

Il y avait un canapé dans le séjour, et, malgré l'immonde tissu pourri vomissant son rembourrage, il était appréciable d'avoir un endroit où s'asseoir. D'ailleurs, une fois le canapé recouvert d'un drap crème, il semblait tout droit sorti d'un catalogue de décoration... enfin dans la mesure où on ne remarquait pas le plancher vermoulu et la fenêtre dépourvue de vitres.

Les latrines se trouvaient à proximité de la maison, cachées par un amas de ronces et de plantes grimpantes. Elles penchaient d'un côté, ce qui lui donnait un peu le vertige quand elle leur rendait visite. A son arrivée, elles avaient une odeur de forêt, ce qui prouvait que la cabane était inoccupée depuis longtemps.

En entrant la première fois, elle avait trouvé le plancher recouvert de débris divers, feuilles sèches, rameaux et branches tombés par les grands trous du toit. Des souris s'enfuyant devant son balai, elle s'était souvenue que leurs excréments pouvaient provoquer elle ne savait plus quelle horrible maladie, et elle avait pris la précaution de se protéger la bouche et le nez avec un mouchoir. Etait-ce utile ? Est-ce que cela avait de l'importance ? Après tout, il suffirait de survivre assez longtemps pour sauver sa fille. Après...

Une fois la seconde pièce débarrassée de ses branchages et de ses feuilles, elle y avait trouvé quatre châlits, un dans chaque coin. Elle avait gonflé ses matelas pneumatiques et les avait posés sur les deux du fond. Puis elle avait déchiré en deux les draps apportés et fait les lits. Elle avait reculé d'un pas pour admirer : l'effet de ce coton égyptien était vraiment très plaisant, elle avait eu une bonne idée d'apporter ces draps couleur lavande. C'étaient les seuls qui ne lui rappelaient pas Max : il détestait leur couleur et elle ne les avait utilisés que dans les chambres d'amis. Elle avait pris grand soin de n'apporter avec elle aucun souvenir tangible du temps de Max. Vivre ici serait bien assez difficile sans qu'elle y ajoute des objets lui rappelant la perte de l'homme aimé. En quittant Malibu et sa maison pour prendre la direction des montagnes, elle laissait pour toujours Max derrière elle. En fait, elle laissait tout derrière elle. Sauf son devoir de mère.

Elle vivait dans sa hutte depuis plus d'un mois maintenant, mais, avant son pseudo-suicide, elle avait passé des semaines à préparer son voyage et sa nouvelle vie. Elle avait commencé à y penser dès que Marti lui avait annoncé son transfert à la prison de Chowchilla. Imaginer Marti en prison, où que ce soit, était une torture. Mais Chowchilla, réservée aux prisonniers coriaces, était un établissement réputé pour le sadisme des gardiens, la férocité des détenus et l'inhumanité des conditions de vie. La lettre de sa fille à la main, Zoe avait passé une nuit blanche à élaborer son étrange projet. Elle avait fini par se lever et descendre dans le bureau de Max, où elle entrait le moins possible depuis son veuvage. Comme elle s'y attendait, le parfum de l'eau de toilette de feu son époux émanait encore du tapis persan lie-de-vin, à moins que ce ne fût des étagères où s'alignaient livres et prix remportés au cours de sa carrière. Elle eut l'impression qu'il venait juste de quitter la pièce. Debout, comme pétrifiée, elle avait fermé les yeux et s'était répété qu'il était mort. C'était en effet là qu'elle l'avait retrouvé, recroquevillé sur le sol devant la cheminée comme une couverture abandonnée. Elle avait tout de suite su qu'il était mort, et pourtant elle l'avait appelé, appelé, comme s'il avait pu l'entendre. Il avait eu une troisième crise cardiaque. « Trop de cigares, peut-être... ou son rythme de travail... » A soixante-dix ans, il réalisait encore un film par an, qu'il tenait à superviser lui-même de A à Z. Elle n'avait rien à se reprocher, sinon que, peut-être, elle aurait dû, en ne le voyant pas monter se coucher, descendre plus tôt voir ce qui se passait. Elle avait été une bonne épouse, et Max le meilleur des maris. A Hollywood, une vie conjugale longue de quarante ans n'est pas un mince exploit ! Elle avait pourtant espéré célébrer leurs noces d'or, peut-être même aller au-delà.

A soixante ans, elle ne se voyait pas vivre seule. Pas avec ces paparazzi qui la suivaient comme son ombre, claironnant chaque apparition d'une nouvelle ride, comptant les racines grises de ses cheveux blonds. Elle avait toujours eu de longs cheveux blonds, depuis son enfance, et elle n'avait pas pu y renoncer. Elle avait subi trois opérations de chirurgie esthétique, elle en avait par-dessus la tête des médecins, de la période de convalescence et de ne plus ressembler à elle-même. Et maintenant d'autres rides se creusaient et la presse people ne manquait pas de faire des gorges chaudes des quelques kilos qu'elle avait pris. L'an dernier, un de ces torchons l'avait traitée de montagne de graisse! Oui, elle, une montagne de graisse! Max était le seul à la trouver belle, désirable, à tenir à elle. Une fois Max disparu, qui restait-il pour lui affirmer que tous ces journaux mentaient, par pure méchanceté?

Elle était actrice et chanteuse depuis l'âge de trois ans, et assez célèbre pour que tout le monde la connaisse par son prénom, comme Cher ou Madonna. Mais ces femmes-là vieillissaient mieux qu'elle. Fuir... quel rêve! Zoe n'avait pas envie de vieillir sous l'impitoyable éclat des projecteurs.

Elle avait pris dans le bureau de Max un atlas à grande échelle des Etats-Unis, et l'avait emporté au rez-de-chaussée, dont le sol était couvert de carreaux coquille d'œuf importés d'Italie. De petits vestiaires où l'on pouvait l'été enfiler son maillot pour descendre à la plage occupaient l'un des côtés du grand hall d'entrée. En face, une pièce servait de salle d'archives, et c'est là qu'elle entra. Elle avait une idée en tête, mais il lui fallut le reste de la nuit pour trouver ce qu'elle cherchait, parce qu'elle ne pouvait s'empêcher de relire dans les albums rangés sur les étagères des coupures de presse la concernant. Des critiques portant aux nues le jeu de l'actrice enfant et des articles dithyrambiques sur ses réussites à l'âge adulte.

« La voix de Zoe ressemble à du satin déchiré... » « La merveilleuse prestation de Zoe illumine ce film terne et banal qu'est *The Kiss*... » Relire toutes ces phrases la plongea dans un abîme de douleur. Elle pouvait être fière de sa carrière, elle avait derrière elle un passé si glorieux que la perte actuelle de tout, son mari, sa beauté, son public, était insupportable. Il ne lui restait qu'une raison de vivre : Marti.

Elle s'était obligée à ranger les albums et à chercher dans les cartons empilés de l'autre côté de la pièce. Une boîte marquée « Voyages » renfermait des brochures sur l'Etat de Virginie-Occidentale et la station thermale de Sweetwater. Bien des années auparavant, Max et elle y avaient fait un séjour. La famille de Max était originaire de cette région. A Sweetwater, ils avaient, bien sûr, été très regardés, et quelques curieux avaient pris des photos, mais dans l'ensemble on les avait laissés tranquilles.

Un après-midi, elle et Max avaient séché leur programme de remise en forme pour aller rendre visite à des membres de la famille de Max, des personnes âgées, et au retour ils s'étaient complètement perdus. Ils l'avaient fait pratiquement exprès, et riaient de cette soudaine liberté à errer sans souci, loin de tous et de toutes, sur des routes de campagne sinuant entre les montagnes boisées aux abords de la forêt nationale George-Washington. Les seules traces de présence humaine étaient quelques petites cabanes désertées, portes et volets cloués, ou bien tout simplement abandonnées aux éléments.

« Ce serait une bonne cachette, ces huttes, on pourrait s'y réfugier pendant des mois, peut-être même des années, avait-elle remarqué.

— Et qu'est-ce que tu mangerais ?

— On pourrait s'organiser, apporter des provisions avant de s'y installer. »

Puis son imagination s'était enflammée... Il suffirait d'accumuler assez de provisions pour se donner le temps d'apprendre à se nourrir de lapins, d'écureuils, et à pêcher.

« Et l'électricité ?

— On pourrait s'éclairer à la bougie ou à la lampe à pétrole... et il faudrait des tas de livres... et choisir une hutte avec une cheminée.

— On dirait que ça te tente...

— Peut-être. Notre vie est devenue si compliquée ! »

Deux maisons à entretenir, une à Malibu et une dans le Montana, trop d'investissements à surveiller, trop de tout.

Il l'avait regardée d'un air soucieux et elle s'était empressée d'ajouter que tout ça ne l'empêchait pas d'être heureuse. Puis elle avait tourné le dos à la forêt et à ses cabanes abandonnées. Qui aurait alors pensé qu'elle serait un jour la fugitive dont elle avait ce soir-là imaginé la vie ?

Elle était meilleure à ce jeu qu'elle ne l'aurait soupçonné. Par exemple, elle était devenue experte à cacher des automobiles. C'était facile, en fait. Ce n'était pas l'espace qui manquait dans ce pays, et il suffisait d'accepter de marcher un peu à pied après avoir abandonné le véhicule. Avant son pseudo-suicide, elle avait loué une vieille guimbarde dans une agence spécialisée dans les voitures d'occasion fatiguées. Elle avait pris la précaution de se couper les cheveux très court, de se coiffer d'une perruque, de chausser de grosses lunettes noires bien enveloppantes et de changer sa voix. Elle avait sorti un des faux permis de conduire qu'elle s'était, pour l'exorbitante somme de deux mille dollars, procurés sur un site Internet louche. L'employé l'avait regardée d'un

113

air soupçonneux et son cœur s'était mis à cogner si fort qu'elle craignait qu'il ne le voie battre sous le pull moulant et vulgaire dont elle s'était affublée. Mais il lui avait tendu les clefs et elle n'avait plus eu qu'à démarrer.

Elle avait commencé par dissimuler sa propre voiture au plus profond des montagnes à l'est de Los Angeles, mais elle avait gardé les plaques minéralogiques. Avec l'aide non désintéressée du type qui lui avait fourni les faux papiers, elle avait vissé ces plaques sur la voiture de location. Elle avait abandonné celle-ci à son tour au nord du Texas, après en avoir loué une autre. Deux autres véhicules de location après, elle était en Virginie-Occidentale. Elle avait laissé le dernier dans un terrain creux qui semblait faire office de cimetière de voitures. Il s'y trouvait déjà quatre ou cinq épaves, aucune aussi rutilante que celle qu'elle y avait abandonnée, mais il ne faudrait sans doute pas longtemps pour que celle-ci s'intègre parfaitement au décor.

Ensuite elle avait passé quelques heures dans une vieille grange vide à préparer, ainsi qu'elles l'avaient projeté, l'arrivée de Marti. De là elle avait, pendant presque une journée, marché dans les bois en direction de sa future résidence. Elle s'était munie d'une boussole et d'une carte dessinée par elle-même et avait un sens de l'orientation presque infaillible. Elle avait aussi, malheureusement, un hygroma à la hanche, et elle avait passé sa première nuit sur un des matelas pneumatiques de sa hutte à regretter de ne pas avoir son coussin chauffant. Il lui avait fallu plusieurs jours de repos avant de pouvoir se déplacer sans boiter, mais elle avait retrouvé sa forme. En fait, après quelques semaines passées à ramasser du bois mort et à traquer le gibier en forêt, elle se sentait plus solide qu'elle ne l'avait été depuis des années.

Zoe retourna dans sa hutte chercher un bol pour manger son ragoût et, quand elle ressortit dans la clairière, l'affreux chien jaune était revenu, assis entre le foyer et les bois. Son regard allait de la marmite de ragoût à elle et elle résista à la tentation de lui lancer un morceau de lapin. Elle retira la marmite du feu et l'emporta à l'intérieur en fermant soigneusement la porte derrière elle. Inutile de se créer les problèmes.

Elle mangea assise sur le canapé en essayant de revoir dans sa tête le calendrier de juin. A moins qu'elle ne se soit trompée dans ses calculs, sa fille avait dû s'évader la veille ou l'avant-veille. Elle considérait l'évasion comme réussie, bien qu'elle sût que c'était un projet difficile à réaliser. Elle n'avait pas la moindre idée de la façon dont le gardien s'y prendrait pour faire sortir Marti de Chowchilla, mais elle se fiait à sa cupidité pour l'inciter à faire preuve d'intelligence et d'efficacité. La jeune fille lui avait dit avoir choisi le plus cupide, le plus amoral, le plus dénué de scrupules de tous les matons.

Zoe avait perdu son mari et elle avait bien failli perdre sa fille à cause d'un système judiciaire d'une scandaleuse ineptie. Sa beauté la quittait et il y avait longtemps qu'elle avait perdu sa voix. Il lui restait une chose : l'argent. Elle avait assez dépensé au cours de sa vie pour savoir que tout s'achète. Marti avait toujours su comprendre comment fonctionnaient les gens, et elle avait vite vu ce qu'il en était de ce gardien. Il exigeait assez d'argent pour partager avec deux complices, alors Marti avait triplé son offre. De l'avis de Zoe, c'était la rançon d'un roi, et elle comptait justement là-dessus, il fallait absolument que tout se déroule comme elle l'avait projeté.

Cela n'empêchait pas qu'imaginer Marti réduite à négocier avec des surveillants de prison soit un supplice. De même que de la savoir en train de croupir dans une infâme geôle pour un crime qu'elle n'avait pas commis. Marti en prison! Zoe s'avouait entièrement responsable de ce désastre, elle avait mal choisi ses avocats. Elle avait fait confiance au cabinet Snow, Snow & Berenski parce qu'ils s'étaient toujours occupés de leurs affaires, à Max et à elle, mais le droit pénal n'était pas leur spécialité. Ils ne s'étaient pas du tout montrés à la hauteur. Un témoin prétendait avoir vu le jour du meurtre une voiture « exactement semblable » à l'Audi de Marti garée devant chez l'actrice. Or Marti ne connaissait même pas Tara et n'avait aucune raison de la tuer. Tara, au beau visage exotique, au corps voluptueux et aux cheveux noirs ondulés, était l'étoile montante de Hollywood. A la différence des autres filles aspirant à devenir stars, elle avait du talent. Un autre témoin avait déclaré avoir vu sortir de chez Tara cet après-midi-là une femme « exactement semblable » à Marti Garson.

Ces témoignages avaient été faits sous serment et personne n'aurait pu dire si ces inconnus croyaient sincèrement avoir vu Marti ou s'ils avaient été payés pour l'affirmer. Mais qui aurait cherché à faire accuser sa fille? Et pour quelle raison? Aucune empreinte digitale n'avait été retrouvée sur le lieu du crime, l'assassin avait soit porté des gants soit essuyé tout ce qu'il avait touché. Le procureur soutenait que Marti avait un mobile : Tara Ashton venait de décrocher un rôle brigué par Zoe. Un rôle qui avait été écrit pour elle, pour une femme de son âge. Et, tout d'un coup, le scénario avait été modifié pour que le rôle convienne à Tara Ashton. Certes, le coup avait été dur à encaisser. Personne n'avait écrit en toutes lettres que Zoe était trop vieille, mais qui pouvait le nier en regardant les deux photographies parues à la une des journaux, représentant côte à côte Zoe, au visage marqué par les ans, et Tara Ashton, fraîche et souriante ?

Ce qui avait permis au procureur d'instruire le procès contre Marti, en s'appuyant sur son amour filial et son désir de protéger sa mère. Malheureusement, l'argument était complètement faux. Zoe et sa fille n'étaient pas le moins du monde proches l'une de l'autre et Marti ignorait probablement que le rôle avait été finalement attribué à Tara Ashton. Mais ça, Zoe refusait de l'avouer, elle aimait au contraire entendre dire que sa fille l'adorait. Elle s'accrochait à ce fantasme, et, bien qu'elle fût naturellement horrifiée par un meurtre, elle ne pouvait s'empêcher d'être émue par l'idée que Marti soit venue à son secours. Toutefois il était évident que le mobile de l'assassinat de Tara Ashton n'était pas l'amour filial de Marti : Tara avait été assommée à coups de marteau, pour l'amour du ciel ! Marti était incapable de semblable violence. Mais personne n'avait semblé s'intéresser à la recherche d'un autre suspect et, aux yeux de Zoe, c'était là que ses avocats avaient fait une erreur. Leur enquête avait été bâclée. Tara Ashton ne devait pas manquer d'ennemis ayant de meilleures raisons de lui en vouloir que Marti.

Le visage de Marti lors de la lecture du verdict hanterait sa mère jusqu'à la fin de ses jours. La jeune femme avait vingt-huit ans, mais Zoe voyait dans les grands yeux bleus le bébé qu'elle avait désiré mais pour qui elle n'avait pas su être une mère, le nourrisson qu'elle avait laissé à des nounous pour poursuivre sa carrière, la fillette qu'elle avait envoyée en pensionnat. Rien d'étonnant à ce que Marti ait préféré à une carrière hollywoodienne qui avait dévoré ses parents une existence paisible d'informaticienne.

Le jury avait interprété l'attitude réservée et le silence de Marti comme une façade derrière laquelle l'accusée dissimulait sa colère, sa méchanceté et un amour féroce pour une mère qu'elle tenait à protéger. Un amour dont seules Zoe et Marti savaient qu'il était un mythe.

Zoe cessa de repasser dans sa tête le film de ce malheureux procès et réfléchit à l'évasion de Marti. Le gardien devait s'arranger pour réussir à faire sortir discrètement la prisonnière de Chowchilla et faire en sorte que son absence ne soit pas remarquée avant plusieurs heures. Puis, pour empocher le reste de son argent, il la conduirait le plus vite possible en Virginie-Occidentale, en prenant les précautions nécessaires pour éviter de se faire prendre. Ils avaient probablement changé une ou deux fois de voiture. Elle espérait qu'il s'était montré au moins aussi malin qu'elle lorsqu'elle avait disparu de la circulation.

Quelques jours encore et Marti serait ici avec elle. Elles seraient enfin mère et fille. Zoe offrirait à sa fille une compensation pour toutes les années durant lesquelles elle l'avait négligée, pour toutes les occasions où, ne sachant pas se comporter en mère, elle avait choisi de ne pas en être une.

Elles se cacheraient ici un ou deux ans, jusqu'à ce que l'évasion soit un peu oubliée. Puis elles iraient quelque part en Amérique latine, où une opération de chirurgie esthétique leur permettrait de commencer une nouvelle vie. Du moins c'était ce que Marti ferait. Zoe y veillerait. Quant à ce qui lui arriverait à elle, elle s'en moquait. Tout ce qui l'intéressait, c'était que Marti soit en sécurité.

Tout était prêt. La boussole, la carte et l'argent dont Marti aurait besoin étaient cachés dans la grange. Le chemin de la grange à la hutte était marqué par de petits morceaux de toile bleue. Zoe aurait donné n'importe quoi pour pouvoir téléphoner à sa fille, pour savoir où elle était et quand elle pensait pouvoir arriver. Mais il faudrait qu'elle se contente de savoir que la jeune femme était en chemin et qu'elles se retrouveraient d'ici peu. D'un jour à l'autre, à présent, elle pourrait serrer sa fille dans ses bras.

9

Janine voulait voir le camp de vacances à la lumière du jour, et, tôt le lundi matin, elle et Joe retournèrent en Virginie-Occidentale. Elle était au volant, cette fois, et ils avaient l'intention de monter droit au camp, puis de redescendre lentement en s'arrêtant pour parler aux serveuses, aux pompistes et aux vendeurs qu'ils n'avaient pu voir la veille. Ils emprunteraient aussi les autres itinéraires susceptibles d'avoir été suivis par Alison. Du moins si aucun rapport ne signalait que les enfants avaient été retrouvés. Leurs portables étaient allumés et Janine entendait déjà dans sa tête les mots tant attendus : « On les a retrouvées ! Tout va bien. »

Mais aucun téléphone ne sonna pendant leur trajet jusqu'au camp de scouts. Joe appela la police et apprit qu'il n'y avait toujours aucun rapport d'accident impliquant une Honda bleue, et aucune trace de la voiture d'Alison le long du trajet.

— Tu crois qu'ils se donnent beaucoup de mal pour chercher? demanda Janine lorsque son ex-mari raccrocha, trois ou quatre kilomètres avant le camp. Alison a l'une des voitures les plus banales qui soient. Ils n'arrêtent quand même pas toutes les Honda bleues et n'inspectent pas toutes celles qui sont garées dans les parkings?

— C'est vrai, ça.

Joe refit le numéro de la police et, dès qu'il eut le brigadier Loomis, commença à protester.

— C'est vous qui devriez être ici en train de poser des questions dans les restaurants et les stations-service. Ça ne devrait pas être aux parents de s'en charger.

Au son de sa voix, Janine se recroquevilla dans son siège.

— A quoi ça sert de payer des impôts, alors? Les disparues sont deux fillettes. Vous ne croyez pas que vous pourriez vous remuer un peu plus?

« Ce flic sait mieux que moi comment réagir aux colères de Joe », pensa-t-elle. Elle devinait qu'une grande partie de la fureur qui s'abattait sur le brigadier Loomis lui était destinée.

— Ouais, eh bien ça ne suffit pas, marmonna Joe, un peu calmé. (Il regarda sa montre.) Très bien, on y sera.

Il raccrocha sans un mot de plus et Janine vit sa main trembler quand il reposa le téléphone.

— Ils veulent qu'on soit au commissariat à quinze heures, avec les parents de Holly, pour une conférence de presse. Il y aura la télé, on est censés demander...

— Ils pensent qu'elles ont été enlevées, alors ?

— Pas nécessairement. C'est juste pour demander aux gens d'avoir l'œil ouvert, s'ils voient deux petites filles...

Janine s'arrêta sur le grand parking gravillonné du camp de vacances et coupa le moteur.

— Tu ne trouves pas bizarre que les parents de Holly ne soient pas aussi en train de les chercher ?

— Ils doivent s'occuper de leurs autres enfants. Et chacun réagit à sa façon.

Elle s'en voulait de ses soupçons vis-à-vis de Rebecca et Steve Kraft. Lorsqu'elle avait appelé la mère de Holly très tôt le matin, pour demander s'ils voulaient les accompagner au camp de vacances, elle avait eu l'impression de la réveiller. Rebecca l'avait écoutée sans un mot, comme si l'idée de faire ce voyage ne lui était jamais venue à l'esprit.

« Non, je vous remercie. Je crois qu'il vaut mieux laisser la police effectuer son travail et ne pas nous éloigner du téléphone. Mais merci de faire tous ces efforts. Appelez-moi immédiatement si vous apprenez quelque chose. »

En descendant de voiture, elle entendit les cris heureux de plusieurs centaines de petites campeuses. Le camp se trouvait au bord d'un lac et les fillettes jouaient dans l'eau en riant et en criant. Sophie n'avait pas fait partie de ces enfants, elle n'avait pas pu se baigner à cause de son cathéter. Si sa mère avait été là pour nettoyer après chaque bain le petit tube qui lui sortait de l'abdomen, l'envelopper de gaze et le fixer avec du sparadrap contre la peau, elle le lui aurait peut-être permis. Elle lui avait dit de ne pas le mouiller du tout. Eviter d'aller dans l'eau et suivre scrupuleusement son régime étaient les deux conditions que devait respecter Sophie.

En écoutant les cris de joie des petites jouant dans l'eau, Janine se demanda si sa fille avait montré la même gaieté, si elle avait poussé ces grands cris insouciants. Sophie n'était jamais bruyante. La question lui trotta un moment dans la tête.

Ils eurent une brève conversation avec le directeur du camp et les monitrices responsables de l'équipe de Sophie. Ils les avaient déjà vus la veille au soir en compagnie du shérif. Tous se montrèrent très patients et compréhensifs, profondément désolés d'apprendre que les deux fillettes n'avaient pas été retrouvées, mais personne ne se souvenait d'aucun détail susceptible de fournir une piste.

— Sophie est si adorable, dit l'une des monitrices.

L'autre approuva énergiquement.

— Elle est tellement plus mûre que les autres enfants, bien qu'elle soit si petite, ajouta-t-elle. Elle sait quand c'est le moment de jouer et quand il faut s'appliquer, et elle s'attaque aux deux avec la même ardeur.

Les deux monitrices parlaient de Sophie au présent, ce qui réchauffa le cœur de sa mère. Mais les mots lui donnèrent envie de pleurer. Elle s'appuya au mur du bureau du directeur et Joe lui passa un bras autour des épaules. Depuis trois ans elle avait perdu l'habitude de ce geste de tendresse mais elle en perçut la sincérité et le laissa tenter de la réconforter.

— Ces trois dernières années ont été si difficiles

pour elle, j'avais peur qu'elle n'ait oublié ce que c'était de jouer.

— Oh, elle n'a rien oublié de ça!

— Elle poussait des cris, elle aussi?

Elles la regardèrent sans comprendre.

— Je ne sais pas si elle a beaucoup crié, mais elle s'est vraiment bien amusée.

— Elle n'a jamais dit qu'elle aimerait se baigner. Elle s'asseyait sur le bord et elle jouait au ballon avec ses copines qui étaient dans l'eau. Je ne l'ai pas entendue une seule fois se plaindre.

— Elle n'est pas du genre à se plaindre, vous savez.

— Quand j'ai appris qu'elle devait subir des dialyses, je m'attendais à ce qu'elle ait un de ces trucs, comme une grosse veine, dans le bras...

— Une fistule...

— C'est ça, oui. Ma tante en a une. Mais Sophie m'a expliqué qu'on la branchait la nuit à une machine avec le tube dans son abdomen. Elle connaissait tout le système, les mots techniques, tout ça.

— Oui, on lui a toujours expliqué au fur et à mesure.

La deuxième monitrice regarda fixement Janine.

— Ecoutez, madame Donohue, je ne peux pas vous dire où est Sophie, mais j'ai la certitude qu'elle est en vie. Je le ressens profondément.

Janine était fascinée par les yeux de la jeune fille. L'autre monitrice désigna sa collègue d'un signe de tête et rit.

— Elle est un peu médium, vous savez. Elle lit les tarots, et tout ça, et je pense qu'elle se prend un peu trop au sérieux, mais je sais que pour Sophie elle ne

123

se trompe pas. Elles se seront perdues sur le chemin du retour, quelque chose comme ça...

— Merci, répondit Janine. J'espère que vous voyez juste.

Après avoir quitté le bureau du directeur, Janine voulut faire un tour dans le camp de vacances avant de reprendre la route. L'endroit fourmillait de fillettes joyeuses et il était difficile d'imaginer qu'un séjour en ce lieu ait pu mal se terminer. Elle avait beau savoir que c'était tout à fait irrationnel, elle scrutait les traits de chaque enfant comme si elle pouvait retrouver Sophie derrière ce visage. C'était à la fois magique et irréel de se retrouver ici, où Sophie avait ri et joué si peu de temps auparavant, et Janine ressentait presque physiquement la présence de sa fille.

— Tu ne sens pas qu'elle est là ? demanda-t-elle à Joe timidement, car elle savait bien qu'il trouverait sa question absurde. Je veux dire, tu ne sens pas qu'elle était ici il y a moins de vingt-quatre heures ? Comme s'il y avait encore un peu d'elle dans l'air.

Il la regarda d'un air bizarre.

— Non, pas vraiment...

— Cette monitrice a raison quand elle dit que Sophie est en vie, tu sais.

— Je l'espère...

Il montra du doigt le sentier qui les ramènerait au parking.

— Non, je suis sûre que tout va bien. (La force de ce qu'elle ressentait lui amena le sourire aux lèvres.) Elle est vivante, je le sens.

— Mieux vaut être optimiste, c'est sûr.

Il n'avait aucune idée de ce qu'elle essayait d'exprimer. Lucas aurait compris, lui. Il aurait su exactement ce qu'elle voulait dire.

De retour à la voiture, ils étudièrent la carte afin de voir par quels itinéraires différents Alison aurait pu retourner à Vienna et mirent au point une technique : parcourir les petites routes en regardant le plus loin possible dans la profondeur des bois et s'arrêter dans chaque boutique et chaque restaurant. Puis faire demi-tour et répéter la manœuvre sur la route suivante.

Deux personnes, une serveuse et un client, avaient entendu parler à la radio des fillettes disparues. C'était une nouvelle encourageante : les médias étaient alertés. Hormis ce point positif, ce fut une lente et décevante entreprise.

« Ce serait plus facile de chercher en survolant la région... » pensa Janine en retournant à la voiture après un énième vain arrêt dans un petit café. Certes, d'un hélicoptère on ne pouvait pas poser de questions, mais cela permettrait de couvrir bien plus de terrain en bien moins de temps et on aurait une bien meilleure vue des moindres chemins.

Ils suivaient une route étroite qu'Alison n'avait pratiquement aucune chance d'avoir empruntée quand ils arrivèrent à une fourche. Janine s'arrêta sans même se donner la peine de se garer sur le bas-côté, tant la route paraissait oubliée du genre humain.

— Regarde la carte, s'il te plaît, Joe. Je ne sais pas laquelle choisir.

Joe se pencha et tourna la clef de contact, mais ne fit pas un geste pour consulter la carte étalée sur ses genoux. Il ferma les yeux et se laissa aller contre l'appuie-tête.

— Seigneur, murmura-t-il, les yeux toujours clos, qui peut savoir quelle route elle a pris ? J'ai l'impression qu'à chaque croisement on diminue nos chances de les trouver.

Elle posa la main sur son bras.

— On ne peut pas laisser tomber, voyons, protesta-t-elle, bien qu'elle partageât son découragement. Tu ne veux quand même pas qu'on reste chez nous à se tourner les pouces !

« Rien ne peut être pire que ce qui nous arrive... Rien. Savoir qu'il est arrivé quelque chose de terrible à son enfant mais ne pas savoir comment on peut l'aider ni même où la trouver, quelle route prendre... »

Comme Joe, un sentiment d'impuissance l'envahit. Mais cela ne dura que quelques instants et elle se secoua. Si elle se laissait aller à l'affolement, elle ne pourrait pas garder les idées claires et fonctionner rationnellement. Céder à la panique ne les mènerait nulle part.

— Tu sais à quoi j'étais en train de penser ?

La tête reposant toujours sur l'appuie-tête, il tourna le visage vers elle.

— Quoi donc ?

— Que ce serait bien plus facile en hélicoptère. On ne pourrait pas poser de questions, mais on pourrait voir toutes les routes et les inspecter en un rien de temps.

Il la regarda longuement sans répondre.

— Et tu penses le piloter toi-même ?

— Oui, bien sûr.

— Quand as-tu piloté pour la dernière fois ?

126

— Quand j'ai quitté Omega Flight, il y a cinq ans.

Elle s'abstint de dire « quand Sophie est tombée malade » ou « quand tu as eu cette liaison ».

— Je parie qu'ils me prêteraient un de leurs appareils.

— Si tu montes là-dedans, je ne pourrai pas aller avec toi.

Elle avait oublié qu'il avait peur en avion.

— Ça ne va pas mieux ?

— Non, et ça n'ira jamais mieux. Je n'essaie même plus de lutter. Lorsque j'ai dû aller en Californie pour mon travail, j'ai pris le train. Trois jours aller, trois jours retour.

— Je suis désolée pour toi.

Ça faisait mal de voir un homme si courageux manifester une telle terreur. Joe pouvait à peine regarder un avion traverser le ciel. L'accident d'avion qui avait coûté la vie à son père lui avait laissé des marques indélébiles.

— Oh, Paula aussi allait au colloque, et elle a pris le train avec moi, alors ça n'a pas été si terrible.

— C'était vraiment gentil de sa part. (Cela ne l'étonnait pourtant pas, elle était persuadée que Paula ferait n'importe quoi pour Joe.) Je peux te poser une question ?... Toi et Paula...

— On est juste amis. (Il sourit.) Je croyais que tu le savais.

Depuis trois ans, elle avait à maintes reprises vu Joe et Paula ensemble, surtout à l'hôpital au chevet de Sophie, ou bien chez Joe quand elle allait chercher sa fille. Lorsque Paula regardait Joe, ses yeux étaient pleins d'admiration et d'amour. « Pourquoi les femmes décèlent-elles tout de suite chez les autres

127

femmes des sentiments auxquels les hommes paraissent aveugles ? »

— Mais tu l'as accompagnée en Floride quand elle a perdu sa mère...

— Elle avait grand besoin d'un ami, à ce moment-là.

— Mais... (Elle hésita, puis se lança.) J'ai toujours pensé que cette liaison, c'était avec elle.

Il ouvrit de grands yeux.

— Tu plaisantes ! Je ne savais pas que tu croyais ça ! (Il sourit faiblement et secoua la tête.) Non, ce n'était pas Paula, c'était une intérimaire. Et ce n'était pas une liaison, on a couché ensemble une seule fois, expliqua-t-il avec gêne. J'ai un peu perdu les pédales, à cette époque-là, Jan. Si tu savais comme je regrette que ce soit arrivé !

— J'ai toujours cru que c'était Paula, moi !

— Paula ne ferait jamais ça à une autre femme. Son mari la trompait, c'est pour ça qu'elle est partie.

— Elle et moi avons au moins ça en commun, alors !

Elle n'eut pas plus tôt prononcé ces mots qu'elle les regretta. Elle et Joe parlaient franchement, pour une fois, et cette réflexion était un coup bas. Mais Joe n'en parut pas troublé.

— Juste. Mais je regrette que tu ne m'aies jamais dit que tu croyais que c'était Paula. Je t'aurais épargné ces... enfin, ça devait t'ennuyer de la voir avec moi.

— Au début, oui. Mais il y a si longtemps... Alors, si ce n'est pas Paula, tu as quelqu'un d'autre ?

— En ce moment, tu veux dire? (Petit sourire embarrassé.) Ce n'est pas faute d'avoir essayé! Je suis sorti avec plusieurs femmes et elles font toutes la même remarque.

— Quelle remarque?

— Elles disent que je suis toujours amoureux de toi.

Elle ne s'attendait pas à cette réponse.

— Et tu l'es?

— Disons que je donnerais n'importe quoi pour effacer le passé et que nous formions à nouveau une famille. (Il lui prit la main.) Tu crois qu'il y a une chance pour que ça arrive?

Elle se sentit touchée par ce qu'il venait de dire, son évidente sincérité l'émut et elle s'imagina un bref instant être de nouveau sa femme.

« Oui, et comment réagirait-il si je lui disais qu'en ce moment Sophie devrait être dans le cabinet du Dr Schaefer pour sa perfusion d'Herbaline? » Non, elle ne pourrait plus vivre avec cet homme.

— Ce n'est pas le moment de parler de ça.

Elle lui serra brièvement la main, étala la carte et regarda les deux routes devant elle. Ni l'une ni l'autre ne semblaient de nature à leur apprendre quoi que ce soit.

— Faisons demi-tour, soupira Joe. Allons au commissariat et préparons-nous pour cette conférence de presse.

Elle hésita, consulta la carte, essayant de se repérer.

— Ça ne veut pas dire qu'on abandonne, juste qu'on change de tactique.

Elle lui rendit la carte.

— D'accord.

Joe regarda sa montre.

— Midi passé. On avait dit à tes parents qu'on les appellerait avant midi. Faisons-le avant de redémarrer.

Elle acquiesça, sortit son portable de son sac et appuya sur le numéro du répertoire correspondant aux coordonnées de ses parents.

— Allô ?

La voix de sa mère avait cette intonation anxieuse que Janine ne connaissait que trop bien.

— Salut, maman ! Nous...

— Passe-moi Joe.

Janine reprit son souffle comme si sa mère venait de lui envoyer un coup de poing dans le plexus solaire.

— Je voulais juste te dire qu'on n'avait rien trouvé...

— Passe-moi Joe, je te dis !

Janine ferma les yeux et tendit son téléphone à son ex-mari.

— Elle refuse de me parler.

La gorge si serrée qu'elle pouvait à peine respirer, elle fouilla dans sa poche, à la recherche d'un mouchoir en papier.

— Bonjour, maman... Non, rien... Et là-bas ?

Elle écouta Joe expliquer à sa belle-mère qu'une conférence de presse était prévue pour l'après-midi. Il coupa la communication et la regarda. Des larmes roulaient sur ses joues.

— Tu veux que je conduise, pour le retour ?

Elle secoua la tête et démarra. Elle avait besoin de s'occuper l'esprit. Mais, tout en conduisant, elle songea aux maintes autres occasions où elle avait souffert des muettes fureurs de sa mère.

Après avoir perdu son bébé sur les bords de la Shenandoah, Janine s'était mise à remarquer les bébés autour d'elle. Elle n'y avait jamais prêté attention, même pendant ses sept mois et demi de grossesse, et, tout d'un coup, les galeries marchandes étaient pleines de bébés endormis dans leur poussette et les supermarchés de bambins assis dans les chariots, essayant d'attraper des produits sur les étagères. Des nouveau-nés blottis dans des porte-bébés contre la poitrine de leur mère entraient dans la banque où travaillait Janine. Leur mère leur souriait, leur roucoulait des mots tendres, les consolait quand ils pleuraient, jouait à cache-cache avec eux au comptoir. Chaque fois que Janine assistait à ces échanges, la douleur d'avoir perdu son propre bébé lui vrillait le cœur. Sur le moment, elle n'avait pas trop souffert, elle n'avait rien ressenti, en fait, car elle avait toujours nié en elle-même sa future maternité. Maintenant elle comprenait combien elle avait négligé de tenir compte de cette précieuse petite vie. Comment avait-elle pu partir en canoë ce jour-là ? Comment avait-elle pu mépriser à ce point le miracle qui se produisait en elle ? Ces sentiments la firent réfléchir et la plongèrent dans une sorte de dépression. Pendant quelque temps, elle fonctionna comme un automate, en petite épouse docile, elle fit tout ce que Joe lui demandait, comme si cette obéissance absolue était le châtiment de sa transgression. Ses parents cessèrent de les aider financièrement, puisqu'il n'y avait plus de bébé. Il fallait, dirent-ils, qu'elle et Joe apprennent à se débrouiller seuls, et bien sûr Joe était du même avis. Ce n'était que le début : dorénavant, Joe serait toujours de l'avis de ses parents.

Elle commençait à comprendre que, si elle n'était pas tombée enceinte, son amourette avec Joe serait morte de sa belle mort, à la fin de leurs études. Ils étaient trop dissemblables. Joe était un homme décidé, il avait un but et voulait gagner de l'argent. Il pesait chacune de ses actions, réfléchissait longuement à chaque conséquence possible. Pourtant, elle l'aimait malgré son conformisme. Il était beau garçon, gentil, et on pouvait lui parler facilement... dans la mesure où elle évitait certains sujets tels que sa soif d'aventures ou l'ennui de son travail à la banque. Elle n'était pas mécontente de l'aider à poursuivre ses études. Dès qu'il aurait fini et gagnerait un salaire, ce serait son tour. Son rêve était d'entrer à l'Ecole de l'air, elle voulait devenir pilote. Mais, avec Joe, le sujet était tabou.

Elle se souvenait du jour, du moment précis, même, où elle était sortie de sa prostration. Elle se préparait à partir au travail en regardant d'un œil le journal télévisé du matin quand une publicité était apparue sur l'écran.

Apprenez un métier tout en gagnant de quoi poursuivre vos études.

Suivaient des images de réservistes des deux sexes, armés de fusils, rampant en tenue de camouflage sur le sol. D'autres pianotant sur les touches d'énormes ordinateurs, d'autres, enfin, pilotant des avions ! Le cœur battant la chamade, elle regarda défiler les images avec l'impression d'émerger d'une longue maladie. Elle faillit arracher son tailleur de guichetière et composer aussitôt le numéro de téléphone qui venait de s'afficher sur l'écran. Elle arriva à attendre jusqu'à la pause de l'après-midi pour appeler, mais, en moins d'une semaine, elle s'était engagée dans l'armée de réserve. Elle n'en avait parlé ni à Joe ni à ses parents.

Une autre semaine s'écoula avant qu'elle ne trouve le courage de l'annoncer à son mari. Ils étaient chez eux, assis chacun à un bout du canapé, et mangeaient leur dîner de soupe au poulet et de croque-monsieur. Comme de coutume, Joe avait un livre ouvert sur les genoux. Il était toujours en train d'étudier.

« Joe ? » dit-elle négligemment quand elle eut mangé la moitié de son croque-monsieur.

Il prit son temps avant de lever la tête et garda son doigt sur la page pour la marquer.

« Cette semaine, je me suis lancée dans un projet vraiment enthousiasmant.

— Ah bon ? »

Il jeta un bref coup d'œil à son livre. De toute évidence, il l'écoutait à peine.

« Je me suis engagée dans l'armée de réserve. »

Il éclata de rire.

« Tu plaisantes !

— Pas du tout. J'ai vu une publicité à la télévision, et...

— Pourquoi ferais-tu une bêtise pareille ?

— Ce n'est pas du tout une bêtise ! On va me donner une formation et je gagnerai de quoi payer mes études, de sorte que ce sera bien moins cher, et...

— Mais on n'est pas... (Il cherchait ses mots.) ... on

n'est pas une famille de militaires, nous! Ton père a même refusé d'aller se battre au Vietnam. Tu ne sais donc pas le mal qu'il a eu à obtenir le statut d'objecteur de conscience? Et toi tu vas t'engager dans l'armée? On ne connaît personne qui fasse une carrière militaire. »

Elle le regarda avec curiosité.

« Depuis quand es-tu si étroit d'esprit?

— Je ne suis pas étroit d'esprit, je suis réaliste. Tu te vois en uniforme, en train d'obéir à des ordres? Surtout toi!

— Je m'y vois très bien. (Sa résolution s'affermit.) Et ce n'est que l'armée de réserve. Je ne serai absente qu'un week-end par mois. A part qu'il faut que je serve un moment dans l'armée d'active pour devenir élève officier. »

Elle parlait vite, dans l'espoir de faire paraître plus courte la longue séparation qui les attendait.

« Juste le temps de faire mes classes, et ensuite l'Ecole de l'air.

— L'Ecole de l'air?

— Oui. »

Elle ne put s'empêcher de sourire.

« Janine, tu es complètement dans les nuages.

— Je n'attends que ça, d'y être, dans les nuages!

— Tu seras avec plein d'autres types. »

Voilà donc une des raisons de sa désapprobation! Il s'était toujours montré un peu jaloux.

« Ce n'est pas pour ça que je le fais.

— Et... quand est-ce que tu es censée commencer?

— Je vais partir en septembre, répondit-elle avec un peu d'appréhension. Il faut que je fasse mes classes, comme je te l'ai dit. C'est à Fort Rucker, dans l'Alabama. Ça durera à peu près un an, ensuite...

— Un an !

— Après je resterai pour faire l'Ecole de l'air et je sortirai officier de réserve. »

Ça sonnait quand même bien mieux qu'employée de banque !

« Et après ? »

Elle connaissait bien cette expression tendue : il essayait de maîtriser sa colère.

« Après je reviendrai à la maison et je pourrai piloter avec mon unité à Fort Belvoir. Une fois que je serai officier de réserve, rien ne m'empêchera de prendre un emploi ailleurs. J'aurai juste besoin d'y aller un week-end par... »

Il jeta son livre sur la table basse, renversant sa soupe.

« C'est de la folie ! Je veux une épouse qui soit une femme, pas un soldat ! »

Il traversa la pièce à grands pas et décrocha le téléphone.

« Qui appelles-tu ?

— Tes parents. Ils pourront peut-être te faire entendre raison, eux ! »

Sentant sa volonté et sa résolution flageoler, elle quitta la pièce. Elle se retrouvait petite fille, écrasée par ses parents.

Ses parents arrivèrent immédiatement et firent tout pour la persuader de renoncer à ses « projets déments », comme ils disaient. Eux qui croyaient qu'elle avait grandi, cette année-là, qui la trouvaient plus stable, moins irresponsable... Se rendait-elle compte combien elle se montrait égoïste, ne pensant ni à Joe ni à leur couple, rien qu'à elle et à ses idées folles...

Assise, aussi immobile qu'une statue, elle les laissa dire sans ouvrir la bouche. Elle ferait ce qu'elle avait décidé, même si cela devait lui coûter l'amour de ses parents et l'amour de son mari.

Ce soir-là, sa mère cessa de lui parler, et son silence dura plusieurs années. Janine partit pour Fort Rucker et s'efforça d'oublier l'opposition de sa famille. Elle apprit à piloter un hélicoptère, son instructeur la trouva extrêmement douée et elle sut qu'elle avait trouvé sa voie. Certes, il y avait des « types », comme avait dit Joe, autour d'elle, quelques-uns la harcelèrent, d'autres essayèrent de la draguer, mais elle n'était pas venue à Fort Rucker pour ça. Elle écrivait et téléphonait à Joe, le rassurait, parlait de son retour et se déclarait très heureuse. Elle mourait d'envie, lui dit-elle, de l'emmener faire un tour en hélicoptère. Quand elle rentra enfin, après sa formation à l'Ecole de l'air, elle était bien plus sereine. Et elle était devenue, qui l'eût cru ?, un bon soldat.

Autant elle adorait piloter, autant Joe adorait la voie qu'il avait choisie : le monde de l'argent. Il obtint son diplôme peu de temps après son retour et trouva un poste d'expert-comptable dans un grand cabinet très coté. Il travaillait dur et se consacra à sa carrière, de plus en plus sérieux et raisonnable.

Ce n'est que quand Janine eut trouvé un emploi dans une compagnie de location d'avions, Omega Flight, qu'elle découvrit que son mari avait peur en avion. Omega Flight l'avait autorisée à emmener son mari faire un tour en hélicoptère, un week-end, et il fut bien obligé de lui avouer sa phobie. Effectivement, les rares fois où ils avaient projeté un voyage en avion, il avait toujours fini par préférer le train, soi-disant pour voir le paysage. Elle savait qu'il avait perdu son père dans un accident d'avion et se reprocha son propre manque de compréhension. Joe avoua sa déception en découvrant que la grande passion de Janine était une activité qu'il ne pouvait partager. Elle avait sincèrement pitié de lui et l'écouta en le serrant contre elle. Il était si rare qu'il laisse voir ses faiblesses ! Mais ce qu'il disait était vrai, elle était passionnée d'aviation.

Sa mère lui adressait de nouveau la parole, mais elle était toujours négative.

« Ton père et moi, on n'ose même pas parler de toi à nos amis. On ne va quand même pas leur dire que tu es officier de réserve et qu'un week-end par mois tu mets ton uniforme pour aller jouer au petit soldat ! Tu ne peux donc pas être une fille et une épouse comme les autres ? Les filles de nos amis ont un travail respectable, elles, elles sont enseignantes, infirmières... »

Maintenant qu'il avait terminé ses études, Joe désirait fonder une famille, mais Janine ne se sentait pas encore prête. Elle avançait comme prétexte son travail et ses week-ends à l'armée, mais en fait elle continuait à faire des cauchemars sur ce glacial jour d'octobre où, couchée sur un tas de feuilles rouges et dorées, elle avait mis au monde un bébé mort-né. Les épreuves physiques ne l'effrayaient pas, mais, moralement, elle ne se sentait pas de taille. Elle ne vivait que pour ses week-ends d'entraînement. Il n'y avait pas grand danger, mais beaucoup de grands moments.

Puis l'inattendu se produisit : elle fut envoyée servir dans le golfe Persique. Personne, pas même elle, n'avait imaginé qu'en entrant dans l'armée de réserve elle serait un jour versée dans l'armée d'active. Mais elle était prête, bien entraînée et décidée à relever cet excitant défi. Ses compétences de pilote d'hélicoptère seraient très utiles.

Ses parents n'eurent pas un mot de compréhension ni d'encouragement. Tout ce qu'elle entendit durant les jours précédant son départ fut du genre « On te l'a assez répété, que c'était une erreur, de t'engager dans l'armée de réserve ! » ou bien « Comme on fait son lit on se couche, ma petite ! ». Ils lui tournèrent le dos, dans tous les sens du terme, et refusèrent même de l'accompagner à l'aéroport le jour du départ.

Joe se montra légèrement plus compréhensif. Il ne lui dit qu'une fois qu'il déplorait qu'elle fasse partie de l'armée de réserve et ensuite n'aborda plus le sujet. Il était loin de l'approuver, mais au moins il garda son opinion pour lui et elle lui en fut reconnaissante. Elle savait qu'il avait du mal à la taire.

Ses quatre mois dans le golfe Persique la firent considérablement mûrir. Son travail consistait à apporter du matériel au front et à évacuer les blessés. Ses journées étaient une alternance de périodes d'ennui et de vols ponctués d'explosions, dans l'odeur des produits chimiques et la terrible fumée. Elle ne vit pas de morts mais elle en entendit parler, et un accident d'hélicoptère qui coûta la vie à une de ses compagnes la bouleversa au point de provoquer d'incessants cauchemars.

Au retour de la campagne Tempête du désert, Janine était plus grave, plus consciente de la brièveté de l'existence, et enfin prête à se fixer. Elle était d'accord avec Joe : il était temps de fonder une famille. Elle arrêta de prendre la pilule, et deux mois plus tard elle était enceinte. Au cinquième mois de grossesse, elle quitta son travail à Omega Flight.

Au soulagement général, elle mit au monde une jolie petite fille, née à terme. Elle et Joe s'installèrent dans une confortable vie de famille, seulement inter-rompue par les week-ends de Janine dans l'armée de réserve. Sa mère, enchantée d'être enfin grand-mère, se remit à lui parler. Janine avait l'intention de retourner au travail dès que Sophie irait à l'école. Son engagement dans l'armée de réserve serait ter-miné, et elle espérait trouver un emploi en rapport avec l'aviation, même si elle ne pilotait plus. Etre mère avait fortement diminué son goût du risque, sa fille avait besoin d'elle.

Les premiers symptômes de la maladie de Sophie apparurent peu de temps après son troisième anni-versaire. Un peu de sang dans les urines, les yeux gonflés. On diagnostiqua une affection rénale rare. Ses reins fonctionnaient encore, mais, d'ici quelque temps, elle aurait besoin d'une greffe ou de dialyses fréquentes.

A l'époque, la presse regorgeait d'articles sur les vétérans de Tempête du désert souffrant soudain d'un mal mystérieux. Quelques-uns avaient eu des enfants atteints de graves difformités ou de maladies. Janine elle-même était en parfaite santé. Mais la lec-ture de tous ces articles sur des hommes et des femmes dont les enfants étaient étrangement atteints, peut-être à cause du temps passé par leurs parents dans le golfe Persique, réveilla son sentiment de culpabilité. Etait-elle responsable de l'affection dont souffrait Sophie ? Sa petite fille chérie payait-elle la soif d'aventures de sa mère ?

Ses parents, en tout cas, en étaient persuadés. Janine avait entendu sa mère affirmer à une voisine que Sophie faisait partie de ces enfants malades à cause de l'opération Tempête du désert. Janine n'avait d'ailleurs pas besoin d'eux pour s'enfoncer dans la culpabilité. Elle se sentait elle-même bien assez fautive.

Joe ne lui reprocha jamais directement la maladie de leur fille, mais elle savait ce qu'il pensait de sa carrière dans l'armée de réserve. Chaque fois qu'il lisait un article sur un enfant de vétéran souffrant d'une quelconque affection, il lui passait ensuite le journal. Sans un mot.

Silencieusement, leur vie conjugale en arriva à son stade ultime. Ils ne se parlaient plus que lorsqu'il s'agissait de Sophie. L'inquiétude et les contraintes les dévoraient. Joe eut une liaison et Janine, ulcérée, demanda le divorce. Elle et Sophie allèrent s'installer dans la maison d'hôtes d'Ayr Creek. Janine n'en avait aucune envie, mais elle n'aurait pas de loyer à payer et ses parents pourraient l'aider à s'occuper de Sophie.

— J'ai été un bon père, tu crois ?

La voix de Joe tira Janine de ses souvenirs. Elle jeta un coup d'œil à côté d'elle. Il regardait droit devant lui, mais les larmes dans ses yeux l'empêchaient certainement de voir la route. Il avait été un fort médiocre mari, qui ne l'avait guère soutenue lorsqu'elle avait décidé de réaliser son rêve, qui avait joué de sa culpabilité à propos de la maladie de

140

Sophie pour, en fin de compte, la tromper de la plus sordide façon. Mais il avait toujours aimé sa fille, il aurait donné sa vie pour elle.

— Oui, Joe, tu as été un excellent père.

10

Lucas Trowell mit ses deux jardiniers au travail dans les plates-bandes de vivaces près du bois, et se réserva la taille des haies les plus proches de la maison. Les deux hommes le regardèrent avec surprise, car il leur laissait d'ordinaire les travaux d'élagage, mais il ne donna aucune explication à cette nouvelle distribution des tâches. Il avait besoin d'un travail machinal, aujourd'hui, et il ne voulait pas s'éloigner de la maison. Que se passait-il ? Y avait-il des nouvelles ? Il avait même apporté son portable, dans l'espoir d'un appel de Janine annonçant que Sophie avait été retrouvée. Il avait, plus que quiconque ne pouvait l'imaginer, besoin d'entendre ces mots.

Janine lui avait téléphoné tôt le matin, en attendant que Joe vienne la chercher pour explorer une fois de plus la route menant au camp de vacances. Il devina à sa voix rauque qu'elle n'avait pas fermé l'œil de la nuit. Lui non plus. Comment deux fillettes et une adulte pouvaient-elles se volatiliser ? L'hypothèse la plus plausible était que la cheftaine était partie avec elles, pour quelque raison aussi mystérieuse qu'inquiétante. Peut-être les avait-elle juste emmenées s'amuser quelque part... un repas à la pizzeria et une nuit dans un motel à regarder la télé... Ça ne semblait guère crédible, mais les autres possibilités ne l'étaient pas non plus.

141

Il éteignit un instant le taille-haie électrique pour se reposer les mains. Il sentait sous l'orthèse le sang battre dans son poignet. « Espérons que je ne suis pas en train de me l'amocher définitivement ! » Debout près des buis, il regarda la petite maison de Janine, vit dans sa tête Sophie sortir en courant, avec une gaieté et une énergie qu'elle n'avait jamais eues avant de suivre le traitement du Dr Schaefer.

« Bon Dieu, c'est trop injuste ! Cette petite commençait juste à revivre ! »

Sophie savait qu'aujourd'hui était jour de perfusion, mais, bien qu'elle fût très courageuse quand arrivait le moment du douloureux traitement de deux heures, ça ne lui aurait certainement pas déplu de le rater. Janine ne lui avait pas expliqué ce qui se passerait si elle le manquait, du moins pas précisément. La petite serait certainement enchantée de sauter une séance. Il imagina la conversation dans la voiture.

« *Sophie :* C'est le jour de l'Herbaline, aujourd'hui.

La cheftaine : C'est qui, Lherbaline ?

Sophie, riant et plissant son nez couvert de taches de rousseur : Ce n'est pas une personne, c'est un médicament ! Le médecin l'appelle Herbaline parce qu'il est à base de plantes et d'herbes.

L'autre fillette : Ça a goût de quoi ?

Sophie, faisant la maligne : Comment veux-tu que je sache, je ne l'ai jamais goûté. Je le prends par le bras, dans la veine.

La cheftaine : Ouille, ça doit faire mal !

Sophie : Oui. Et le pire, c'est qu'il faut rester deux heures allongée sans bouger, avec l'aiguille piquée dans le bras.

Elle montre la petite marque sur l'avant-bras, où était plantée l'aiguille lors de la dernière perfusion.

La cheftaine, hypocritement : Dis-moi, si tu manquais ton rendez-vous avec cette vieille Herbaline, demain ? Qu'est-ce que tu en penses ? *(A l'autre petite fille :)* Ça te dirait de kidnapper Sophie et de l'emmener passer deux jours au King's Dominion, au lieu de... »

Fin de la bande-son. Lucas soupira, remit le taille-haie en marche et passa sur le côté de la haie. Son imagination battait la campagne. Aucune cheftaine scoute ne se conduirait de cette façon irresponsable.

La porte de côté de la maison se referma, et il leva les yeux. Donna Snyder traversait l'allée en direction du vaste garage. Eteignant de nouveau son taille-haie, il le posa sur le sol et marcha rapidement dans sa direction.

— Madame Snyder ?

Elle s'arrêta et le regarda. C'était une belle femme de cinquante-cinq à soixante ans, avec des cheveux blonds noués en catogan sur la nuque. Il n'avait aucun mal à l'imaginer donnant son cours d'histoire à sa classe de lycéens. Elle n'avait pas dû être un professeur patient, elle n'avait aucune patience avec Janine. D'ailleurs elle semblait irritée qu'il l'ait appelée.

— Vous avez des nouvelles de Sophie, madame Snyder ?

— Non. Janine et son mari sont partis à sa recherche.

« Son ex-mari ! » corrigea-t-il mentalement. Janine lui avait dit que ses parents refusaient d'accepter son divorce.

— On a une idée de ce qui a pu se passer ?

— Non, personne ne semble en avoir la moindre idée.

Elle appuya sur le bouton de la télécommande et la porte du garage commença à basculer. Elle la suivit du regard et, à cet instant, le soleil éclaira ses yeux. Ils étaient rouges. Lucas eut un élan de sympathie.

— Ça doit être vraiment dur, pour vous.

Cette marque de compréhension sembla la toucher et elle abaissa un instant sa garde.

— J'aimerais bien que la police se donne un peu plus de mal... Ils n'ont pas l'air trop... (Elle secoua la tête.) Je suppose qu'eux non plus ne savent pas quoi faire. Que peut-on faire quand une enfant disparaît soudain de la surface de la terre? (Elle s'apprêta à entrer dans le garage.) Excusez-moi, il faut que j'aille faire des courses, on n'a plus rien à la maison. Et je ne peux pas supporter de m'éloigner du téléphone.

— Je vais aller faire vos courses, si vous voulez.

Il vit à son expression qu'elle trouvait son offre bizarre.

— Je voudrais vous aider, ajouta-t-il.

— Pourquoi ça? Ce n'est pas votre famille, ni votre problème.

Il eut envie d'avouer que lui aussi se faisait du souci pour la petite fille. Mais une telle déclaration ne ferait que confirmer sa méfiance maladive envers lui.

— Je voudrais juste vous aider.

— Ce n'est pas nécessaire.

Elle chercha sa clef dans son sac, de nouveau sur la défensive.

— N'oubliez pas de tailler le buis près de l'entrée.

— Certainement. Et j'espère qu'on va vite retrouver votre petite-fille.

Il ratissait les branches coupées quand Joe et Janine s'arrêtèrent devant la maison. Il était dix-huit heures et il avait pris un coup de soleil au visage et à la nuque. Il n'avait pas l'habitude de travailler si longtemps en plein soleil, et il savait qu'il lui faudrait en supporter les conséquences.

Janine descendit du véhicule, côté chauffeur, et, même de l'endroit où il se trouvait, il distinguait sur son visage les marques d'épuisement. Il espérait qu'elle avait pu se concentrer davantage sur la conduite de sa voiture qu'il n'avait pu le faire sur le jardinage. Joe descendit aussi et, sans un regard pour Lucas, se dirigea vers la maison, mais Janine lui fit signe et s'arrêta comme pour venir lui parler. Joe se tourna vers elle, lui prit le bras et l'entraîna vers la maison.

— Rien de neuf? cria Lucas.

La jeune femme secoua négativement la tête et entra.

« Ça fait plus de vingt-quatre heures, maintenant... » Ce laps de temps n'augurait rien de bon.

Après avoir fini d'enfourner les branches dans un sac en plastique, il rangea ses outils et retourna chez lui.

Il alla dans la cuisine de la maison en dur, prit une pomme dans un compotier, un morceau de poulet froid dans le réfrigérateur et se dirigea vers le bois.

Assis à sa table de travail, il contempla les arbres, où s'épaississaient les ombres. Il avait travaillé bien trop intensivement aujourd'hui, la peau de son visage était irritée par le soleil, il avait la nausée et, lorsqu'il mordit dans la pomme, il vit que sa main tremblait. Il mourait d'envie d'appeler Janine, mais il était plus sage d'attendre qu'elle le fasse.

Il alluma son ordinateur et s'efforça de se concentrer sur son courrier électronique. En vain. Des souvenirs remontaient à la surface et n'étaient pas les bienvenus. Mais à quoi bon essayer de les repousser si le présent devenait aussi pénible que le passé ? Ce flic allait-il revenir, ou bien en avait-il fini avec lui ? Il l'espérait. Joe et les Snyder le croyaient-ils encore impliqué dans cette affaire ? Alors qu'ils le lui demandent franchement, il pourrait répondre en toute honnêteté qu'il n'avait rien à voir avec la disparition de Sophie. Ce serait bien la première fois qu'il leur dirait la vérité.

11

La maison était chaude et moite. Par respect pour son caractère historique, elle n'était pas climatisée, et l'humidité habituelle de juin était revenue, encore plus collante. Janine ne partageait pas la passion de ses parents pour les reconstitutions historiques, surtout si l'on tenait compte du fait que la plupart des pièces n'étaient pas ouvertes au public. En entrant, elle eut l'impression d'étouffer. A moins que ce ne fût l'atmosphère générale, lourde de reproches et de découragement qui l'empêchât de respirer.

Sa mère était assise dans un vieux fauteuil et regardait par la fenêtre.

— Où peut bien être ma petite poupée ? chuchotait-elle régulièrement.

Comme si c'était elle qui l'avait mise au monde, qui restait à son chevet quand elle était malade, qui lui lisait des histoires au milieu de la nuit quand elle avait peur et mal à l'estomac. Janine se sentait encore plus coupable de la disparition de Sophie, comme si elle avait arraché sa fille à sa mère autant qu'à elle-même.

Son père jouait les maîtres de maison. Il apporta un plateau chargé de chips de maïs et de sauce mexicaine, qu'il posa devant elle et Joe comme s'ils étaient des invités. Frank Snyder était foncièrement bon, un brave homme qui, au cours des années, s'était bien souvent trouvé pris entre deux feux, sa fille rebelle et son épouse glaciale et rancunière.

— C'était très bien, ce que vous avez dit, tous les deux, à la conférence de presse, remarqua-t-il en s'asseyant sur le canapé Chippendale.

— A quelle heure as-tu dit que la police doit venir ? demanda Donna Snyder à son ex-gendre.

Depuis que Joe et sa fille étaient entrés, elle n'avait pas honoré celle-ci d'un regard, mais son attitude n'étonna personne.

Joe regarda sa montre.

— Oh, d'un instant à l'autre.

Le brigadier Loomis avait prévenu qu'il passerait dans la soirée faire la connaissance des grands-parents de Sophie et faire savoir où en était la police.

— Il y a une voiture dans l'allée, dit la mère de Janine, ce doit être lui.

Elle se leva et lissa son pantalon écossais. Un instant plus tard, Janine alla ouvrir la porte au policier. Il salua la jeune femme et entra. Son regard fit rapidement le tour de la pièce et Janine lut dans ses yeux ce qu'il pensait. « Ces gens ont de l'argent. » Il ignorait sans doute que ses parents avaient ici une simple fonction de régisseurs et qu'ils n'étaient que les parents pauvres du clan Campbell. Ce n'était pas eux qui avaient acheté le tapis d'Orient étendu sur le parquet de merisier, ni les tableaux de maître du XIXe accrochés aux murs.

Elle présenta ses parents, puis s'assit à côté de son père sur le canapé.

— Des nouvelles ?

Elle savait bien qu'il n'y en avait pas et n'en pouvait plus de poser toujours la même question. Il était évident que si les recherches avaient mené quelque part ils en auraient été les premiers avertis.

— Non, malheureusement.

Le policier s'assit prudemment dans l'un des fauteuils, comme s'il avait peur d'abîmer quelque chose dans cette pièce élégante au beau mobilier ancien.

— Je n'ai pas eu le temps de vous parler longuement après la conférence de presse, et je voulais... euh... faire la connaissance de votre famille. Je sors de chez les Kraft.

— Combien d'hommes avez-vous mis sur l'affaire ? demanda Donna Snyder sans bouger de son siège.

Le père de Janine avança le plateau en direction du policier, qui déclina l'offre d'un geste de la main.

— Toute la brigade y travaille. (Il sortit un mouchoir et s'épongea le front. Il devait penser que leur climatisation était en panne.) Et il en est de même pour toutes les brigades entre ici et le camp de vacances.

— Je me demande quand même si ça suffit, déclara Joe. Janine et moi avons parcouru cette route hier, et encore ce matin. On a demandé à un tas de gens s'ils n'avaient pas vu Sophie et on a exploré toutes les petites routes. Franchement, on n'a pas vu tellement de flics.

— Je vous assure que nous faisons ce que nous pouvons, monsieur Donohue.

— Peut-être pourriez-vous avoir recours à des moyens aériens ? suggéra le père de Janine.

— A ce stade, ça n'a pas grand intérêt. Pour commencer, on n'a pas la moindre idée de l'endroit où commencer à chercher.

Joe regarda Janine.

— J'ai l'intention de chercher avec un hélicoptère demain, déclara-t-elle sans s'adresser à personne.

— Pourquoi ça ? demanda sa mère en oubliant qu'elle ne parlait plus à sa fille.

— Je veux inspecter tout le secteur moi-même. Je veux être certaine que j'ai cherché partout, de toutes les façons possibles.

— Vous avez un brevet de pilote ?

— Oui. Et c'est arrangé.

Elle avait appelé Omega Flight depuis le commissariat de police, juste avant la conférence de presse, et ils lui avaient proposé un de leurs appareils.

— J'ai l'intention de décoller dès qu'il fera jour. A moins que Sophie n'ait été retrouvée d'ici là, bien sûr.

Donna Snyder n'approuvait jamais sa fille.

— Mais c'est ridicule, voyons ! Si la police est d'avis qu'une recherche aérienne ne mènera à rien, qu'espères-tu accomplir ?

— Je tiens à essayer.

— Tu vas avec elle, Joe ? demanda son père.

— Non, je préfère y aller seule, se hâta de répondre la jeune femme, afin d'éviter à Joe la gêne d'avouer sa phobie des voyages aériens.

— Je n'arrive vraiment pas à te comprendre, Janine ! dit sa mère.

— Madame Donohue, objecta à son tour le brigadier

Loomis, je pense sincèrement que ce sera inutile. Et vous sentez-vous en état de piloter ? Vous êtes soumise à une énorme tension, et...

— Ça ira.

Le ton de sa voix mit fin aux commentaires. Elle évita soigneusement de regarder sa mère. Son père lui avait souvent dit qu'autrefois sa mère lui ressemblait beaucoup. C'est d'ailleurs son esprit aventureux qui lui avait coûté l'estime et l'héritage de sa famille. Alors, maintenant, voir sa fille marcher sur ses traces lui était insupportable.

— Vous vous souvenez, nous avons envisagé l'hypothèse d'un enlèvement... (Le brigadier regarda de nouveau la pièce autour de lui.) ... en vue d'une rançon. Maintenant que je suis ici... Je sais que M. et Mme Donohue ne disposent pas d'une fortune susceptible d'attirer ce genre de personne, mais je me demande si quelqu'un, sachant (mouvement de tête en direction du père de Janine) que vous et votre femme disposez de moyens substantiels... Vous voyez quelqu'un qui aurait pu enlever votre petite-fille dans l'espoir d'une rançon ? Aucun coup de téléphone dans ce sens ?

Joe et Janine secouèrent la tête.

— Les kidnappeurs disent toujours qu'il ne faut pas avertir la police, mais, croyez-moi, ce serait une grave erreur.

— Non, aucun appel, brigadier. Et on ne peut pas dire que nous disposions de moyens substantiels. (Sa femme le fusilla du regard.) Mon épouse est la dernière d'une longue lignée de Campbell, et la famille nous autorise à habiter ici. Mais rien ne nous appartient, il ne nous est rien revenu de la fortune des Campbell.

— Il se peut que ça ne se sache pas. En vous voyant habiter Ayr Creek, on peut penser que vous avez assez d'argent pour payer une rançon.

Janine n'y avait pas pensé. Il était exact qu'on pensait souvent que ses parents étaient richissimes. En fait, ils vivaient de maigres pensions d'enseignants ayant pris une retraite anticipée.

— Nous n'avons eu aucun appel en ce sens, objecta Joe. On en aurait eu, maintenant, non ?

— Pas si la priorité était de s'éloigner au maximum avant d'entrer en contact avec vous.

— Pourrait-on chercher à extorquer de l'argent à la famille de l'autre petite fille ?

— C'est peu probable. Le père travaille dans une épicerie et ils ont un tas d'enfants.

— A vous entendre, on dirait que vous soupçonnez Alison de les avoir enlevées... la cheftaine.

— Eh bien, d'un côté, ce serait plausible, vu qu'elle les a emmenées dans sa voiture.

Loomis étira ses grandes jambes et fronça le sourcil en entendant le précieux fauteuil craquer légèrement.

— Mais on a mené une enquête sur elle, et, bien qu'elle soit un peu... on pourrait dire impulsive, elle n'a jamais commis le moindre délit. Elle a eu d'excellents résultats à l'université et, point capital, elle doit se marier samedi prochain.

Janine sursauta.

— Alison se marie samedi prochain ?

— Ouais... Peu de gens sont au courant, semble-t-il. Mais j'ai parlé à Charlotte, sa colocataire, et à Garret, son fiancé. La cérémonie doit se dérouler dans l'intimité, juste quelques amis et la famille de

Garret. La mère d'Alison habite l'Ohio et comme elle souffre du dos elle ne peut pas faire le voyage. Le mariage est organisé depuis six mois, et Alison est ravie. Ça semble un moment bizarre pour enlever deux enfants, non?

— Je n'y comprends plus rien, on nage en pleine absurdité.

— Je sais, madame Donohue.

La voix du policier exprimait une sincère compassion.

— Mais tout finira par s'éclaircir. Ça s'éclaircit toujours avec le temps.

— Mais, justement, on n'a pas le temps. Je l'ai expliqué à la conférence de presse, Sophie a besoin de...

Toute sa famille la fixait, sa mère avec haine, son père d'un air déçu. Et, bien que Joe soit aussi angoissé qu'elle, il se moquait éperdument que Sophie ait ou non sa perfusion d'Herbaline.

— ... elle était censée recevoir un traitement médical aujourd'hui.

Sa mère ricana.

— Elle a certes besoin d'un traitement, mais pas de celui-ci!

— Nous sommes au courant, madame Donohue. Nous savons que Sophie souffre d'une grave maladie. (Il se tourna vers Donna Snyder.) Je sais que M. Donohue n'est pas d'accord avec ce traitement, vous êtes de son avis, apparemment. Je me trompe?

— Aucun de nous trois n'est d'accord. Nous pensons que faire participer Sophie à cette étude est une erreur, et...

— Tu préfères sans doute voir ma fille continuer à souffrir ?

— Bien sûr que non ! Mais nous, on veut lui donner une chance de rester en vie. Tous les médecins, sans exception, disent que ce truc de plantes n'assure qu'une rémission temporaire. Tu as renoncé à la voir guérir. Tu préfères qu'elle meure le sourire aux lèvres !

— Maman, s'interposa Joe, ce n'est pas le moment de...

— C'est tout à fait le moment. Sophie a toujours été...

Loomis se leva et cette silhouette massive soudain debout la fit taire.

— M. Donohue a raison, madame Snyder. Il faut rester unis et non vous sauter à la gorge. (Il parlait d'une voix calme de médiateur et Janine se demanda si on lui avait appris à calmer le jeu quand les membres d'une famille se disputaient.) Nous savons que c'est une urgence, madame Donohue. Vos explications lors de la conférence de presse étaient parfaitement claires. S'il s'agit d'un enlèvement et si elles sont entendues par le kidnappeur, il ou elle pourra trouver que le risque est trop grand et libérer les petites.

Il se dirigea vers la sortie et tous se levèrent. Joe lui ouvrit la porte.

— On reste en contact. En attendant, essayez de vous comporter raisonnablement les uns envers les autres.

Joe le raccompagna à la porte d'entrée et Janine, peu désireuse de rester seule avec ses parents, lui emboîta le pas.

La nuit tombait sur Ayr Creek. Debout sur le

perron, tous deux regardèrent le policier suivre le chemin menant à l'allée dans laquelle il avait garé son véhicule. La vaste pelouse était ponctuée de vers luisants. La voiture de police disparut au tournant.

— Je rentre chez moi. Bonsoir, Joe!

— Tu ne veux pas que je vienne avec toi?

Il y avait de l'espoir dans sa voix.

— Non. Si je veux piloter un hélicoptère demain, il faut absolument que je dorme.

— Je vais peut-être continuer à chercher dans la forêt. Quoique (il haussa les épaules)... je ne sache vraiment pas par quel bout commencer.

Elle se pencha et le serra brièvement dans ses bras, ce qu'elle n'avait pas fait depuis des années.

— On n'a pas le choix, il faut continuer.

Il parut avoir envie de la retenir près de lui et, songeant à son désir de reprendre la vie commune, elle s'écarta. Il n'était pas question de lui donner de faux espoirs.

— Peut-être Paula pourrait-elle t'accompagner?

— J'y pensais. Cela va l'obliger à prendre du congé, mais je sais qu'elle le fera de bon gré. (Il secoua la tête.) Je regrette ce malentendu à son propos, pendant tout ce temps.

— Je préfère savoir que je m'étais trompée. (Elle lui tourna le dos et s'éloigna dans l'allée.) Bonsoir, cria-t-elle par-dessus son épaule.

« Qu'il se débrouille avec mes parents! »

Dès qu'elle fut chez elle, elle s'assit sur le canapé et décrocha le téléphone.

— Il y a des nouvelles? demanda immédiatement Lucas.

Il avait anxieusement attendu son appel.

— Rien, répondit-elle d'une voix sans intonation qui l'étonna elle-même.

Comment pouvait-elle se montrer si calme, si stoïque alors qu'elle était bouleversée ?

— Ça doit te rendre folle, Janine.

— Ecoute... J'ai loué un hélicoptère pour demain et je voulais savoir si tu voulais venir avec moi.

Silence à l'autre bout du fil. Puis :

— Tu ne crois pas que Joe ou tes parents vont se douter qu'il y a quelque chose entre nous, si je t'accompagne ?

— Je m'en moque, que le monde entier le sache, Lucas. Je suis lasse de toutes ces cachotteries et je m'en veux d'avoir insisté pour garder le secret si longtemps. C'est ridicule. Je suis adulte et j'ai toujours peur de ce que vont dire mes parents et Joe. C'est de toi que j'ai besoin auprès de moi, et qu'ils le sachent ou non est le cadet de mes soucis.

— Tu sais bien que c'est ainsi que je voudrais que ce soit. Avec ce qui se passe, ça n'a pas été facile ces deux derniers jours de ne pas être auprès de toi.

— Viens... Tu veux bien ?

— Pourquoi ne viens-tu pas, toi ?

Elle adorait sa maison perchée dans les arbres, et il le savait. Mais pas ce soir.

— Il vaut mieux que je reste ici... au cas où il y aurait du nouveau.

— D'accord. J'arrive dans quelques minutes.

Elle raccrocha, alla à la cuisine, ouvrit le réfrigérateur et en inspecta vaguement le contenu. Elle avait l'impression de ne pas avoir mis le nez là-dedans depuis des siècles, et rien ne la tentait. Elle le referma

155

et se dirigea vers la chambre de Sophie. La porte était fermée et, quand elle l'ouvrit, la délicieuse odeur du shampoing préféré de la petite fille lui monta aux narines. Ses genoux flageolèrent. Dans cette pièce, Sophie était vivante. Pourvu qu'elle soit aussi vivante là où elle se trouvait maintenant...

Elle prit l'ours en peluche sur l'oreiller et s'allongea sur le lit de sa fille, les yeux fixés au plafond. Elle s'était souvent demandé comment réagissaient les parents des enfants qui disparaissaient. Comment pouvaient-ils supporter cette incertitude ? Eh bien, elle vivait cela maintenant, mais elle n'avait pas la réponse à sa question. Elle serra l'ours et leva la tête pour regarder par la fenêtre.

« Lucas, viens vite... S'il te plaît... »

Et dire que huit petits mois plus tôt elle le considérait comme un ennemi !

12

« Maman, je crois que je vais encore vomir ! » dit Sophie à sa mère en descendant de voiture au bout de l'allée menant à Ayr Creek.

On n'était qu'à une semaine de la fête de Thanksgiving et le temps se mettait au froid. Les arbres avaient perdu leurs feuilles et le domaine prenait son apparence hivernale grise et venteuse.

« Tu ne peux pas marcher un peu plus vite, ma chérie ? Tâche d'arriver jusqu'aux toilettes.

— Je ne sais pas. »

Sophie déglutit. Elle était pâle et des gouttes de transpiration perlaient à son front. Elle prit le sentier menant à la maison, sa mère sur les talons.

Lucas était agenouillé au bord du chemin et enveloppait les azalées pour les protéger contre le gel. Janine, comme elle le faisait toujours lorsqu'il était près d'elle et de sa fille, posa une main protectrice sur l'épaule de l'enfant. Il travaillait à Ayr Creek depuis un peu plus d'un mois, et elle avait pris au sérieux la mise en garde de ses parents. Que leurs soupçons soient fondés ou non, ils avaient vu juste quant à son intérêt pour Sophie. Elle avait remarqué l'insistance avec laquelle il les suivait toutes deux du regard et, quand il travaillait à proximité de la maison d'hôtes, elle craignait toujours qu'il ne les espionne par la fenêtre.

« Bonjour, madame Donohue ! (Il se releva.) Salut, Sophie !

— Bonjour ! » marmonna Janine.

Elle regarda la poignée de la porte et songea soudain avec horreur qu'elle avait laissé la clef à l'intérieur en sortant le matin. Elle avait pris les clefs de sa voiture pour faire laver celle-ci et, pressée de partir, avait oublié la clef de la maison. Sophie tendit la main vers la poignée.

« C'est fermé à clef, Sophie. Je viens juste de me souvenir que j'ai laissé la clef à l'intérieur. On ne va pas pouvoir entrer.

— Il y a un problème ? »

Elle se retourna. Lucas était debout derrière elle, appuyé à un rouleau de toile de bâche. Il l'avait entendue. Il avait dû tendre l'oreille car il n'était pas tout près d'elles.

« On est fermées dehors.

— Maman, je ne peux pas attendre, je vais vomir !

— Viens par là ! »

Elle la tira vers le paillis au pied des buis. Lucas vida le seau de mauvaises herbes à ses pieds, s'approcha en hâte de la petite malade et posa le seau devant elle juste à temps. Janine la soutint et écarta les mèches collées à ses joues moites. Quand la petite eut fini, elle se releva, une main appuyée sur l'abdomen, et se laissa aller contre sa mère.

« Ce n'est pas votre jour, aujourd'hui, à toutes les deux ! »

Janine n'avait jamais vu Lucas d'aussi près. Derrière les lunettes cerclées de métal, les yeux gris pâle brillaient dans la faible lumière de novembre. Son regard était si compréhensif et sa voix si chaleureuse que la méfiance de la jeune femme fondit comme neige au soleil. Les larmes lui montèrent aux yeux.

Lucas tendit la main, comme pour la lui poser sur l'épaule, puis changea d'avis et laissa retomber son bras.

« Où est votre clef ?

— Je l'ai oubliée à l'intérieur.

— Vous n'avez pas une fenêtre ouverte, quelque part ? Ou la porte de derrière ?

— Ça m'étonnerait.

— Asseyez-vous là avec Sophie, je vais voir. »

Il disparut derrière la maison. La mère et la fille s'assirent sur le perron. Janine serra l'enfant contre elle. La petite, tremblante, s'appuya à sa poitrine.

« Maman, je suis trop malade...

— Je sais, ma chérie... »

Quel étrange choix de mots... Trop malade pour quoi ? Pour courir, jouer, aller en classe avec les enfants de son âge ? Pour rester dehors dans le froid ? Pour vivre encore longtemps ?

Le médecin avait été clair, le matin.

« Il ne lui reste plus beaucoup de temps, madame Donohue. Arrangez-vous pour que sa vie soit la plus agréable possible. »

Lucas apparut de l'autre côté de la maison.

« Vous êtes bel et bien fermées dehors. Il n'y a pas une autre clef, chez vos parents ?

— Si, mais ils sont sortis et c'est fermé à clef. »

« Que je suis sotte de lui raconter que mes parents sont absents ! Il n'y a que nous trois, ici... Sophie et moi, avec un type trop intéressé par les petites filles. »

« Je peux entrer par la porte de derrière, mais il faut que je casse le carreau. Je vous le réparerai demain, il suffira d'acheter une autre vitre. »

Janine sentait contre sa joue le front de Sophie, de plus en plus chaud.

« S'il vous plaît, cassez-le. »

Elle et Sophie attendirent. Il repartit de l'autre côté de la maison, elles entendirent le bruit du carreau cassé, puis le tintement des morceaux de verre sur le linoléum de la cuisine. Un instant plus tard, Lucas était dans le salon. Il vint leur ouvrir la porte.

« Le crime est commis. Entrez pendant que je balaie les morceaux de verre. »

Janine aida Sophie à se lever et tendit la main vers le seau.

« Laissez ça, je vais m'en occuper.

— Oh non ! Ce n'est pas à vous de...

— Laissez, Janine. Ce n'est pas grave. Occupez-vous de Sophie. »

C'était la première fois qu'il l'appelait par son

prénom et elle se dit qu'elle aurait dû être indignée qu'il prenne cette liberté. Mais non, cela lui plaisait, au contraire, elle aurait aimé le lui entendre répéter.

Soutenant Sophie, elle la fit entrer.

« Je t'emmène au lit, ma chérie. »

Elle leva les yeux vers Lucas. Il regardait l'enfant d'un air extrêmement inquiet, rien de plus. Elle aurait dû le remercier et le reconduire à la porte, mais il lui avait réellement rendu un grand service.

« Vous voulez un peu de citronnade ou de thé glacé ?

— Un peu d'eau fraîche, s'il vous plaît.

— Il y en a un pichet dans le réfrigérateur. Servez-vous, je reviens tout de suite. »

Sophie se laissa tomber sur son lit, ferma les yeux et s'endormit aussitôt. Janine resta quelques minutes auprès d'elle. Dans la lumière tombant de la fenêtre, elle remarqua les paupières presque translucides. Pour un peu elle aurait distingué dessous la forme bleutée des yeux. La peau du visage, sur le nez et dans le creux sous les pommettes, était transparente, aussi, comme si Sophie devenait lentement invisible, disparaissait petit à petit du monde des vivants. Janine déplia le léger édredon posé au pied du lit et l'étala tout doucement sur la fillette endormie.

Un verre d'eau à la main, Lucas était dans la cuisine, appuyé aux vieux carreaux orange du comptoir. Il désigna le verre sur la table.

« Je vous ai versé de la citronnade.

— Merci. »

Elle n'avait pas envie de citronnade mais soudain celle-ci eut l'air délicieuse et elle en but une longue gorgée.

« Où rangez-vous votre balai ? Je vais ramasser le

verre et coller un carton sur la fenêtre, sinon vous allez vous geler, cette nuit. »

Janine regarda les morceaux de verre sur le sol et l'emplacement vide de la vitre. Ce n'était pas le travail d'un chef jardinier.

« Je m'en occuperai tout à l'heure. Venez boire votre eau à côté. »

Il la suivit dans la petite salle de séjour et s'assit sur le canapé.

« Je me demandais comment était cette maison, à l'intérieur. C'étaient les quartiers des esclaves, autre-fois, n'est-ce pas ? »

Elle s'assit dans un des fauteuils de cuir.

« Oui. Vingt personnes étaient parquées dans cette pièce. Vous imaginez !

— Je me suis un peu documenté sur Ayr Creek avant de venir y travailler. Il n'y a pas une histoire de fantôme associée à cette maison ?

— Non, pas à la maison. C'est l'histoire d'une femme qui cherche sa petite fille dans les bois. Elle s'appelait Orla. Un autre planteur voulait acheter sa fille, mais Angus Campbell, le maître d'Ayr Creek, lui avait promis qu'il ne séparerait pas la famille. Et, une nuit, l'enfant a disparu. Angus Campbell l'avait ven-due à l'autre planteur, bien sûr, mais il a raconté à sa mère qu'il n'avait aucune idée de ce qui lui était arrivé. Alors Orla, dit-on, a perdu la raison et s'est mise à parler toute seule et à passer toutes les nuits dans les bois à la recherche de son enfant. On peut parfois l'entendre gémir.

— Vous y croyez ?

— Tout à fait. C'est un épisode historique. Mais je ne crois pas que le fantôme d'Orla hante les bois. J'ai entendu ce qu'on appelle ses gémissements, et j'avoue que c'est vraiment un cri sinistre et étrange, mais je suis certaine que c'est un opossum ou quelque autre animal nocturne. On l'entend surtout l'été, tard la nuit, quand on essaie de trouver le sommeil. Sophie en a un peu peur. »

Lucas la regarda et fit tourner l'eau dans son verre.

« Parlez-moi de Sophie... Cette maladie dont elle souffre, c'est sérieux, n'est-ce pas ? »

C'était une affirmation plus qu'une question, mais énoncée d'une voix si compréhensive que Janine fondit en larmes. Il la regarda sans un mot se cacher la tête dans les mains et sangloter éperdument, laissant couler les larmes qu'elle avait retenues toute la journée pour ne pas attrister Sophie.

« Je vous prie de m'excuser, monsieur Trowell... »

Il secoua la tête.

« Vous n'avez pas à vous excuser. (Il retira une tige d'herbe de l'orthèse à son poignet.) Vous ne voulez pas m'en parler, m'expliquer quel est le problème ?

— Les reins. Elle souffre d'une affection très rare, et qui ne touche d'ordinaire que les petits garçons. Elle n'a pas eu de chance. Ça a commencé peu de temps après ses trois ans, et ça n'a fait qu'empirer.

— Vous n'avez pas essayé une greffe ?

— Je lui ai donné un de mes reins quand les symptômes sont devenus sérieux, mais son organisme a rejeté la greffe. »

Elle se mordit les lèvres et regarda en direction de la cuisine. Par le trou à l'emplacement de la vitre, elle voyait les bois.

« Elle en a tellement subi, la pauvre. Elle est sous dialyse toutes les nuits, et...

— Une dialyse péritonéale ? »

La question la surprit. Peu de gens savaient que l'on pouvait dialyser à domicile en utilisant comme filtre la paroi de l'abdomen.

« Oui. La machine est dans sa chambre.

— Et il y a du mieux ?

— Non, ça ne suffit pas. »

Sa voix se brisa.

« Le médecin m'a dit ce matin qu'il lui restait probablement moins d'un an à vivre. »

Lucas hocha lentement la tête.

« Je suis désolé. Quelle terrible nouvelle !

— Ce n'est pas vraiment une nouvelle, plutôt la confirmation de ce que je savais. Il aurait fallu que son dernier traitement renverse la situation. Et maintenant, il faut que j'annonce ça à son père.

— Il est très proche d'elle ?

— Oui. Il est bien meilleur père que mari. »

Elle eut un pâle sourire, puis regretta aussitôt d'avoir critiqué Joe devant cet homme qu'elle connaissait à peine.

« Mais la plupart des affections rénales sont héréditaires, non ?

— Beaucoup, mais pas toutes. Celle dont elle souffre est en principe héréditaire, mais il n'y a aucun cas dans ma famille. On ne sait pas grand-chose des antécédents familiaux de Joe, il n'a jamais connu sa famille maternelle. Son père est mort, mais nous n'avons jamais entendu dire qu'il y ait eu des affections rénales de ce côté-là. C'est vrai qu'on les connaît à peine... »

Elle prit une gorgée de citronnade, mais eut du mal à l'avaler et reposa son verre.

« En fait, je ne crois pas que dans le cas de Sophie ce soit héréditaire.

— Qu'est-ce que vous voulez dire?

— Vous avez bien entendu parler de la maladie de la guerre du Golfe?

— Oui. Je sais que quelques soldats ayant combattu dans le golfe Persique y ont contracté une maladie. C'est ça que vous voulez dire?

— Oui, et quelques-uns ont eu des enfants souffrant de graves problèmes médicaux. »

Lucas ne comprenait pas.

« Je ne vous suis pas du tout, là. Le père de Sophie était dans l'armée? Il a participé à l'opération Tempête du désert?

— Non. Mais moi, oui.

— Non! Vous plaisantez! Dans quelle arme avez-vous servi?

— J'étais dans l'armée de réserve. Je pilotais un hélicoptère.

— Waouh! Je suis très impressionné.

— Il n'y a vraiment pas de quoi. Ça a été une décision plutôt égoïste de ma part. Je rêvais de piloter et être réserviste m'a paru une bonne façon d'y arriver. Mais cela m'a obligée à me séparer de mon mari pendant de longs laps de temps, et en fin de compte, j'ai bien peur que ça ne coûte la vie à ma fille.

— Vous voulez dire... Vous croyez que vous avez attrapé quelque chose là-bas qui expliquerait l'insuffisance rénale de Sophie?

— Oui. Je ne présente aucun symptôme, mais Sophie a été conçue peu de temps après mon retour du golfe Persique. Ça coïncide. »

Il secoua la tête presque violemment.

« Mais non, pas du tout. Ces enfants souffrent de malformations, pas d'affections rénales.

— Non, pas seulement de malformations. Les

164

enfants d'anciens combattants souffrent d'autres maladies, aussi.

— Il y a un tas de maladies qui peuvent toucher les enfants. »

Elle se blottit au fond du fauteuil, s'enfonçant encore plus dans son désespoir.

« Je voudrais bien vous croire, mais je me sens responsable de ce qui arrive à Sophie. Mes parents aussi m'en jugent responsable, et Joe. Il ne l'a jamais dit, mais... »

Lucas se leva et s'approcha d'elle. Il s'assit dans l'autre fauteuil, en face du sien, et, le menton appuyé sur les mains, les coudes posés sur ses genoux, la regarda dans les yeux.

« Croyez-moi, Janine, vous n'êtes pas responsable.

— Vous n'en savez rien.

— Si, je le sais. Je me suis documenté sur la maladie de la guerre du Golfe, parce qu'un de mes amis a servi là-bas et est tombé malade à son retour. Je crois effectivement qu'il a attrapé ça là-bas, ou bien que c'est une conséquence du vaccin contre l'anthrax, ou l'effet de ces pilules distribuées pour protéger des gaz innervants.

— De la pyridostigmine. »

Elle n'avait pas oublié ces horribles comprimés ni les vertiges qui suivaient leur absorption.

« Un truc comme ça, oui. Donc on ne peut pas dire qu'il s'agit de maladies psychosomatiques. Mais en me documentant pour lui, j'ai lu pas mal de choses sur les enfants d'anciens combattants présentant des maladies à leur naissance. Pas une seule affection rénale. Et vous disposez quand même d'indices tendant à laisser supposer que Sophie l'a héritée de la branche paternelle : une grand-mère dont on ne sait rien, peu de renseignements sur son grand-père. Alors je ne vois vraiment pas pourquoi vous vous torturez avec cette idée. Vous avez bien assez de soucis sans leur ajouter un sentiment de culpabilité. »

Ses arguments étaient raisonnables, mais il ignorait le credo des Snyder et Donohue : tout ce que fait Janine est mal.

« Et des traitements expérimentaux ? Vous n'êtes pas loin du National Institute of Health ni de Johns Hopkins.

— Elle participe à un traitement expérimental au NIH en ce moment. Ils essaient un nouveau produit épouvantablement toxique, visant à empêcher la concentration de potassium dans l'organisme. Depuis qu'elle le prend, elle n'arrête pas de vomir. J'ai dit aujourd'hui au médecin que je voulais qu'elle arrête. Il est d'accord avec moi, ça ne fait qu'aggraver son état. Je ne veux pas qu'elle passe les derniers mois de sa vie à avoir la nausée et à vomir... »

Ses larmes se mirent de nouveau à couler et elle ne fut pas surprise de sentir Lucas lui effleurer le bras.

« Je veux qu'elle ait quelques plaisirs dans le peu de temps qui lui reste.

— Bien sûr. Mais ça ne signifie pas qu'il faille renoncer à toutes les autres possibilités. Je crois aux miracles, moi. »

Elle s'essuya les joues du dos de la main et lui sourit timidement. Il n'était pas du tout tel qu'elle l'avait imaginé. Bien plus compatissant et infiniment plus intelligent qu'elle ne s'y attendait. Et lui, au moins, il était de son côté.

« Il faut que je vous demande quelque chose... »

Il leva les sourcils.

« Ça va vous paraître brutal, mais je n'ai pas la force en ce moment de m'exprimer avec tact.

— Allez-y !

— Mes parents m'ont conseillé de ne pas vous parler et de ne pas laisser Sophie s'approcher de vous.

— Pourquoi ça ? »

Sa surprise n'était pas feinte.

« Mon père m'a raconté que la première fois que vous êtes venu voir le domaine vous avez eu l'air... eh bien, exagérément intéressé par le fait qu'une petite fille y habitait. Et mes parents disent que chaque fois que je passe avec Sophie près de vous vous la dévorez des yeux. Ils inventent ou quoi ? »

Il sourit et regarda ses mains.

« Non, ils n'inventent pas, mais je me croyais plus discret. Je ne pensais pas que ça se remarquait à ce point. »

Il secoua la tête.

« C'est vraiment idiot ! Je vois bien que vos parents ne m'aiment pas, ils me traitent à peu près comme le fumier que j'étends dans le jardin. J'ai pensé que c'était... disons du snobisme, parce que je ne suis qu'un humble jardinier. Au moins, maintenant, je sais pourquoi.

— Mais pourquoi regardez-vous tant Sophie ?

— Ma nièce a exactement son âge, la fille de ma sœur. Ils habitent en Pennsylvanie, et je ne la vois qu'aux vacances. Je n'ai pas d'enfants, alors, d'une certaine façon, elle est un peu ma fille. Je l'adore, je la gâte comme ce n'est pas permis. Alors quand votre père m'a appris qu'une petite fille habitait Ayr Creek, je suppose que j'ai eu l'air ravi. »

Il rit.

« Mais j'ai vite compris que Sophie et moi ne deviendrions jamais amis, vous l'empêchiez férocement de s'approcher de moi. Je vous trouvais hautaine. Maintenant je comprends pourquoi. Et je sais que vous êtes tout sauf hautaine. Je me suis complètement trompé à votre égard.

— On est deux. Je vous prie de m'excuser.

— Excuses acceptées. »

Elle effleura du doigt l'orthèse.

« Qu'est-ce que vous avez au poignet ?

— C'est le canal carpien.

— Vous portez toujours votre orthèse ?

— Toujours. Les dernières recherches montrent que plus on la porte mieux ça vaut.

— C'est à cause de mouvements trop répétitifs ?

— Oh, je ne sais pas. A cause de mon métier de jardinier, je pense.

— Vous avez été marié ? »

Il lui adressa un sourire tordu.

« C'est l'Inquisition, hein ? »

Elle hocha affirmativement la tête. Tout d'un coup, elle aurait voulu tout savoir sur lui.

« Oui, j'ai été marié dix ans. On est restés très bons amis, c'est une femme exceptionnelle.

— Pourquoi vous êtes-vous séparés ?

— On s'est mariés trop jeunes. (Il retourna s'asseoir sur le canapé et soupira.) On avait juste vingt ans. On n'avait pas fini de grandir, et quand on a enfin été adultes, on s'est aperçu qu'on n'avait plus grand-chose en commun, tous les deux. Elle est psychologue, et moi ce sont les plantes qui m'intéressent. Elle voulait une élégante demeure coloniale et moi je rêvais d'une maison perchée dans les arbres. »

Janine rit.

« Où vit-elle ?

— En Pennsylvanie. Elle m'appelle fréquemment, ou bien c'est moi, on s'envoie des e-mails. Elle s'est remariée il y a deux ans et, Dieu merci, son mari comprend qu'on soit restés amis.

— C'est de la chance, ça.

— Oui. Et le père de Sophie ? Il s'appelle Joe, c'est ça ? Vous êtes encore amis ?

— Seulement en ce qui concerne Sophie... »

Ce n'était pas facile d'expliquer où elle en était avec Joe.

« Il est très proche de mes parents, puisque lui n'en a pas. Et ils l'adorent. Ils le considèrent encore comme mon mari et je crois qu'ils pensent que le divorce est entièrement ma faute. Bien qu'il ait eu une liaison. Mais ça, ils ne le savent pas.

— Ouille ! »

Elle n'avait avoué qu'à ses deux meilleures amies que Joe l'avait trompée et elle avait laissé ses parents croire que cette décision de divorcer était une autre de ses folles impulsions de tête brûlée. Joe l'avait suppliée de ne pas détruire leur estime pour lui en disant la vérité.

Elle regarda le plafond.

« Je me demande bien pourquoi je vous raconte tout ça...

— Rien ne vous y oblige.

— Mais j'ai envie de le faire... »

Elle continua, lui décrivit ses années de lycée, sa grossesse et son mariage hâtif, elle lui parla de la sortie en canoë et de son bébé mort-né.

« D'accord, à dix-huit ans vous avez commis pas mal de bêtises. Mais c'est normal d'être écervelée à

169

cet âge, non ? Pourquoi continuer à vous les reprocher tant d'années plus tard ?

— Vous êtes toujours aussi compréhensif ?

— Seulement envers ceux qui le méritent. »

Elle remarqua du mouvement dans l'allée, près de
chez ses parents, se leva et vit à travers les arbres son
père qui entrait dans le garage.

« Mes parents sont rentrés. »

Lucas se leva aussi.

« Alors je ferais mieux de me remettre au travail. Je
reviendrai demain vous réparer le carreau. »

Elle n'avait pas envie de le voir partir mais il n'était
pas question que ses parents apprennent sa présence
chez elle. Elle le raccompagna à la porte.

« Merci d'être entré par effraction, et merci de
m'avoir écoutée. Et de m'avoir encouragée... Malheureusement, ajouta-t-elle avec un coup d'œil en
direction de la chambre de sa fille, je ne crois pas aux
miracles, moi. »

Il sortit, puis se retourna vers elle avec un petit
sourire.

« Je ne parle pas de miracles au sens religieux, ni
de messages du Tout-Puissant. Je pense à des
miracles humains. Les hommes finissent toujours
par accomplir tout ce qu'ils entreprennent, et, quelque part, à cet instant, un chercheur travaille sur un
moyen d'aider Sophie et les autres enfants dans son
cas. Peut-être réussira-t-il. C'est ce que je veux dire,
que tout n'est pas perdu, qu'il ne faut jamais désespé-
rer.

— J'essaierai de m'en souvenir. Merci. »

Elle le regarda ramasser le seau, marcher vers la
grande maison et tourner le robinet du tuyau d'arro-

sage. Puis elle alla voir Sophie. Celle-ci dormait profondément. Elle la contempla quelques minutes, s'assurant qu'elle respirait régulièrement. Combien de fois par jour l'écoutait-elle anxieusement respirer, ces temps-ci ? Elle se réveillait à plusieurs reprises, la nuit, pour vérifier que sa fille était encore en vie.

Elle redescendit au salon, se blottit dans un coin du canapé, d'où elle voyait la fenêtre. Roulée en boule, les genoux contre la poitrine, elle regarda Lucas envelopper de toile de jute l'un des buissons de l'allée. Bien qu'il fût exactement comme elle l'avait toujours vu, elle le regardait avec des yeux neufs.

Elle avait les genoux remontés contre la poitrine, et le désir qu'éveilla en elle cette position la prit par surprise. Elle avait renoncé à toute vie sexuelle. Il y avait si longtemps qu'elle n'avait pas eu envie d'un homme qu'elle s'était persuadée qu'elle n'en avait plus besoin. Ces trois dernières années avaient été entièrement consacrées à Sophie, son corps était devenu un simple instrument pour s'occuper de sa fille.

Et, soudain, elle sentit avec confusion la vie renaître dans ce corps transformé en outil. Elle imagina Lucas sur le canapé avec elle, le sourire chaleureux dans ses yeux pâles. Il l'embrasserait, la serrerait dans ses bras, la caresserait doucement, comme il avait effleuré son bras. Le fantasme était impromptu, intense et délicieux. Quand elle sortit de son rêve éveillé, elle refusa d'y croire. Elle n'était pas femme à fantasmer, plus maintenant. Les rêves ne faisaient qu'empêcher d'affronter la réalité.

Demain, Lucas viendrait réparer le carreau. Elle serait là. Lucas lui redonnerait peut-être ses rêves. Il lui avait déjà redonné espoir.

13

Allongée sur le lit de sa fille, Janine entendit la voiture de Lucas remonter l'allée. Il tourna au bout et ses phares balayèrent la chambre de Sophie, pour s'arrêter sur la lampe Winnie l'Ourson posée sur la table de nuit. D'habitude, il se garait sur la route et faisait à pied le reste du trajet, afin que les parents de Janine ne sachent rien. Mais ce soir, les règles étaient en train de changer.

Repoussant l'ours en peluche, la jeune femme essaya de se lever. En vain. Son corps semblait collé au lit par une force invisible. Lucas frappa à la porte d'entrée et elle ouvrit la bouche pour l'appeler.

— Je suis ici!

Mais sa voix n'était qu'un mince chuchotement. Il frappa de nouveau, puis entra.

— Janine?

— Dans la chambre de Sophie!

Les mots étaient prononcés si bas qu'elle seule pouvait les entendre. Il traversa la maison et, entendant son pas dans le couloir, elle fit un effort pour élever la voix.

— Je suis ici!

Il entra dans la pièce obscure et s'approcha du lit.

— Pousse-toi un peu, murmura-t-il.

Elle obéit, il s'allongea à côté d'elle et la prit dans ses bras. Elle s'accrocha à lui et il entendit contre son cou sa respiration saccadée. Elle ne pleura pas, elle n'avait plus de larmes. Du moins pour le moment.

Pendant dix bonnes minutes, ni l'un ni l'autre ne parlèrent. La tenant serrée contre lui, il lui caressa le dos.

— Tu crois toujours aux miracles? demanda-t-elle enfin.

— Les miracles faits par des hommes, oui.

— Alors il nous en faut un maintenant.

— Oui, c'est vrai.

— Je le ressens comme un châtiment.

— De quoi?

— D'avoir fait participer Sophie à l'étude du Dr Schaefer, de l'avoir autorisée à aller camper ce week-end contre l'avis de Joe. Ces deux derniers mois, je n'ai tenu aucun compte de ses conseils, et regarde ce qui est arrivé!

— Ce qui est arrivé, c'est que Sophie s'est sentie assez bien pour vivre une petite aventure, comme n'importe quelle fillette de huit ans. Tu ne comprends donc pas ça, Janine? Tu ne peux pas sortir un instant de la culpabilité, juste le temps de comprendre ça?

— Peut-être y serais-je arrivée si elle était revenue avec les autres. Mais maintenant... Où qu'elle soit... (Janine frissonna.) ... elle doit avoir si peur!

Il la serra plus fort, puis relâcha son étreinte et posa la main sur son ventre.

— Je sens l'os de ta hanche à travers ton short. Quand as-tu mangé pour la dernière fois?

Elle essaya de se souvenir.

— Je ne sais plus... Hier, je crois... J'ai dû déjeuner avant d'aller l'attendre au parking... J'ai l'impression qu'il y a un siècle.

— Et tu n'as rien mangé aujourd'hui?

— Non.

— Allons, viens. (Il s'assit.) Il faut que tu manges.

173

— Je n'ai pas faim.

— Il faut absolument que tu manges un peu. (Il posa les mains sur ses épaules et tira pour l'obliger à se lever.) Allons, Jan, je ne plaisante pas, viens !

Elle se laissa mener à la cuisine et à la table. Lucas ouvrit un placard et en inspecta le contenu. La seule pensée des boîtes et des sachets de nourriture donnait la nausée à Janine.

— Lucas, je ne crois pas que...

— Une petite soupe ? (Il lui montra une boîte de soupe à la dinde et au riz.) Il fait un peu chaud pour de la soupe, mais c'est sans doute ce qui passera le plus facilement.

— Si tu veux...

Plus simple de capituler que de le contredire. Elle le regarda ouvrir la boîte et en verser le contenu dans un bol. Pendant qu'il la réchauffait au micro-ondes, il sortit un paquet de pain de mie, en prit une tranche et la glissa dans le grille-pain.

— Et toi, est-ce que tu as mangé ces dernières trente-six heures ?

Il sourit.

— Plus que toi. Assez pour me maintenir en vie, au moins.

Il plaça la soupe et le pain grillé devant elle et la surveilla pendant qu'elle mangeait. La soupe n'avait aucun goût et elle ne réussit pas à avaler le pain.

A vingt-deux heures, ils se déshabillèrent et se glissèrent dans le grand lit de Janine pour regarder le journal télévisé régional. Elle était impatiente de voir le reportage sur la conférence de presse et le journal commença justement par un sujet sur la disparition des deux fillettes.

« On n'a pas encore retrouvé les deux petites scoutes de Vienna et leur cheftaine... » annonça le présentateur.

Il n'avait pas l'air gai, mais ne se sentait sans doute guère concerné. Des informations comme ça, il en présentait tous les jours de la semaine. Janine comprenait maintenant ce que ça signifiait, d'être de l'autre côté du journal télévisé. Pour les téléspectateurs, une disparition était juste un tragique événement. Pour les familles, c'était leur monde qui s'écroulait.

« Elles ont été vues pour la dernière fois hier après-midi, à leur départ du camp de vacances de Kochaben, continuait le journaliste. Leur cheftaine, Alison Dunn, vingt-cinq ans, était au volant d'une Honda Accord bleu marine. Les trois voyageuses étaient attendues à quinze heures à Meadowlark Gardens, à Vienna. La police ne dispose jusqu'à présent d'aucun indice. Mlle Dunn, de l'Ohio, devait se marier samedi. Les parents de Sophie Donohue et Holly Kraft ont tenu cet après-midi une conférence de presse pour demander que leurs enfants leur soient rendues saines et sauves. »

Sur l'écran apparurent alors Janine, Joe et les Kraft. Ceux-ci avaient complètement perdu leur air désinvolte. Tous quatre affichaient une mine épuisée et inquiète. Janine montra une photographie de Sophie et Rebecca une de Holly, d'un format plus grand. Joe avait été le premier à parler.

« Si qui que ce soit d'entre vous dispose de renseignements concernant ces deux petites filles et leur cheftaine, nous le supplions d'entrer en contact avec la police...

175

— Ma... notre fille souffre d'une grave insuffisance rénale, avait continué Janine... »

Celle-ci, se regardant sur l'écran, fit une grimace en entendant son lapsus.

« ... Elle a besoin d'un traitement médical dans le plus bref délai, avait-elle continué d'une voix désespérée. Si elle est avec quelqu'un d'entre vous, peu importe qui vous êtes et pourquoi vous avez fait ça, je vous supplie de les libérer à proximité d'un restaurant ou d'une station-service. »

Le reportage montra ensuite un policier. Apparemment filmé devant le commissariat, il clignait des yeux face au soleil. Janine n'avait jusqu'alors pas eu affaire à lui.

« Nous ignorons à ce stade si nous sommes en face d'un enlèvement ou d'autre chose. Notre seule certitude est que trois personnes ont disparu.

— Vos soupçons se portent-ils sur la cheftaine ? demanda quelqu'un hors champ.

— Nous n'excluons pas entièrement cette possibilité, mais la jeune fille devait se marier samedi, et il semble peu plausible qu'elle ait prémédité un enlèvement. »

— Il n'écarte pas complètement l'hypothèse d'un acte impulsif de la part d'Alison, remarqua Lucas.

Le présentateur était de nouveau à l'écran et relatait un coup de filet ayant abouti à l'arrestation de trafiquants de drogue. Janine coupa le son.

Le téléphone la fit sursauter, elle bondit et décrocha si vite qu'il lui échappa des mains. Elle le ramassa en hâte.

— Allô ?

— C'est moi. Joe.

— Il y a du nouveau ?

— Non. Je viens juste de regarder les infos.

— Moi aussi.

— Je m'inquiète pour toi. Je sais qu'il est tard, mais je ne pourrais pas passer ? J'ai juste besoin d'être avec quelqu'un... d'aussi malheureux que moi.

Janine regarda Lucas. Ses yeux étaient posés sur elle et son propre visage se reflétait dans ses verres de lunettes.

— Joe... il faut que je te dise quelque chose.

— Quoi ?

— Lucas est ici.

Elle posa la main sur la poitrine de l'homme à côté d'elle.

— Lucas est plus qu'un ami pour moi, Joe.

Le silence à l'autre bout du fil s'étira, insupportable.

— Vous vous voyez ?

— Oui.

— Et il est chez toi maintenant, à cette heure-là ?

— Oui.

Son soupir fut si lourd qu'il résonna comme une rafale de vent dans l'écouteur.

— Franchement, je n'arrive pas à te comprendre.

J'aurais dû te le dire dès le début. Mais toi et maman et...

— C'était quand, le début ?

— Novembre.

— En novembre ! Tu vois ce type depuis novembre ! Et tu le laisses s'approcher de Sophie ?

— Sophie l'aime bien.

— Mais elle n'est qu'une enfant, Janine ! Toi qui as une bonne éducation, qui es intelligente, tu

177

fréquentes un jardinier! Et même pas un bon jardinier. Tes parents disent que la moitié du temps il ne vient pas travailler. A leur avis il boit, et le matin il a une telle gueule de bois qu'il ne peut pas se lever.

Elle ne put s'empêcher d'éclater de rire.

— Il ne touche pas à l'alcool. (En entendant sa réponse, Lucas leva des sourcils interrogateurs.) De toute façon, ça ne te regarde pas.

— Mais il est bien plus jeune que toi!

— Trois ans, c'est tout.

Lucas avait trente-deux ans.

— Tes parents sont au courant?

— Ils le seront demain, Lucas monte avec moi dans l'hélicoptère.

Elle s'en voulut de cet inévitable coup bas. Il y eut un petit silence, puis Joe reprit :

— Ils vont en faire une maladie!

— Si tu leur parles ce soir, je t'en prie, ne leur dis rien. Je préfère le leur apprendre moi-même.

— Avec plaisir, je n'ai aucune envie d'entendre leurs commentaires.

Au tour de Janine de se taire, imaginant la réaction de ses parents à ce qu'elle allait leur annoncer.

— Tu es bien certaine qu'il n'est pas... enfin, un peu trop intéressé par Sophie?

— Absolument certaine.

— Eh bien, écoute... Quelles que soient les qualités que tu trouves à ce type, je tiens à te dire que ce que je t'ai dit dans la voiture, aujourd'hui, je le pense sincèrement. A propos de nous deux, je veux dire. Que tu le veuilles ou non, je fais partie de ta famille, tes parents me considèrent comme leur fils, ta fille est aussi ma fille. J'ai commis une erreur, il y a cinq ans, je l'avoue. Mais toi aussi, il t'est arrivé de commettre des erreurs. Et nous avons une fille qui nous aime tous les deux et si... je veux dire quand on la retrouvera, le plus beau cadeau qu'on pourrait lui offrir, ce serait que toi et moi revivions ensemble.

— Joe? (« D'où sort-il tout ça ? ») Ecoute, Joe, c'est la première fois que tu me parles comme ça. Pourquoi aujourd'hui ?

— A cause de Sophie. Parce que notre fille a besoin que nous vivions ensemble. Parce que, depuis qu'elle est partie, qu'elle est le plus souvent chez toi, je me rends compte de ce que j'ai perdu. Je veux retrouver ma famille.

— Je suis désolée, Joe, moi je ne veux pas.

Encore un long silence.

— Tu préfères traîner avec ce type, avec sa maison dans les arbres... C'est pour les gamins, les cabanes dans les arbres !

— Je raccroche.

— Non... Non, excuse-moi. Je deviens plutôt cinglé en ce moment.

Elle avait pitié de lui. Il était seul face à l'idée que sa fille avait disparu, à l'éventualité qu'elle soit blessée et à la certitude qu'elle était très effrayée.

— Je sais, murmura-t-elle. Je sais que c'est aussi dur pour toi que pour moi. Tu peux m'appeler quand tu veux, d'accord ? Même au milieu de la nuit si ça ne va pas et si tu as besoin de parler.

— C'est pareil pour toi. Quoique, bien sûr, toi tu aies ton... Lucas à qui parler.

— Lucas est merveilleux...

Elle sentit sa main se poser sur son épaule.

179

— ... mais ce n'est pas lui, le père de Sophie.

Elle raccrocha et se recoucha.

— Il veut qu'on vive de nouveau ensemble. Il m'en a parlé aujourd'hui dans la voiture. Il dit que toutes les femmes avec qui il sort lui reprochent d'être encore amoureux de moi. Je n'en avais pas la moindre idée.

— Je comprends tout à fait qu'il puisse tenir à toi. Mais il a quand même une étrange manière de te le prouver, en se liguant avec tes parents contre toi.

Elle se retourna sur le dos.

— En tout cas, j'ai vendu la mèche, maintenant.

— Ce n'est pas trop tôt.

Elle lui était reconnaissante de sa patience devant son obstination à cacher leur liaison. Elle regarda le plafond.

— Je ne vais jamais arriver à dormir.

— Essaie. (Il se pencha et lui déposa un léger baiser sur les lèvres.) Essayons tous les deux. On aura besoin d'être en forme, demain.

Elle avait dû s'endormir, car elle fut réveillée par un rêve. Sophie et elle étaient à la plage, et tout allait bien. Sa fille était en bonne santé, avec des joues roses et un petit corps tout hâlé. Ses cheveux roux, attachés en une épaisse queue-de-cheval, étaient bien plus longs que dans la réalité. Elles construisaient un château de sable et parlaient de faire des crêpes pour le dîner. C'était un rêve léger, aérien, et quand elle s'éveilla, elle s'aperçut qu'il n'y avait pas de plage, pas de château de sable et pas de Sophie. Elle fondit en larmes. Lucas dormait profondément et, ne voulant pas le réveiller, elle s'éloigna de lui et sanglota dans son oreiller. Mais il l'avait entendue. Par-dessus le tee-shirt de Janine, sa main descendit le long de la colonne vertébrale, puis remonta jusqu'au cou et lui massa la nuque, si raide que les muscles semblaient noués.

— Je sais que c'est dur, chuchota-t-il tout contre son cou. Mais, quoi qu'il arrive, nous serons deux pour l'affronter, Jan.

Elle se retourna et se blottit dans ses bras.

— J'ai tellement peur...

— Je sais.

— Tout le monde commence à se dire qu'elle est morte, qu'elles sont mortes toutes les trois. Ça peut sembler insensé, mais j'ai cette très forte impression qu'elle est vivante. Je le sens, ici.

Elle prit la main de Joe et la posa sur son ventre, juste sous la cage thoracique.

— Ce n'est pas du tout insensé. (Il glissa la main sous son tee-shirt.) Si tu le sentais dans tes orteils, ou tes oreilles, ou tes genoux, oui, alors ça le serait. Mais dans la mesure où c'est ici que tu le sens, j'y crois.

— Ne te moque pas de moi !

— Je ne me moque pas, ma chérie. (Il lui embrassa doucement les lèvres.) Je t'aime.

Il posa une main sur un de ses seins. Une main légère, tendre, et quand il la descendit pour glisser les doigts sous son slip, elle ouvrit les jambes pour l'accueillir. Elle n'aurait jamais cru qu'ils puissent faire l'amour un tel soir, mais c'était plus un besoin qu'un désir, plus lénifiant que passionné, et le but était moins d'éprouver du plaisir que d'être rassurés.

181

Puis elle se coula dans ses bras et y resta étroitement blottie jusqu'au matin.

Ils furent debout avant l'aube et allèrent à la cuisine, Lucas pour préparer du café et Janine pour téléphoner au commissariat dans l'espoir d'avoir des nouvelles. Pas de nouvelles.

Ils firent tous les deux une brusque volte-face en entendant Frank Snyder faire irruption dans la pièce. Il avait aperçu la voiture de Lucas devant la porte. Janine se hâta de raccrocher.

— Qu'est-ce qui se passe ? Qu'est-ce qu'il fait là, lui ? Tu vas bien, Janine ?

— Oui. Et Lucas est ici parce qu'il est mon ami.

La repartie cloua le bec à son père, qui prit un air encore plus gêné que d'habitude. Elle eut pitié de lui.

— Il a passé la nuit ici ?

— Oui.

— Janine avait besoin d'avoir quelqu'un auprès d'elle, intervint Lucas.

Il tenait à la main sa tasse de café, mais la posa devant lui comme s'il craignait que le père de Janine ne lui saute dessus.

— Ah oui ! Elle aurait pu demander à Joe, ou à sa mère, ou à moi !

Janine prit la main de Lucas.

— On se voit depuis pas mal de temps. Je ne voulais pas que toi et maman le sachiez, et...

— Tu... quoi ? Mais c'est incroyable. Tu es devenue folle ! (Il montra Lucas du doigt.) Et vous, sortez d'ici et allez vous mettre au travail.

— Je prends une journée de congé.

Le ricanement sardonique de son père semblait venir d'un autre homme, et Janine frissonna.

— A vous entendre, on dirait que c'est inhabituel. Vous prenez tous les jours que vous voulez. Pourquoi serait-ce différent aujourd'hui?

— Je ne vois vraiment pas où est le problème, si le travail est fait.

— Il ne manquait plus que ça!

Les joues de Frank Snyder avaient ce rouge sombre qui laissait présager une crise de fureur, rare chez cet homme plutôt sujet aux colères froides.

— J'appelle la Fondation dès aujourd'hui et je vous fais virer!

— Sous quel prétexte, papa? Parce qu'il est l'ami de ta fille de trente-cinq ans?

— Parce qu'il est irresponsable, au mieux. Et au pire... je ne sais pas exactement, mais ce dont je suis sûr, c'est que tu ne sais pas tout de ce type, Janine. Je t'avais avertie de ne pas te montrer stupide, mais ta mère a raison, tu l'as toujours été et tu le resteras toujours.

— Sors de chez moi, papa. Je t'en prie, va-t'en!

Deuxième ricanement sardonique.

— De chez toi? Tu habites ici parce qu'on le veut bien, et tu le sais parfaitement. Cette maison nous appartient, à ta mère et à moi, et on ne veut pas de ce type dedans.

— Ça suffit, maintenant!

Lucas lâcha la main de Janine et fit un pas en direction de Frank Snyder.

— Pour commencer, je vous donne ma démission, d'accord? Vous êtes content? Ensuite, Janine a bien besoin de votre affection en ce moment, et pas de vos critiques. Mais vous et votre femme, vous ne savez rien lui donner d'autre. J'en ai assez de vous entendre la rabaisser constamment. C'est une merveilleuse mère, elle fait tout pour rendre la vie de Sophie aussi heureuse que possible, et...

— Ah oui, en effet ! (Snyder pointa de nouveau le doigt en direction de Lucas. Janine n'avait jamais vu son père en proie à une telle colère.) Comment osez-vous dire ça ? C'est à cause de vous que la petite participe à cette grotesque recherche en médecine douce. C'est vous qui avez raconté à notre fille que des plantes peuvent la guérir, alors que rien d'autre n'y parvient. Vous jouez de son désespoir. Je ne veux plus vous voir vous approcher d'elle.

Janine s'avança vers son père, lui prit le bras, l'obligea à faire demi-tour, à sortir de la cuisine et à traverser le salon. Elle ne lui lâcha le bras qu'à la porte. Sans doute trop surpris, il n'opposa aucune résistance.

— Je suis une femme adulte, papa. Ce n'est pas à toi de me dire quel ami je dois choisir.

En haut des marches, il se retourna :

— Sors-le d'ici, Janine. Je ne plaisante pas. C'est ma maison, je suis ici chez moi et je ne veux pas de lui ici.

Il n'était pas plus chez lui qu'elle ne l'était, mais ce n'était pas le moment de le lui faire remarquer.

— Papa... pas maintenant, d'accord ? Lucas dit vrai. J'ai besoin de ton aide, pas que tu me harcèles. Si tu ne peux pas me donner ça, eh bien, ne reviens pas !

Elle n'eut pas le cœur de lui claquer la porte au nez, elle la ferma tout doucement et, se mordant les lèvres pour s'empêcher de pleurer, elle retourna à la cuisine.

Dès qu'elle eut franchi la porte, Lucas la prit dans ses bras.

— Je suis désolé que ça se soit si mal passé.

Elle s'écarta.

— Il est toujours persuadé que tu manigances quelque chose. Ne donne pas ta démission à cause de lui.

— Je crois que c'est une affaire réglée...

Il se versa une autre tasse de café et elle ne put s'empêcher d'admirer son calme après cette scène. Ses propres mains tremblaient violemment.

— En outre, ajouta-t-il, j'ai déjà trouvé un autre travail.

Il la regarda et but une gorgée de café.

— Quoi donc?

— T'aider à retrouver Sophie.

14

Zoe prit une fourchette à long manche pour déposer l'écureuil rôti sur une des assiettes en plastique achetées à bon marché dans un supermarché de l'Ohio. Elle s'assit sur un gros rocher plat à côté du feu, posa l'assiette sur ses genoux et attaqua une cuisse.

« Drôle de petit déjeuner! » Mais elle commençait à prendre goût à la liberté de manger ce qu'elle voulait quand elle voulait. En fait, elle commençait à prendre goût à la liberté tout court.

Elle allait porter le morceau de viande à sa bouche quand elle entendit du bruit derrière elle. Un bruit de feuilles remuées, facile à identifier. Marti, déjà arrivée en Virginie-Occidentale ? Puis elle entendit des voix : deux personnes au moins approchaient de la clairière. Elle posa en hâte son assiette et fit deux pas en direction de la hutte. Son fusil était appuyé contre l'auvent. Elle fit volte-face, juste à temps pour voir deux jeunes gens émerger du bois, un garçon et une fille, chargés de gros sacs à dos. « Entre quinze et vingt-cinq ans », pensa-t-elle en les mettant en joue. Ils se figèrent et levèrent spontanément les bras.

— Ne tirez pas !

— Sortez de chez moi ! leur cria Zoe avec ce qu'elle imaginait être l'accent des habitants des grands bois de cette région.

L'arme, appuyée sur son épaule, cachait son visage, qui, malgré ses cheveux courts et son absence de maquillage, n'était sans doute que trop reconnaissable.

— D'accord, d'accord, on s'en va. Mais... on est perdus !

— Vous ne pourriez pas nous dire comment retrouver le sentier, s'il vous plaît, madame ? demanda la fille.

Un sentier ? Quel sentier ? Zoe n'en avait jamais vu aucun sur des kilomètres autour de la hutte. Elle était venue à travers bois.

— C'est par là !

Son canon de fusil indiqua l'est. Elle n'avait pas la moindre idée de l'endroit où se trouvait le sentier, mais la route la plus proche se trouvait dans cette direction. A des kilomètres. Mais s'ils marchaient dans cette direction, ils finiraient au moins par sortir des bois.

— Merci, madame! lui cria le garçon avec une reconnaissance bien injustifiée.

Lui et sa compagne firent demi-tour et rentrèrent presque en courant dans la forêt.

Troublée par cette rencontre, Zoe emporta son assiette dans sa hutte, s'assit sur le canapé et mangea son écureuil sans quitter des yeux les arbres devant sa fenêtre. Les deux jeunes gens étaient les premiers êtres humains qu'elle voyait depuis son installation ici. Elle qui avait pensé qu'elle et Marti n'auraient jamais à craindre les intrus! Dieu merci, elle avait son fusil à portée de main et était prête à faire son numéro de vieille sorcière des montagnes.

« Mon Dieu! Et si Marti rencontre des randonneurs, en venant ici? »

Cette éventualité ne l'avait pas effleurée. Comme si, inconsciemment, elle était pour une fois honnête avec elle-même, et s'avouait que tomber sur un ou deux randonneurs serait, par rapport au reste, le cadet des soucis de Marti.

Maintenant que l'arrivée de sa fille approchait, Zoe ne pouvait s'empêcher de répertorier toutes les anicroches possibles. Marti pouvait être reprise durant sa cavale et ne jamais arriver jusqu'en Virginie-Occidentale. Le pont d'or fait au gardien devrait pourtant garantir qu'il fasse de son mieux pour empêcher un tel désastre. Toutefois Marti n'était pas une criminelle endurcie et n'avait pas l'expérience d'une telle situation. Une fois le gardien reparti, elle serait seule dans la forêt. Dieu seul savait ce qui pouvait se passer.

187

Tandis qu'elle rinçait son assiette à la pompe, ses pensées quittèrent Marti pour revenir à ces deux jeunes gens égarés. Elle se sentit un peu coupable. Ils avaient des mères, eux aussi, qui se faisaient sans doute du mauvais sang pour eux. Elle les avait renvoyés dans la forêt sans même les laisser jeter un coup d'œil à sa carte ou sa boussole. Et si elle se déguisait en vieille sorcière de la forêt et les rattrapait pour s'assurer qu'ils avaient retrouvé leur chemin ? Non, trop risqué. Ce serait contraire à toutes ses précautions antérieures et ça pourrait mettre en danger la liberté de Marti. Et ça, jamais !

15

Janine tenait la carte entre ses mains tremblantes et Lucas, assis sur le siège voisin, se demanda si cette exploration en hélicoptère était une bonne idée. Ces tremblements étaient-ils les signes de l'anxiété de la jeune femme, qui se retrouvait aux commandes d'un appareil après tant d'années, ou bien étaient-ils dus à une légère hypoglycémie ? Après la querelle avec son père, il n'avait pas réussi à lui faire avaler la moindre bouchée.

La portière du côté de Janine était encore relevée, et elle parlait avec un des pilotes d'Omega Flight. L'homme était sur la piste à côté de l'appareil et elle lui tendit un instant la carte. Il la lui rendit avec quelques recommandations, que Lucas n'entendit pas.

Omega Flight avait donné à Janine le choix entre plusieurs hélicoptères et, à la surprise de Lucas, elle en avait dédaigné plusieurs, plus propres et plus luxueux, en faveur d'un vieux clou apparemment construit à partir d'un jeu de Lego géant. Il pensa que, comme on ne la faisait pas payer, elle prenait modestement le moins cher, mais il se trompait.

— La cabine est entièrement en Plexiglas, expliqua-t-elle, et on verra bien mieux en dessous de nous. Et c'est un modèle extrêmement maniable.

Janine rabattit la portière et le regarda.

— Prêt?

Il répondit d'un hochement de tête affirmatif. L'engin était plus bruyant qu'il ne s'y attendait, mais, à mesure qu'elle montait au-dessus des immeubles de Dulles Toll Road, il comprit les raisons de son choix. De leur bulle de Plexiglas, ils voyaient le monde à leurs pieds. Malgré la gravité de la situation, il ne put s'empêcher d'éprouver une bouffée d'euphorie en se sentant ainsi suspendu en l'air.

— Tu n'es jamais monté en hélicoptère?

Elle criait pour se faire entendre au-dessus du vacarme des pales.

— Une fois. Mais je n'en ai aucun souvenir, j'étais inconscient.

« Idiot! Pourquoi ai-je raconté ça? Maintenant je vais être obligé de mentir... C'est si humiliant, de mentir à quelqu'un qu'on aime. » Et Dieu sait s'il aimait Janine. Il n'avait pas prévu de tomber amoureux d'elle. Le dévouement de la jeune femme envers Sophie, sa sensibilité, une force morale dont elle-même n'avait pas conscience l'avaient touché. Il était plus proche d'elle que personne ne l'avait jamais été, et pourtant il n'arrêtait pas de lui mentir.

— Comment ça, tu étais inconscient?

— C'était il y a longtemps. Ma femme et moi faisions une croisière et je suis tombé malade.

— Le mal de mer?

— Oh, je ne me souviens plus, plusieurs choses à la fois, il me semble. Toujours est-il que j'ai fait une syncope et que je me suis réveillé sur un lit d'hôpital. Je n'aurais même pas su que j'avais été évacué par hélicoptère si on ne me l'avait pas raconté.

— Alors c'est ton baptême, aujourd'hui...

— Oui, mais, vu ce qui nous fait monter là-haut, je préférerais ne pas être baptisé.

— Moi aussi, je préférerais ça. (Elle lui tendit la carte.) Voilà ce que j'ai l'intention de faire quand on sera au-dessus de la Virginie-Occidentale. Alison aimait les raccourcis et il y a trop de petites routes pour qu'on les ait toutes parcourues en voiture, Joe et moi. Alors je vais suivre la route principale jusqu'au camp de vacances et, de là, je survolerai toutes les routes qu'on rencontrera.

Ils passaient au-dessus d'un quartier résidentiel et Lucas regarda le luxuriant feuillage. Les habitations en dessous étaient à peine visibles, alors une voiture...

— Qu'est-ce que tu espères trouver, de là-haut?

Il avait l'intention de le lui demander gentiment, mais il avait dû crier pour couvrir le bruit de l'hélicoptère, et sa question lui parut à lui-même chargée d'agressivité. En fait, s'avoua-t-il, il ne voyait pas très bien où allait les mener cette expédition. Mais il comprenait le besoin d'agir de Janine, et il était prêt à agir avec elle. Ce qu'il aimait en elle, c'était justement qu'elle ne soit pas femme à rester assise en attendant les coups bas du destin. Lui non plus n'était pas comme ça.

Janine pinça les lèvres.

— Je ne sais pas exactement. Une Honda bleue en panne sur le bas-côté... une petite fille rousse en train de marcher sur une route déserte... je ne sais pas. (Elle lui jeta un bref coup d'œil.) Mais il faut que je le fasse, tu comprends?

Dès qu'ils furent au-dessus de la R66, les bâtiments et les maisons cédèrent la place à l'ondulation des prairies, puis à des collines recouvertes d'épaisses forêts. Leur appareil volait sans heurts, et le paysage au-dessus des arbres était grandiose. Janine semblait de plus en plus à l'aise aux commandes. Il lui semblait parfois incroyable que la jeune femme ait participé à la guerre du Golfe. Elle se laissait si facilement manipuler par Joe et ses parents qu'il avait du mal à se souvenir qu'elle pouvait se montrer rebelle et coriace. Il n'avait jamais osé le lui dire, mais il avait souvent pensé qu'habiter les anciens quartiers des esclaves d'Ayr Creek lui convenait fort bien. Elle était pieds et poings liés, à la merci de ces deux-là dans la grande demeure, exactement comme les esclaves de la plantation l'étaient envers leur maître. A part que les esclaves n'avaient pas choisi leur sort, eux. Janine si, à cause de son déplorable sentiment de culpabilité.

— Voilà la Shenandoah!

Ils étaient en vol depuis une demi-heure à peu près. Lucas se pencha pour regarder la rivière sous eux. A cet endroit, elle était large et paisible, deux vaches pataugeaient près de la berge. Est-ce que suivre d'en haut ce cours d'eau rappelait à Janine cette terrible sortie en canoë à l'âge de dix-huit ans? Il tendit la main et lui caressa la nuque, au cas où elle serait en train de penser à cet autre enfant qu'elle avait perdu.

Un petit moment après, Janine quitta la 66 et

commença à survoler la 55. Quelques instants plus tard, ils survolaient les épais bois de la forêt nationale George-Washington.

— Tu vois l'endroit où j'ai marqué le camp de vacances sur la carte?

Il repéra le camp et l'aida à garder le bon cap. Un lac apparut bientôt sous l'appareil. Janine désigna la rive opposée.

— Regarde, c'est là!

Ils descendirent assez bas pour que le souffle créé par le rotor plisse la surface de l'eau. Un emplacement délimité par des cordes servait de lieu de baignade, et quelques dizaines de petites filles jouaient dans l'eau. Janine sourit en passant au-dessus d'elles. Les fillettes levèrent la tête et agitèrent la main.

— Voilà, expliqua-t-elle en arrivant de nouveau au-dessus de la terre ferme, je vais faire quelques cercles autour du camp, une sorte de spirale, en agrandissant un peu plus le rayon chaque fois, jusqu'à deux kilomètres au moins.

Ils suivirent, à basse altitude au-dessus des arbres, une étroite route. Lucas scrutait attentivement le sol, et la concentration nécessaire pour tenter de voir quelque chose sous cet épais feuillage commença à lui donner la migraine.

— Essayons celle-là, suggéra-t-il quand ils eurent fini leurs cercles.

Il tendit la carte et désigna une des plus petites routes partant du camp de vacances.

— On l'a suivie avec Joe, hier. On n'a rien vu, mais on peut faire un nouvel essai d'en haut.

La route était très étroite et probablement rarement utilisée, avec un mince ruban de goudron négli-

gemment posé au milieu de larges bas-côtés gravil-
lonnés. Elle montait en lacets dans les bois pendant
un ou deux kilomètres, puis redescendait de l'autre
côté. Elle était plus facile à suivre sur le second ver-
sant, car elle était taillée à flanc de rocher et non plus
cachée dans les arbres. Une falaise s'élevait d'un côté.
De l'autre la route était en à-pic au-dessus de la forêt.
Un objet sombre à la lisière des arbres, en bas du
ravin, attira l'œil de Lucas.

— Janine, je voudrais voir d'un peu plus près. Tu
peux faire un cercle ici ?

Il désignait un endroit devant eux, sur leur droite,
où la terre du bas-côté semblait s'être éboulée. Il n'y
avait pas de garde-fou. Elle fit pivoter l'appareil dans
la direction qu'il lui indiquait.

— Un peu plus à gauche, s'il te plaît... Reste un
peu sur place, que je puisse voir.

Il regarda à travers le plastique sur la droite de
l'hélicoptère et commença à trembler. Juste en dessous, un véhicule retourné écrasait les malingres
arbustes s'accrochant à la pente abrupte. Janine ne
pouvait sans doute pas le voir de sa place.

— Jan... (Il s'efforça de garder une voix égale et
posa légèrement la main sur son poignet.) Il y a une
voiture retournée en bas, elle a dû quitter la route,
et...

— Où ça ?

Elle manœuvra de façon que ce qu'il regardait soit
dans son champ de vision. Lucas regretta de ne pas
savoir lui-même piloter un hélicoptère pour l'emmener au plus vite le plus loin possible. Il aurait tout
donné pour qu'elle ne voie jamais ce qu'il y avait en
bas.

— Ecoute, je crois que nous devrions juste bien repérer l'endroit où nous sommes et retourner à...

— Oh non! (Elle porta la main à sa bouche et il comprit qu'elle venait d'apercevoir la voiture.) C'est une Honda?

— Je ne peux pas le voir d'ici.

— Je vais essayer de me poser sur la route...

— Non, Janine, c'est absolument hors de question. Premièrement c'est beaucoup trop dangereux, c'est tout près du tournant, s'il arrivait une voiture le conducteur ne te verrait pas.

— Il n'y a jamais de voiture, sur cette route!

— Deuxièmement, la pente est trop abrupte. Même si tu arrivais à te poser, on ne pourrait pas descendre jusqu'à la voiture. On va trouver un autre endroit pour...

— Je veux savoir si c'est la voiture d'Alison!

Elle fit descendre l'appareil et Lucas s'agrippa à son siège. Ils étaient beaucoup trop près du sommet des arbres.

La voiture avait brûlé, elle était noire, ainsi que les arbustes et les broussailles autour. Il ne voyait que le châssis, pas la carrosserie, mais elle avait la forme et la taille d'une Honda. Il avait sous les yeux les vestiges d'un horrible accident. Janine porta de nouveau la main à sa bouche.

— C'est elle, n'est-ce pas?

— Ce n'est pas impossible...

— Il faut absolument que je me pose, Lucas! Suppose que Sophie soit dedans, encore vivante?

Lucas examina l'épave jusqu'à ce que les yeux le brûlent. Personne n'aurait pu survivre à un tel accident. Alison avait dû aller un peu vite sur cette étroite route en lacets, ou bien elle avait dérapé sur les gravillons. La voiture avait quitté la route dans le virage et était tombée sur le toit avant de prendre feu. Peut-être les passagers étaient-ils tous morts sur le coup, écrasés par leur chute. Il pria le ciel pour que ça se soit passé ainsi, au moins Sophie et les deux autres n'auraient pas souffert.

— Passe-moi la radio, je vais appeler la police et leur dire ce qu'on a trouvé. Ils seront ici en moins d'une heure.

— On n'a pas une heure à perdre !

— Regarde-moi, Janine...

Il lui saisit le poignet, brutalement cette fois, et elle se tourna vers lui. Elle pleurait à chaudes larmes, et l'affolement qu'il lut dans ses yeux et ses lèvres tremblantes lui brisèrent le cœur. Il s'interdit de penser que Sophie était peut-être dans cette épave calcinée, sinon il serait lui aussi incapable de réagir rationnellement.

— Ecoute-moi, Janine. Il faut absolument que tu ramènes cet appareil. Pour le moment, c'est ça, la priorité. Que pourras-tu faire pour Sophie si... si tu as un accident toi aussi ? J'appelle la police. Le brigadier Loomis, c'est ça ? (Elle fit un faible signe de tête.) Ils vont nous dire où tu peux te poser et on reviendra ici, on y retrouvera la police.

Janine avait de nouveau les yeux fixés sur la Honda calcinée et il lui détourna doucement la tête.

— Et comment on fera, pour revenir ici ?

— On trouvera un moyen.

Avant tout la faire atterrir quelque part.

— Appelle d'abord, appelle-les tout de suite.

Il composa le numéro de la police du comté de Fairfax et eut quelques secondes plus tard le brigadier Loomis en ligne.

— Ici Lucas Trowell. Janine Donohue et moi survolons en hélicoptère une petite route... (Il regarda la carte.) Elle ne porte pas de numéro mais elle se trouve à environ deux kilomètres et demi à l'ouest du camp de vacances des scouts. Il y a un véhicule accidenté en dessous de nous. Il semble avoir quitté la route et s'être retourné. Ce ne sera pas facile d'y descendre...

De sa grosse voix rassurante, le brigadier Loomis répondit qu'il allait aussitôt prévenir la brigade du secteur. Mme Donohue allait devoir atterrir un peu plus loin et une voiture de police viendrait les chercher pour les emmener sur le lieu de l'accident.

Quelques minutes plus tard, le shérif du secteur les appela et leur indiqua un parking d'église à moins de trois kilomètres. Janine réussit à poser l'appareil sans heurts. Elle ne pleurait ni ne tremblait plus.

« Elle essaie d'être forte. » Quelqu'un qui ne la connaissait pas aurait pu penser qu'elle y réussissait. Pas lui. Derrière cette calme façade, elle était en train de craquer. Les heures qui allaient suivre allaient être un calvaire pour elle. Si seulement il avait su comment lui épargner ce genre de souffrance... Il l'avait vécue, cette souffrance, et ne savait que trop bien à quel point elle pouvait démolir quelqu'un.

16

— Je crois bien que tu as dépassé la route, remarqua Paula.

Joe ralentit, se plaça sur le bas-côté et s'apprêta à faire demi-tour.

Cela faisait quatre ou cinq fois que Paula corrigeait son cap. Sa voix n'avait jamais perdu sa patience ni son anxiété, bien qu'il eût une fois ou deux protesté d'un ton irrité.

« Est-ce que c'est Lucas qui a guidé Janine, là-haut ? Et est-ce qu'elle lui avait répondu sèchement ? Peu probable, Janine, quelles que soient les circonstances, ne répond jamais sèchement. » Un peu honteux, il effectua son demi-tour, puis repartit dans l'autre sens. Paula désigna une étroite route s'enfonçant dans les bois.

— Ce doit être ça !

Il tourna. Lui et Janine avaient emprunté cette route la veille. Etait-il possible qu'ils soient passés à l'endroit de l'accident sans rien voir ?

— Pardon d'être un véritable ours, depuis tout à l'heure, s'excusa-t-il.

— Allons, Joe... (Elle tendit le bras et lui tapota l'épaule.) C'est bien normal, vu les circonstances.

Il était passé à son bureau dans l'intention de travailler un peu avant de reprendre la route pour continuer à chercher Sophie, mais il avait été incapable de se concentrer. Il avait laissé sa télévision de bureau allumée sur la chaîne locale et avait posé son portable près de lui, espérant toujours l'appel qui le sortirait du cauchemar. Mais ce fut Janine qui l'appela et la nouvelle qu'elle lui apprit n'était pas celle qu'il espérait.

Il était entré dans le bureau de Paula pour l'avertir de son départ, et elle avait proposé de l'accompagner. Heureusement qu'elle était là. Si pénible que fût ce trajet, il l'eût été encore plus s'il avait été seul.

Il conduisait lentement, négociant prudemment chaque virage, et pourtant les gravillons sautaient sous ses roues.

« Rouler vite sur une route pareille, c'est aller droit à l'accident. »

— Peut-être que le véhicule que Janine a aperçu était là depuis quelque temps.

— Peut-être.

— Je ne sais pas si je dois espérer que ce soit la Honda ou pas. Si ça l'est... eh bien, dans ce cas, il n'y a plus rien à espérer. Janine dit que le véhicule s'est écrasé et a brûlé.

— Inutile d'anticiper, Joe... (Elle regarda le papier, sur ses genoux, où elle avait griffonné les instructions données par Janine pour arriver au lieu de l'accident.) On doit être tout près, maintenant. Peut-être après le prochain virage...

Ils n'avaient croisé ni doublé aucun véhicule sur cette route cahoteuse, mais leur impression de solitude disparut après le tournant en épingle à cheveux. Deux voitures de police, une ambulance, un camion de pompiers et une dépanneuse étaient déjà garés sur le bas-côté. Une rangée de cônes de signalisation orange barrait le chemin.

Joe sentit son cœur se serrer. Une jeune femme et un homme en uniforme de shérif s'approchèrent d'eux et Joe abaissa sa vitre.

— Vous êtes ?

— Joe Donohue.

La femme recula et déplaça un des cônes pour le laisser passer. Il alla se garer un peu plus loin, du côté opposé à la pente, et éteignit le moteur.

— Janine est là...

Janine était près d'un des policiers et ce n'est qu'après être descendu de voiture que Joe remarqua la présence de Lucas Trowell à son côté. Il eut envie de courir vers son ex-femme et de la serrer dans ses bras, mais la vue de Lucas si près d'elle le fit changer d'avis. Et si elle le repoussait ? Depuis leur conversation téléphonique de la veille au soir, il se torturait en l'imaginant au lit avec Lucas.

Paula et lui s'approchèrent. Il avait les jambes en coton et n'osait pas regarder par-dessus le bord du ravin ce qui retenait l'attention de tous. Il était sujet au vertige et, surtout, ne voulait pas voir l'automobile qui avait peut-être emporté sa fille vers la mort.

— Joe !

Janine l'avait aperçu. Elle quitta Lucas et courut vers lui en lui ouvrant les bras. La chaleur de son accueil réchauffa le cœur de Joe, qui la serra contre lui.

— Ça va ?

— Non. (Elle le lâcha.) Pas du tout. J'ai tellement peur, Joe...

— Je sais... Tu as des nouvelles ? Où en est-on ?

— Tu vois ces deux-là ?

Elle désignait deux hommes debout au bord du ravin, vêtus de ce qui semblait être des combinaisons, ou un quelconque uniforme.

— Qui c'est ?

— Les types de la brigade d'intervention d'urgence. Ils vont essayer de descendre.

Ils portaient autour de la taille des cordes enroulées, dont l'autre extrémité était attachée au pare-chocs de la dépanneuse.

— Je voulais descendre avec eux mais ils ne veulent pas. Je n'en peux plus d'attendre!

— On a des détails sur le véhicule? demanda Paula. On sait si...

Lucas Trowell les rejoignit.

— C'est une Honda, chuchota Janine comme si c'était un secret. On sait ça. Et comme il n'y a qu'une Honda disparue dans la région...

Lucas s'approcha de la jeune femme et, bien que Joe ne pût le voir, il était sûr qu'il lui avait passé le bras autour de la taille.

— C'est si pénible... dit Lucas à Joe et Paula...

« Comme si on ne le savait pas! »

Joe aurait voulu le gifler, il était exaspéré de voir le jardinier d'Ayr Creek serrer Janine contre lui. Et son expression bouleversée et solennelle le mit en rage.

« Sophie n'est pas sa fille, bon sang! »

— Vous ne connaissez pas une plante capable de réparer un enfant victime d'un accident de voiture, par hasard?

Joe eut honte de la petitesse de sa question, et Paula lui tapa légèrement sur le bras.

— Voyons, Joe!

— Pardon!

— Ce n'est pas grave, répondit Lucas.

Paula, toujours diplomate, lui tendit la main.

— Je suis Paula, une amie de Joe.

— Lucas Trowell.

Ils se serrèrent la main. Joe suivit le regard de

Janine. Elle avait les yeux fixés sur les deux sauve-teurs, qui commençaient leur descente le long de la falaise.

— Je veux voir...

Elle les quitta et s'approcha du bord.

« Elle a plus de courage que moi ! » Paula et Lucas s'approchèrent derrière elle, et Joe fut bien obligé de les suivre.

— Où sont les parents de l'autre petite fille ? demanda Paula à Lucas.

— Ils arrivent. La police n'a réussi à les joindre qu'il y a une heure.

— Reculez, messieurs dames, ordonna un des pompiers.

Il semblait avoir très chaud dans son lourd uni-forme, et tendit le bras pour empêcher Janine de s'approcher davantage.

— Quelle dénivelée y a-t-il ?

— Trois ou quatre mètres tout au plus, mais c'est très abrupt, avec un tas de rochers et de broussailles.

— On n'est toujours pas certain qu'il s'agisse bien de la voiture d'Alison ?

— Si. On a vérifié le numéro minéralogique. C'est bien la sienne. Mais je ne crois pas que Janine l'ait compris, je voulais qu'elle garde un peu plus long-temps ce faible espoir.

« Quelle considération ! » ricana intérieurement Joe, avant de demander :

— Qu'est-ce qu'elle faisait, cette fille, sur cette route ? Elle ne mène nulle part.

— Si, elle débouche sur une autre petite route qui rejoint la 55. Ce n'était pas complètement idiot. Elle aimait les raccourcis, semble-t-il.

Janine discutait avec un pompier.

— Je vous en supplie, laissez-moi rester ici. Je ne ferai pas un pas de plus, promis !

Le pompier fit signe à Lucas de se placer à côté d'elle et leur dit à tous les deux quelques mots. Sans doute lui ordonnait-il de veiller sur la jeune femme, dont Lucas empoigna fermement le coude. Joe regrettait que le pompier ne se soit pas adressé à lui. Mais le fait était qu'il n'aurait jamais pu se tenir aussi près du bord.

— Mais qu'est-ce qui leur prend si longtemps ? entendit-il Janine demander.

Elle échappa à Lucas et fit un pas en avant. Lucas lui saisit le bras pour l'empêcher d'aller plus loin. Quelques hommes en uniforme, sans doute des policiers et des pompiers, étaient accroupis au bord du ravin et parlaient avec les sauveteurs en bas. Il tendit l'oreille, mais ne put distinguer les mots.

— Tu veux t'approcher, tu veux voir la voiture ? proposa Paula.

Il secoua la tête, nauséeux et à demi étourdi.

— Je ne peux pas y croire. Je refuse de croire que Sophie ait pu être tuée dans un accident de voiture. Après être passée si près de la mort avec son insuffisance rénale, et maintenant...

Paula lui posa la main sur le bras, exactement comme Lucas retenait Janine.

— Peut-être est-elle encore en vie... (Il entendit des larmes dans sa voix.) ... prions pour qu'elle le soit.

La prière n'était pas son fort, mais il essaya quand même. Paula pria à haute voix, suppliant Dieu de sauver Sophie, et Joe répéta les mots après elle.

Un véhicule arriva au virage et s'arrêta devant la rangée de cônes orange. Celui des parents de Holly.

Rebecca et Steve descendirent en courant et traversèrent les cônes pour venir vers les deux autres couples, mais le shérif les arrêta au passage et les emmena à l'écart pour leur parler à mi-voix. Il devait leur expliquer ce qui se passait.

A cet instant, la tête et les épaules d'un des deux sauveteurs apparut au-dessus du rebord de la falaise. Il se pencha en arrière et, accroché à la corde, échangea quelques mots avec l'un des pompiers. Tout le monde avait les yeux fixés sur eux. Puis le pompier acquiesça et s'approcha de Joe, et le sauveteur disparut.

— Venez ici !

Rebecca, Steve et le shérif rejoignirent les quatre personnes groupées avec inquiétude autour du pompier. En voyant les profondes rides barrant son front, Joe comprit qu'il n'avait rien d'encourageant à leur apprendre. Il regarda Janine. Les yeux sur le pompier, elle se mordait férocement la lèvre inférieure et retenait son souffle.

— J'ai peur que ce ne soit pas de bonnes nouvelles. Le véhicule semble avoir complètement brûlé après avoir touché le sol. Pour l'instant, l'équipe de sauvetage n'a vu que deux corps à l'intérieur.

— Deux ? répéta Steve. Mais elles étaient trois.

— Je sais. On essaie de retrouver la troisième personne. Elle a pu être éjectée au moment de l'impact.

— Ce sont les corps de qui ? demanda Joe d'une voix rauque.

— On ne sait pas encore. Un adulte et un enfant, semble-t-il, mais les sauveteurs ne les ont pas encore désincarcérés. Ils y travaillent, mais ils ont besoin d'outils supplémentaires.

203

Au bord du surplomb, quelques hommes descendaient des outils au bout d'une corde.

— Les deux corps dans la voiture semblent être très brûlés.

« Trop brûlés pour permettre l'identification. » La phrase habituelle vint à l'esprit de Joe. Jamais il n'aurait imaginé qu'elle puisse s'appliquer à sa jolie petite fille.

Rebecca se laissa tomber sur le sol et resta assise en tailleur à sangloter. Steve s'assit à côté d'elle et la serra contre lui en murmurant quelques mots.

Le shérif se gratta la gorge, annonçant qu'il allait prendre à son tour la parole.

— A mon avis, vous feriez mieux de rentrer tous chez vous et de nous laisser...

— Il n'en est pas question, protesta Janine. Je ne bougerai pas avant de savoir où est ma fille. Je vous en supplie... Laissez-moi descendre et chercher !

Le shérif secoua la tête.

— C'est beaucoup trop dangereux. Le véhicule est dans un équilibre précaire.

— Qu'est-ce qu'ils font, en bas, maintenant ? demanda Joe.

— Ils vont sortir les corps. Puis on soulèvera la voiture pour voir si... s'il n'y a pas une troisième victime dessous. Si vous ne voulez pas partir, je vais vous demander de rester de l'autre côté de la route, loin du bord. Je vous préviendrai dès qu'il y aura des nouvelles.

Ils traversèrent la route à contrecœur et s'assirent sur le gravier, le dos appuyé au talus broussailleux. Steve était à peine assis qu'il se releva.

— Je vais chercher à boire. Qu'est-ce que je vous rapporte ?

— Une vodka, répondit Rebecca.

Elle avait semblé parler sérieusement, mais éclata aussitôt d'un rire hystérique qui se transforma en sanglots. Elle se cacha la tête dans les mains.

— Ce que vous voulez, répondit Paula.

— Pareil pour moi! dit Joe.

— Je n'ai besoin de rien!

Lucas montra sa bouteille d'eau, presque pleine, et donna un petit coup de coude à Janine. Elle secoua la tête.

— De l'eau pour Jan, s'il vous plaît, Steve.

— Personne ne l'appelle Jan, grommela Joe.

— Lucas si, apparemment!

Joe lança à Paula un regard irrité.

— De quel côté es-tu, toi?

— D'aucun côté, Joe... mais ce n'est pas le moment d'être jaloux. Toi et Janine, vous avez besoin d'aide et de réconfort, et peu importe d'où ils viennent, d'accord?

Se sentant comme un enfant grondé, il s'appuya au talus derrière lui et ferma les yeux.

— Il va pleuvoir, remarqua Rebecca.

Joe rouvrit les yeux. Depuis quelques minutes, le ciel s'assombrissait et devenait menaçant. Le tonnerre grondait au loin, et de gros nuages commençaient à masquer le soleil.

— Je regrette tellement de l'avoir laissée partir, murmura Janine.

C'était à lui qu'elle parlait, et il se tourna vers elle.

— Je sais, mais ce n'est pas ta faute.

Il fit de son mieux pour avoir l'air sincère, mais, en fait, il lui en voulait. De même qu'il en voulait à Schaefer pour son traitement bidon et à Lucas pour avoir persuadé Janine d'y faire participer Sophie. Et à Alison et à tout le mouvement scout. Il fallait bien trouver quelqu'un sur qui faire retomber la faute.

Il commença à pleuvoir au moment où Steve revenait avec les boissons. Le ciel était presque entièrement noir et les nuages étaient bas au-dessus des montagnes. Des éclairs déchirèrent le ciel. Les sauveteurs et les pompiers étaient obligés de crier pour se faire entendre au-dessus du crépitement de l'eau sur la route et les feuilles.

Janine n'eut pas un regard pour la bouteille d'eau que Steve plaça à côté d'elle. Elle était immobile, les bras autour des genoux, et Joe ne savait pas si elle pleurait ou somnolait.

Puis le premier sac en plastique noir apparut en haut du ravin. Difficile d'en être certain d'aussi loin, mais, quand on l'emporta dans l'ambulance, il paraissait assez gros.

« Un adulte, pensa Joe. C'est Alison. »

Le deuxième sac était plus petit et le silence se fit aussitôt. Janine leva la tête, bondit sur ses pieds et alla vomir dans les buissons. Joe fut debout avant Lucas.

— Laissez-moi faire, bon Dieu !

Lucas s'écarta. Janine était appuyée contre le talus et s'essuyait la bouche avec le dos de la main. Elle se laissa maladroitement aller contre lui, le corps secoué de sanglots.

— Comment est-ce que ça peut être si horrible ? On a failli la perdre si souvent et on savait qu'un jour on la perdrait pour de bon. Ce n'est pas comme si on n'y était pas préparés.

— On n'était pas préparés à ça. A la voir disparaître loin de nous, dans un accident.

Sa voix se brisa et il se cacha la tête dans l'épaule

206

de Janine. C'était ça qui lui faisait le plus mal, penser que sa Sophie était morte sans lui ou Janine à côté d'elle. Il y avait toujours eu l'un d'eux auprès d'elle, jamais ils ne l'avaient laissée seule. Jamais ils ne l'avaient laissée partir loin d'eux.

Janine s'écarta brusquement.

— Je n'en peux plus !

Elle partit en courant vers l'ambulance, Joe sur ses talons. La pluie leur fouettait le visage.

— Je veux la voir ! cria-t-elle à la femme debout à la porte de l'ambulance.

— Désolée, madame...

Elle secoua la tête et leva les mains pour empêcher Janine d'approcher.

— Mais je saurai qui c'est, si vous me la laissez voir. Je peux quand même reconnaître ma propre fille !

Joe arriva près de l'ambulance. Un pompier prit Janine par le bras.

— On le saura bien assez tôt, allez !

D'un signe de tête, il ordonna à Joe de ramener de force la jeune femme de l'autre côté de la route. Elle ne résista pas et avança comme une aveugle en regardant derrière elle l'ambulance et le sac.

— Je ne crois pas que ce soit Sophie. Elle est plus petite que ça, tu ne crois pas ?

— Je n'en sais rien, Janine.

C'était vrai, il n'avait pas regardé le sac assez longtemps pour se faire une opinion.

Un énorme grincement monta du ravin et tous deux se retournèrent. Le treuil de la dépanneuse remontait l'épave. Le shérif et les sauveteurs guidaient la manœuvre. On ne voyait pas grand-chose à travers le rideau de pluie, mais on pouvait cependant se rendre compte que la Honda avait été presque aplatie par le choc. Elle avait dû atterrir avec une terrible violence. Janine s'échappa à nouveau et courut vers le shérif debout à côté de l'épave suspendue en l'air.

— Vous avez trouvé l'autre enfant ? Elle est en bas ?

Un des sauveteurs secoua la tête.

— Pas trace d'une troisième personne.

— Mais elles étaient trois dans la voiture !

Rebecca, entourée par Steve et Lucas, les avait rejoints.

— Vous en êtes sûre ? On les a vues monter en voiture ?

— Oui. Gloria, l'autre cheftaine, nous a dit qu'Alison et les deux petites étaient parties juste avant elle. En plus, il y a deux fillettes disparues. L'une d'elles doit encore être en bas. Je vous en supplie, laissez-moi descendre voir !

— Non, madame. Dès que la pluie cessera on redescendra, et...

Sans écouter la fin de la phrase, Janine fit volteface et partit en courant sur la route.

— Madame ! Madame Donohue ! s'époumona le shérif.

Joe fit un mouvement pour la suivre, mais Lucas lui saisit le bras.

— Laissez-la. Il est préférable qu'elle y aille.

— Il ne s'agit pas de votre fille, Trowell ! Et Janine n'est pas votre femme !

— Elle n'est plus la vôtre. Vous n'avez plus aucun droit de lui donner des ordres, de la critiquer, de l'accuser.

— Salopard !

208

Joe était prêt à accompagner l'insulte d'un coup de poing dans la figure, mais Paula se jeta entre les deux.

— Ça suffit, vous deux, hein ! Ce n'est pas comme ça que vous l'aiderez, ni l'un ni l'autre !

— Janine n'est plus là ! s'exclama soudain Rebecca.

Ils se retournèrent. Elle n'était visible nulle part sur la route et on avait l'impression qu'elle était tombée en bas mais en fait, elle avait certainement trouvé un moyen de descendre. A moins qu'on ne la rattrape, elle arriverait à l'endroit d'où on avait remonté la Honda.

Joe ressentit envers elle une grande admiration et une immense gratitude. Si Sophie était en bas, Janine la retrouverait.

17

Très bien, elle n'avait personne sur les talons. Ils l'appelaient sans doute d'en haut, mais le bruit de la pluie couvrait les voix. La pente détrempée était glissante et elle dut s'accrocher à des branches d'arbre et des troncs d'arbuste pour arriver en bas. Elle voulait voir l'endroit où la voiture avait brûlé. Peut-être était-ce Sophie, dans le sac, peut-être n'était-ce pas elle. Mais il y avait deux fillettes dans la Honda, il en manquait une. Elle allait la retrouver.

L'endroit était facile à reconnaître : les buissons et les arbustes avaient été aplatis par le poids du véhicule, et les arbres autour avaient brûlé. Même sous cette pluie battante il régnait une écœurante odeur de cendre et de feu qui lui piquait les narines et lui donnait envie de vomir.

Elle commença à chercher. Elle voulait retrouver une petite fille rousse et fragile, mais, au fond de son cœur, elle savait bien qu'elle allait probablement découvrir un petit cadavre calciné, et elle essaya de s'y préparer.

En équilibre sur la pente abrupte et s'accrochant d'une main à la végétation, elle comprit pourquoi les sauveteurs avaient provisoirement abandonné leurs recherches. Il n'y avait là aucun signe de vie. Elle se mit à quatre pattes et rampa au milieu des ronces et des orties. « Il y a sûrement des sumacs vénéneux là-dedans... » Elle chercha à tâtons sous la végétation. Mais il n'y avait aucun enfant sous toutes ces plantes. Pendant trente minutes, peut-être plus, elle explora à genoux chaque centimètre du sol. La pluie lui avait collé les vêtements au corps et les cheveux aux joues.

Entendant du bruit, elle tourna la tête et aperçut Lucas au-dessus d'elle. Il lui tendit la main, s'assit sur la terre boueuse et la tira vers lui. Elle avait les mains recouvertes de boue et de feuilles collées, et, pendant une seconde, elle se demanda si elle n'était pas devenue folle.

— Il faut qu'on y aille, Janine...

Elle n'avait même plus la force de répondre.

— Ils ont emmené les corps au médecin légiste. Ils vont se faire communiquer les dossiers dentaires de Sophie et de Holly, Joe leur a donné le nom du dentiste de Sophie. C'est la seule manière de savoir qui est celle qu'ils ont trouvée. Le shérif a promis que, dès demain, une équipe va se mettre à la recherche de l'autre... enfant.

Il avait failli dire « l'autre corps » et elle lui fut reconnaissante de s'être repris à temps. Elle ne voulait pas entendre ce mot.

Remonter la pente jusqu'à la route leur prit du temps. Rebecca les attendait sur la route, ses cheveux mouillés pendant de chaque côté de son visage. Dès qu'elle aperçut Janine, elle courut vers elle.

— Je n'ai trouvé personne, haleta celle-ci. (Elle aspira une bouffée d'air.) Ni Sophie ni Holly. Je suis désolée...

— Merci d'avoir essayé, Janine.

Rebecca la serra dans ses bras et Janine s'accrocha à elle. L'une d'elles au moins venait de perdre son enfant. Dans quelques heures, Rebecca ou elle aurait perdu tout espoir.

18

Janine était allongée sur le grand lit de la chambre du motel et regardait sans la voir l'image tremblotante sur l'écran de télévision. C'était l'émission de Jay Leno, mais, ne pouvant supporter les rires et les plaisanteries, elle avait coupé le son. Il ne restait que les hochements de tête, les mimiques et les gesticulations de pantin. Du lit, elle se voyait dans le miroir de l'habituelle armoire des chambres de motel. Elle avait les traits tirés, les joues creuses, les lèvres tombantes, les yeux rouges, les paupières gonflées. Une vieillarde.

Elle était vaguement consciente d'une douleur à la jambe. Lors de ses frénétiques recherches dans les broussailles, elle s'était coupée à la cuisse, une longue et profonde entaille dont elle ne s'était aperçue que sur la route, lorsque Lucas avait remarqué ses chaussettes, rouges du sang dégoulinant le long de sa jambe. Le saignement avait continué, et elle avait fini par se ranger à l'avis général et se laisser conduire aux urgences. Elle avait eu droit à huit points de suture, qu'elle supporta sans même un battement de cils, en se disant que, par rapport à tout ce qu'avait enduré Sophie, ce n'était rien du tout.

Ils avaient tous pris des chambres au motel. Rebecca et Steve étaient au premier. Joe et Paula, au second étage, partageaient une chambre à deux lits, ainsi qu'avait bien pris soin de le préciser Joe. Comme si Janine ne s'en moquait pas éperdument! Joe était un imbécile de refuser le réconfort que Paula ne demandait qu'à lui apporter. Janine voulait être dans la même chambre que Lucas, quel que soit le nombre de lits, mais celui-ci s'y était opposé.

« Pas avec Joe ici. Il est assez malheureux sans qu'on lui jette ça à la figure. »

Jay Leno présentait une invitée, une blonde aguicheuse, avec de longs cheveux et un décolleté avantageux. Le sourire de la demoiselle agaça Janine, qui éteignit la télévision et se réfugia sous le drap. La pluie avait cessé, et le seul bruit dans la pièce était le bourdonnement métallique d'un climatiseur fatigué.

Elle avait peur d'essayer de trouver le sommeil, même de fermer les yeux. Et, effectivement, dès qu'elle baissa les paupières, les images revinrent, le châssis calciné de la Honda, vu d'hélicoptère, et le sac en plastique noir.

« Je l'aurais su, j'aurais su qui c'était, si on m'avait laissée regarder dans le sac. »

Joe avait téléphoné à ses ex-beaux-parents. Ou, plus exactement, Janine leur avait téléphoné, mais, comme elle s'y attendait, sa mère lui avait aussitôt ordonné de lui passer Joe. Elle lui avait tendu l'appareil, ce que Lucas lui avait plus tard reproché.

« Oblige-la à te parler, à se comporter en adulte, pour une fois ! »

Mais Lucas ne pouvait pas comprendre. Il était plus facile de laisser Joe se débrouiller avec les Snyder que d'affronter la colère de sa mère et le ton déçu de son père. Elle l'avait fait toute sa vie et, à cet instant, elle n'avait vraiment pas la force de continuer.

Aucun d'eux n'avait apporté le moindre bagage, et ils étaient allés à la petite ville voisine faire quelques achats. Du dentifrice, des brosses à dent, du shampoing, un tee-shirt d'homme en guise de chemise de nuit. Elle avait sa pilule dans son sac... bien qu'il lui semblât difficile de croire qu'elle pût désormais avoir envie de faire l'amour.

La compagnie Omega Flight avait eu la gentillesse d'envoyer un pilote chercher l'hélicoptère. Ils avaient fait beaucoup pour elle, et elle se dit qu'il faudrait penser à les remercier quand tout cela serait terminé. Si ça arrivait jamais.

Le médecin des urgences lui avait prescrit des antalgiques en expliquant qu'elle aurait sans doute mal durant la nuit. Elle ne les avait pas pris et, même maintenant, allongée sur le lit, elle avait du mal à savoir quelle jambe était blessée. « Je suis anesthésiée. » C'était exact pour son corps, mais non en ce qui concernait son esprit. Dès qu'elle ferma une nouvelle fois les yeux, le sac en plastique noir surgit devant elle. Elle poussa un gémissement, rejeta le drap, se leva, prit sa clef de chambre et sortit dans la

213

galerie couverte qui, comme dans la plupart des motels, servait de couloir. La chambre de Lucas se trouvait deux portes plus loin et elle frappa tout doucement, de crainte de le réveiller s'il avait fini par trouver le sommeil. Il ouvrit aussitôt. La pièce était obscure, mais elle vit qu'il ne portait que son caleçon, et son orthèse, bien sûr.

— Je ne peux pas dormir, Lucas...

— Moi non plus.

Il ouvrit la porte plus grand, elle alla vers le lit et s'y coucha. Il referma la porte à clef et la rejoignit. Il s'allongea sur le côté, la regarda dans les yeux, lui caressa la joue.

— Comment va ta jambe?

— Pfeuh, c'est rien du tout!

— Ça va être une longue nuit.

— Je veux à la fois savoir et ne pas savoir.

Il hocha la tête. Les doigts étaient chauds contre sa joue.

— Tu crois que j'ai eu tort de la laisser participer à cette étude, Lucas? Je sais que ça semble idiot, mais Joe dit vrai. Si elle ne s'était pas sentie aussi bien, je ne l'aurais pas laissée aller camper. Et si cette amélioration n'est que temporaire, alors tout ce que j'ai fait, c'est...

— Janine! (Il lui serra fortement l'épaule.) Ecoute-moi. Peu importe ce que dit Joe ou ce que disent tes parents. Ou même ce que je dis. Ce qui compte, c'est ce que toi tu dis. Je t'en supplie, Jan, pour une fois aie confiance en toi.

Un souvenir revint à la mémoire de la jeune femme. Sophie et elle dînaient ensemble, quelques jours après la première perfusion d'Herbaline. Et

Sophie dévorait sa viande et sa purée, elle avait même repris de la viande. Sa mère l'avait regardée manger sans pouvoir en croire ses yeux. La petite ne mangeait jamais avec appétit, depuis qu'elle était constamment malade. Elle chipotait, promenait sa nourriture d'un bord à l'autre de son assiette, écoutait sa mère la supplier de manger au moins assez pour survivre jusqu'au lendemain. Et, soudain, elle avait faim. Elle s'en était elle-même aperçue.

« C'est bon, ça, maman. J'ai l'impression de manger de la viande pour la première fois. Ça doit être à cause de l'Herbaline. »

Elle avait été surprise que l'enfant ait établi la relation entre son soudain appétit et le traitement, qu'elle avait difficilement supporté l'avant-veille.

« Pourquoi crois-tu que c'est à cause de l'Herbaline ?

— Le Dr Schaefer a dit que j'aurais davantage d'appétit et que la nourriture aurait meilleur goût. »

L'optimisme de Janine s'estompa. N'était-ce qu'un effet placebo du traitement, dû au pouvoir de suggestion du médecin ? Mais Sophie avait suivi maints autres traitements sans aucune amélioration de son appétit. Et puis, après tout... même si c'était un effet placebo, au moins Sophie mangeait-elle, pour une fois.

— Si je fais abstraction de l'attitude de mes parents et de Joe, je suis contente qu'elle participe à cette étude. Et si c'est Sophie, dans ce sac... (Elle ferma les yeux.) ... au moins elle était heureuse au moment où elle est morte. Ces deux dernières semaines, elle a vécu une vie plus heureuse que jamais depuis le début de sa maladie.

Lucas l'attira tout près de lui. Il eut du mal à parler et, quand il y parvint, elle entendit dans sa voix qu'il était au bord des larmes.

— Je sais... Ça a été merveilleux de la voir remonter la pente. De la voir enfin se comporter comme une petite fille en bonne santé, au lieu de subir tous les effets secondaires des autres médicaments.

— Oh, Lucas, si seulement Joe pouvait le comprendre comme ça! Ou mes parents. Je crois que ma mère me déteste.

— Tes parents t'aiment, mais ils sont tellement habitués à dire noir quand tu dis blanc que tu ne pourras jamais les convaincre. Par contre, Joe... il finira peut-être par comprendre. Il n'est pas méchant et... il est toujours fou de toi.

Elle rit.

— Il a une étrange façon de le prouver.

— Eh bien, tu sais, quand on aime quelqu'un, on cherche désespérément à en faire la personne avec qui il serait plus facile de s'entendre.

— Moi je ne veux pas te changer. (Elle se rejeta en arrière pour mieux le voir.) Je remercie le ciel tous les jours de t'avoir auprès de moi. Et que tu sois comme tu es pour Sophie et pour moi.

Il eut l'air de vouloir lui dire quelque chose, ouvrit la bouche pour parler, puis secoua la tête et changea d'avis.

— Viens ici!

Il l'attira de nouveau contre lui. Elle appuya la tête sur sa poitrine.

— Essayons de dormir, ma chérie. Je crois qu'une autre longue journée nous attend demain.

Elle ferma les yeux, respira l'odeur de sa peau. Elle

n'était pas certaine du tout de pouvoir supporter une autre journée comme celle qui venait de s'écouler et faillit le lui dire, mais se retint.

D'ailleurs, elle connaissait la réponse : « Mais si, tu es assez forte. » Elle espérait ardemment qu'il ne se trompait pas.

19

Joe non plus n'arrivait pas à trouver le sommeil. S'il n'avait pas partagé la chambre de Paula, il aurait allumé la télévision et regardé une rediffusion de *Nick at night*. Ça lui aurait occupé l'esprit. Mais Paula dormait profondément et il ne voulait pas la réveiller. Ils avaient parlé un long moment d'un lit à l'autre et il était reconnaissant à la jeune femme de sa façon calme et raisonnable d'analyser la situation alors que ses propres pensées bouillonnaient dans sa tête.

« On ne peut rien faire tant qu'on ne sait pas qui on a trouvé dans l'épave et ce qui a pu arriver à l'autre petite. Ça ne sert à rien de se torturer à l'avance. »

Puis elle lui avait procuré une légère détente en évoquant pour lui des images, le faisant s'imaginer sur une plage de Hawaï. Il avait été étonné de sentir ses muscles se relâcher au son de sa voix douce. « Paula est vraiment une femme exceptionnelle... » Il ne connaissait personne capable comme elle de garder la tête froide et de rester rationnelle au milieu des plus graves crises. La seule fois où il l'avait vue s'effondrer avait été lorsqu'elle avait appris le décès de sa mère. Et, ce jour-là, il avait été heureux de pouvoir la réconforter, de lui rendre un peu de tout ce qu'elle lui avait donné. Car elle lui avait beaucoup donné au cours de ces années difficiles, entre son divorce et la maladie de Sophie.

Mais, même après la séance de relaxation, il n'avait pu trouver le sommeil, et il s'apprêtait à se lever pour faire un petit tour dehors quand on frappa à la porte. Il enfila en hâte son short et alla ouvrir. L'homme sur le pas de la porte était petit et mince et portait un uniforme de shérif.

— Vous êtes bien Joseph Donohue ?

— Oui.

— Je peux entrer ?

Joe jeta un coup d'œil au lit de Paula.

— Ça va, je suis réveillée, dit celle-ci en s'asseyant sur son lit.

— Oui, entrez.

Il alluma le plafonnier.

— Ne restez pas debout, dit le visiteur en s'asseyant devant la table de nuit.

Le cœur battant la chamade, Joe s'assit au bord du lit avec une certitude : quelle que fût la nouvelle qu'apportait cet homme, elle allait transformer sa vie.

— Le médecin légiste nous a téléphoné : le corps retrouvé dans la voiture n'est pas celui de votre fille.

Joe osa respirer. Il regarda fixement le shérif, se cacha la tête dans les mains et se mit à pleurer. Paula fut aussitôt à son côté.

— Allons, Joe...

Voyant que celui-ci n'était pas en état de soutenir une conversation, elle prit le relais.

— On est sûr que c'était Holly ?

218

— Oui. Le dossier dentaire a permis de l'identifier avec certitude.

— Alors qu'est-ce qu'on fait, maintenant ?

— Les équipes de recherche partiront à l'aube.

— Vous n'avez rien trouvé dans le véhicule qui puisse donner une idée de ce qui est arrivé à Sophie ?

— On a trouvé son sac à dos et son duvet dans le coffre. Et on a parlé à l'autre cheftaine, celle qui a vu la Honda quitter le camp de vacances avec Sophie dedans. Tout tend à prouver qu'elle était bien dans cette voiture. Les vitres arrière ont éclaté et on ne peut que conclure qu'elle a réussi à sortir d'une façon ou d'une autre.

Joe leva la tête.

— Avant ou après que la voiture a pris feu ?

— On ne sait pas, monsieur Donohue.

— Il n'y avait pas de traces de sang dans le véhicule ?

Paula parlait de sang aussi froidement qu'elle aurait décrit un jardin.

— Vous n'avez pas retrouvé de traces de sang qui pourraient laisser supposer qu'elle était blessée quand elle a quitté la voiture ?

— Nous n'avons pas encore la réponse. Le véhicule sera passé au peigne fin demain matin.

Joe intervint de nouveau.

— Vous avez prévenu ma femme ?... enfin, mon ex-femme ?

— Pas encore. Je vous laisse ce soin. J'ai réussi à joindre la mère de la cheftaine, dans l'Ohio, et maintenant il faut que j'annonce la nouvelle aux Kraft.

Il sortit un papier de sa poche de poitrine.

— Chambre 202. A l'étage en dessous, je suppose.

— Mon Dieu !

Joe ferma les yeux en pensant à l'épreuve qui attendait Rebecca et Steve. Puis il bondit sur ses pieds.

— Je vais voir Janine !

Le shérif se leva aussi.

— On est en train de monter un camion avec tout le matériel de secours à l'endroit où a eu lieu l'accident. Tout le monde doit s'y retrouver à six heures trente. Ce sera notre QG, et le point de départ des équipes de recherche.

— Très bien.

Il ouvrit la porte au shérif, puis se tourna vers Paula.

— Je reviens dans un moment.

— A tout à l'heure !

La chambre de Janine se trouvait à côté de la sienne. Il frappa tout doucement, mais n'entendit rien à l'intérieur. Il recommença, plus fort.

— Janine ?

Pas de réponse. Il était impossible qu'elle soit si profondément endormie. Pas cette nuit. Il regarda l'enfilade des chambres et son cœur se serra quand il devina où elle était. Ravalant son humiliation, il se dirigea vers la chambre de Lucas et cogna légèrement.

— Janine est là ?

Il entendit un froissement de tissu, puis quelques mots chuchotés rapidement. Janine ouvrit la porte mais, avant qu'aucun des deux n'ait eu le temps de prononcer un mot, un hurlement perçant monta de l'étage en dessous. Janine porta la main à son cou.

— Qu'est-ce que c'est que ça ? Qu'est-ce qui se passe, Joe ?

Les cris continuèrent. Il repoussa la jeune femme, entra, ferma rapidement la porte pour ne plus entendre les gémissements de Rebecca. Mais ils étaient entrés avec lui.

Du coin de l'œil, il aperçut Lucas à la porte de la salle de bains, vêtu du pantalon kaki et du tee-shirt bleu qu'il avait portés toute la journée. Sans le regarder, il prit la main de Janine.

— C'était Holly, dans la voiture. On ne sait toujours pas où est Sophie.

Janine jeta un coup d'œil à Lucas, puis se laissa tomber sur le bord du lit.

— Sophie est vivante, alors !

— On ne sait pas, mais il reste encore une chance.

— Non, elle est vivante. Je le sens, je le sens ici.

Elle appuya la main sur sa poitrine. Elle portait un débardeur blanc, et on voyait qu'elle n'avait rien dessous.

Elle regarda Lucas, quémandant son approbation. Il eut le bon sens de ne l'encourager ni d'un mouvement de tête ni d'un sourire. Elle se leva et alla à la porte.

— Il faut retourner là-bas... On va avoir besoin de lampes électriques. Est-ce que la police...

Joe lui barra le chemin. Elle était incapable de réfléchir rationnellement.

— On ne peut pas retourner là-bas maintenant, Janine. On a tous rendez-vous là-bas à six heures trente. Il y aura des sauveteurs, des spécialistes entraînés, et...

Elle le regarda avec des yeux fous.

— Je veux y aller maintenant.

— Joe a raison, Jan, intervint Lucas du seuil de la salle de bains. Tu ne pourrais rien faire dans l'obscurité et tu as vu comme c'est boueux. Et tu as cette blessure à...

Un autre cri monta de l'étage en dessous.

— Je vais voir Rebecca.

Avant que Joe n'ait eu le temps de bouger, elle était sortie de la chambre.

— Je parie qu'on va la retrouver dans les bois, en train d'errer dans l'obscurité.

— Peut-être que ça vaudrait mieux. Elle a besoin de sentir qu'elle fait quelque chose pour retrouver Sophie, elle ne peut pas supporter d'être le jouet des événements.

Le ton supérieur de Lucas hérissa Joe.

— Je la connais depuis vingt-trois ans, j'ose penser que je sais mieux que vous ce dont elle a besoin.

— Eh bien, dans ce cas, pourquoi ne le lui avez-vous jamais donné? (Il leva aussitôt les mains en signe d'excuse.) Je vous demande pardon, excusez-moi, Joe... Je suis un peu à côté de mes pompes.

Joe le regarda fixement. Lucas s'était excusé et il n'avait plus aucune raison de l'empoigner par les cheveux pour lui cogner la tête contre le mur. « Dommage! »

— Pas grave! (Il ouvrit la porte.) On se revoit à six heures trente.

20

Le mercredi matin, Zoe s'éveilla avant l'aube, le cœur serré d'appréhension. Elle resta allongée sur son matelas pneumatique et contempla au-dessus d'elle les bardeaux moisis. Si tout allait bien, Marti

222

passerait la journée dans les bois. Bien sûr, il était possible que la traversée du pays leur ait pris plus de temps que prévu ou bien qu'ils aient été obligés, pour une raison ou une autre, de faire une halte. Si Marti arrivait aujourd'hui en Virginie-Occidentale, c'est que tout s'était passé comme sur des roulettes. L'ancienne actrice aurait donné n'importe quoi pour un journal, pour lire les commentaires de la presse sur l'évasion, pour essayer de deviner entre les lignes quelle était l'avance de sa fille sur ses poursuivants.

Elle voyait déjà toute la scène dans sa tête, comme un film. Marti et le gardien suivaient la carte qu'elle avait si soigneusement dessinée à leur intention, quittaient la grand-route pour une moins importante, et encore une autre, jusqu'au chemin de terre descendant, virage après virage, dans la forêt. Marti, assise sur le siège du passager, penchée en avant, ne quittait pas des yeux la route et se mordait la lèvre inférieure. Elle le faisait toujours quand elle se concentrait. Puis la clairière. Et, devant eux, la vieille grange délabrée, couleur rouille.

« On y est ! »

Le gardien arrêtait la voiture dans les hautes herbes à l'arrière du bâtiment. Tous deux descendaient, et Marti, goûtant pour la première fois sa liberté toute neuve, faisait le tour du bâtiment et poussait une des lourdes portes. Elle s'arrêtait net, afin de laisser ses yeux s'habituer à l'obscurité.

« Vous avez trouvé ? »

Le gardien, arrivant sur ses talons, s'arrêtait pile lui aussi en s'apercevant que l'obscurité à l'intérieur était bien trop épaisse pour trouver quoi que ce soit.

Peu à peu, les yeux de Marti s'habituaient et la

lumière tombant des deux longues fenêtres au-dessus du grenier à foin finissait par éclairer suffisamment pour qu'apparaisse le long box vide à l'extrémité du bâtiment.

« Le box est là ! »

A cet instant, le gardien risquait de s'impatienter et de se précipiter en courant vers le box. Savait-il où chercher ? Avait-il obligé Marti à lui répéter plusieurs fois par jour où l'argent était exactement caché ? Marti avait-elle été assez sage pour garder ces renseignements pour elle jusqu'à ce qu'ils soient sur place ? Oui, certainement.

Donc, c'était Marti qui tâtonnait le long du mur à la recherche des planches que Zoe avait presque entièrement déclouées, les arrachait, enfonçait la main dans le trou du mur, sortait la grosse sacoche de cuir et la tendait au gardien. Celui-ci sortait une poignée de billets et poussait un cri de joie. Cinq cent mille dollars, seconde et dernière partie de la rançon de Marti.

Celle-ci poussait un soupir de soulagement : sa mère avait tenu sa promesse. Elle disait au revoir au gardien, peut-être déposait-il un baiser sur sa joue, après tout, ils avaient traversé tout le pays ensemble. Grimaçant au soleil sur le seuil de la grange, elle le regardait monter en voiture et démarrer.

C'est à ce moment-là, Zoe le savait, que Marti commencerait à avoir peur. Elle n'aimait pas être seule et n'était pas non plus une fervente de la nature.

Le film continua...

Suivant les instructions de Zoe, la jeune femme retournait sur ses pas, puis marchait au bord de la route en direction du sud pendant environ deux kilomètres. Zoe avait fait exprès de la faire revenir en arrière, pour tromper le gardien au cas où celui-ci se ferait prendre et serait obligé de dire où il l'avait conduite.

Zoe sentait presque l'anxiété monter en sa fille tandis que celle-ci cherchait le petit morceau de toile bleue noué à une branche d'un des arbres au bord de la route. La jeune femme le découvrait avec soulagement, mais aussi avec appréhension. Oui, elle était sur la bonne piste, mais l'heure était venue de s'enfoncer dans la forêt. Une forêt très dense, dans laquelle il serait facile de se perdre. Elle exhalait une odeur lourde et son atmosphère était moite, écœurante, traversée de chants d'oiseaux, de bourdonnements d'insectes et de cris divers auxquels les oreilles de Marti n'étaient pas habituées.

Zoe lui avait ordonné de suivre les lambeaux de toile bleue. En trouver un, se placer à côté puis, sans bouger, chercher des yeux le suivant et marcher dans sa direction. Chaque petit morceau de tissu était clairement visible depuis l'emplacement du précédent. Marti devrait retirer chacun d'eux après les avoir trouvés, afin que personne d'autre ne puisse suivre sa piste. Elle aurait à parcourir de cette manière laborieuse une quinzaine de kilomètres. Zoe avait mis presque une journée à baliser le chemin. Il faudrait au moins autant de temps à Marti pour le suivre, à moins que la peur ne lui fasse hâter le pas. Pauvre Marti !

Zoe arrêta le film. Elle ne voulait pas voir Marti, même dans son imagination, seule et effrayée dans cette forêt. Pour elle aussi ça allait être une longue journée, une longue journée d'attente. Et si sa fille n'arrivait pas demain ? Ni après-demain ? Ni aucun des jours suivants ? Elle ne disposait d'aucun moyen de savoir ce qui lui était arrivé. Et son plan présentait tant de points faibles, tant d'étapes où tout avait pu rater... « N'y pense pas ! » s'ordonna-t-elle mentalement.

Elle se leva et sortit dans la clairière allumer du feu pour préparer du café. Elle ajoutait du petit bois sous la casserole d'eau quand elle entendit derrière elle un bruit de rameaux cassés. Marti ! Elle se leva et se retourna, s'attendant à voir sa fille sortir du bois. Tout d'abord elle ne vit rien, les arbres étaient trop serrés pour que le soleil matinal tombe entre les troncs.

— Marti ?

Un enfant apparut soudain à la lisière des bois. Un petit enfant, pas plus de six ou sept ans, avec des cheveux roux et un pied nu. Affolée, Zoe lâcha sa hachette, courut vers sa hutte, saisit le fusil appuyé contre l'auvent. Elle mit l'enfant en joue, cachant ainsi son propre visage.

— Retourne chez tes parents ! Et sors de chez moi !

La petite fille qui courait vers elle s'arrêta net. Elle était maigre, ses cheveux roux étaient tout emmêlés. Zoe voyait dans la lunette télescopique de son fusil qu'elle pleurait. Son corps tressautait, comme si elle n'arrivait pas à décider s'il valait mieux continuer d'avancer ou retourner d'où elle venait.

— Où est ta maman ? beugla Zoe.

La fillette leva les bras en l'air, exactement comme les deux jeunes gens la veille, mais elle semblait ne pas avoir la force de les tenir à la verticale, et l'un d'eux semblait tordu. Elle tremblait de tout son corps et sanglotait.

— Je suis...

Ses bras retombèrent, elle était trop faible pour les tenir levés. Pourtant, craignant sans doute que la femme en face d'elle n'appuie sur la détente, elle les releva. Un gémissement de douleur ou de peur, ou les deux, lui échappa, qui serra le cœur de Zoe.

— Je suis perdue...

Sa lèvre inférieure tremblait. Zoe abaissa son arme. Elle n'allait quand même pas mettre en joue un bébé !

— Oh, ma pauvre chérie, je suis désolée. (Elle s'en voulait terriblement de l'avoir effrayée.) Viens, ajouta-t-elle en posant son fusil.

Elle parlait gentiment, ayant complètement oublié son numéro de vieille sorcière de la montagne. L'enfant hésita.

— Tout va bien, je te demande pardon de t'avoir fait peur. (Elle lui fit signe d'approcher.) Je ne suis pas une méchante vieille, tu sais ! Approche, petite...

L'enfant s'approcha d'un pas chancelant, boitant péniblement sur son pied nu. Grimaçant de douleur et de larmes rentrées, elle se laissa tomber dans les bras de Zoe. Elle était osseuse et aussi légère qu'une plume.

« Ce n'est pas possible ! Je rêve... »

Il n'y avait pas de place pour une enfant perdue dans le plan parfaitement élaboré de l'actrice.

— Viens avec moi, petite !

Elle soutint la fillette jusqu'à l'auvent et la fit asseoir sur l'unique marche, toute de guingois. Le tee-shirt de l'enfant était crasseux, avec la manche droite presque arrachée. Son short était déchiré, elle sentait les excréments et peut-être le vomi. Son pied nu était griffé et ensanglanté.

— Je m'appelle Anne, mentit Zoe. Et toi?

— Sophie Donohue. (Elle baissa la tête et deux grosses larmes roulèrent sur ses joues.) Je veux ma maman...

— Bien sûr, ma puce.

Zoe regarda avec inquiétude en direction des bois.

— Où est-elle?

— A Vienna.

— C'est où?

— En Virginie.

— Ah bon! Et qu'est-ce que tu fais là, ma mignonne?

— J'étais au camp de vacances des scouts, et...

— Le camp des scouts? Mais tu es beaucoup trop petite pour faire partie des scouts!

— Non, je suis jeannette. J'ai huit ans, vous savez. C'est juste que j'ai l'air plus jeune.

— C'est vrai, tu es une vraie petite crevette.

Zoe lui donnait six ans tout au plus, mais elle n'avait guère l'expérience des petites filles. Elle avait à peine vu Marti à huit ans, c'était l'année de sa tournée de récitals.

— Comment as-tu fait pour te perdre?

— Je ne sais pas comment ça s'est passé. On a eu un accident de voiture, je crois... Je ne sais pas trop... Je me suis réveillée contre un arbre... par terre. (Elle avait du mal à trouver ses mots.) ... un arbre couché sur le sol...

— Je vois...

— Et devant moi, une voiture brûlait. Je crois que j'étais dedans et que j'en suis sortie, mais je ne m'en souviens pas.

— Qui est-ce qui était dans la voiture avec toi?

228

— Alison et Holly. Alison est la cheftaine, et Holly est mon amie.

— Elles sont sorties de la voiture avec toi?

Zoe leva de nouveau vers les bois un regard chargé d'appréhension.

— Je ne les ai pas vues, je crois qu'elles sont restées dedans. (Elle ouvrit de grands yeux pleins d'horreur et de chagrin.) Je crois qu'elles étaient dans le feu. J'avais trop peur pour regarder, et puis c'était trop chaud, ça me brûlait les yeux.

Zoe essayait de trouver une explication au récit de l'enfant. La route la plus proche se trouvait à huit kilomètres. Elle en était absolument certaine. Cette petite n'avait quand même pas fait, toute seule, ce long trajet dans les bois?

— Où ça s'est passé, ça, mon lapin?

— Je ne sais pas. Par là... (Elle montra les bois derrière elle.) Je sais que si on se perd dans les bois il faut rester près d'un gros arbre, mais je voulais m'éloigner du feu. Et ensuite je n'ai pas pu remonter sur la route, j'ai cherché un chemin, j'ai tourné en rond, et je me suis perdue.

— Quelle effrayante aventure! Ça s'est passé quand?

— Je ne sais pas. Mais je crois que j'ai dormi trois nuits dans la forêt. (Elle regarda la forêt d'où elle avait surgi.) Je n'y retournerai jamais, je la déteste! Chaque fois que je m'endormais, je faisais des cauchemars.

Zoe renifla de nouveau sa répugnante odeur.

— Tu as été malade?

— Oui. Je crois que c'est ces baies que j'ai

mangées. Mais j'avais si faim! Et ça m'a donné la diarrhée, et... je me sens immonde!

— Et tu t'es blessée au bras, non?

Zoe prit entre ses deux mains le petit bras sale et couvert d'égratignures.

— Il est cassé, on dirait... Ah non, c'est une brûlure.

Une marque rouge et enflée courait sur toute la longueur de l'avant-bras de l'enfant. La petite était passée plus près du feu qu'elle ne s'en souvenait.

— Aïe!

Sophie retira son bras et le serra contre elle.

— Eh bien, mon lapin, la première chose à faire est de quitter tout ça et de te laver. Attends, je vais rajouter de l'eau à chauffer.

Elle entra dans la hutte et s'affaira machinalement. Si elle se mettait à réfléchir, elle allait devenir folle. Elle nageait en plein cauchemar. On devait rechercher cette petite fille. Où étaient les sauveteurs? Qu'allait-elle faire s'ils sortaient soudain des bois? Eh bien redevenir la vieille sorcière des montagnes, les menacer de son arme. Ils emmèneraient l'enfant et, avec un peu de chance, tout s'arrêterait là.

Elle posa l'eau sur le feu, puis aida l'enfant à se déshabiller. Malgré son manque d'expérience des fillettes de huit ans, elle était certaine que celle-ci n'était pas une petite fille ordinaire. Elle se laissa déshabiller sans aucune gêne, comme si elle avait l'habitude qu'une inconnue lui remonte son tee-shirt et lui retire sa culotte. C'est alors que Zoe aperçut le large bandage entourant son abdomen.

— Pourquoi tu as ce bandage?

230

— C'est mon cathéter. Il est collé à ma peau pour ne pas bouger.

Un cathéter! Seigneur, dans quel guêpier s'était-elle fourrée avec cette enfant?

— Beurk! s'exclama Sophie à la vue de sa culotte. On ne peut pas la jeter?

— Si, j'irai l'enterrer plus loin.

Elle lança la culotte sale à quelques mètres et enroula le corps menu dans une serviette de bain attachée sous les bras.

— Pourquoi as-tu besoin d'un cathéter?

— On le branche à une machine à dialyse.

— Tu as un problème aux reins, alors?

— Oui, mais je suis beaucoup mieux qu'avant.

— Eh bien tant mieux! (Zoe commençait à s'affoler.) Et tu as souvent des dialyses?

— Avant c'était tous les soirs. Maintenant, c'est juste le dimanche et le mercredi soir.

— On est mercredi, aujourd'hui.

— Ah bon? Ouh là, j'ai manqué celle de dimanche soir, aussi. Mais je me sens bien. Je ferais quand même mieux de ne pas trop boire.

« Quel sac de nœuds! » Zoe regarda les bois, espérant maintenant ardemment que quelqu'un en sorte pour lui enlever cette enfant de sur les bras. Elle jouerait la vieille sorcière des montagnes et Sophie partirait.

— Ton eau est probablement assez chaude. Je vais te donner un gant, tu pourras te laver. D'accord?

Sophie regarda la porte de la hutte.

— Je ne pourrais pas téléphoner à ma maman, d'abord?

231

La petite n'avait aucune idée de la situation dans laquelle elle se trouvait.

— Je n'ai pas le téléphone, moi, ma pauvre chérie !

Un bref éclair de peur traversa le regard de Sophie.

— On ne peut pas aller téléphoner chez des voisins ?

— Je n'ai pas de voisins. J'habite très loin de tout.

— Et vous n'avez pas de voiture ?

— Non.

Les larmes montèrent aux yeux de la petite.

— Alors comment je vais faire pour rentrer chez moi ?

— Je ne sais pas trop... Mais je trouverai une solution. Ecoute, mon lapin... (Elle posa la main sur la frêle épaule de l'enfant.) Tu es en sécurité maintenant, et c'est ça qui compte. Tu te laves bien, puis tu iras dormir un peu. Tu as l'air épuisée.

Sophie se mordit les lèvres, regarda en direction de la hutte comme si elle n'arrivait pas à croire qu'il puisse ne pas y avoir de téléphone.

— D'accord.

Cette petite était habituée aux difficultés. Elle savait que les choses ne se passaient pas nécessairement comme elle le voulait.

Zoe aida Sophie à se laver, puis lui donna un peu de lapin avec des petits pois avant de la coucher sur le matelas pneumatique préparé pour Marti. L'enfant s'endormit avant même que Zoe n'ait quitté la pièce.

Celle-ci retourna dehors, lava le short et le tee-shirt de la fillette et les suspendit à sécher sous l'auvent. Puis elle emporta la culotte souillée dans les bois, creusa un trou et l'enterra.

En revenant à la hutte, elle espérait découvrir que

l'enfant n'était plus là, qu'elle avait rêvé son arrivée, ou bien que les gens qui la cherchaient l'avaient trouvée et emmenée. Si seulement sa hutte était vide ! Elle traversa la pièce de devant et entra dans la chambre. Sophie était toujours là, une frêle enfant perdue allongée dans le lit de Marti. Pour la première fois depuis des jours, elle dormait d'un sommeil sans cauchemars.

21

A six heures vingt, après une heure ou deux de sommeil en pointillé, Janine et Lucas attendaient sur le parking, appuyés à la voiture de Joe. Etant venus en hélicoptère, ils se trouvaient maintenant sans véhicule et donc obligés d'aller au QG des recherches avec Joe et Paula.

Après la visite de Joe au milieu de la nuit, Janine était descendue à la chambre des Kraft. La porte était ouverte, le shérif était encore là et parlait à mi-voix avec Steve. Rebecca, la tête dans les mains, était effondrée sur son lit. Janine s'était assise à côté d'elle et lui avait passé le bras autour des épaules.

« Je suis si désolée, Rebecca... »

Rebecca avait lentement relevé la tête. Son visage était rouge et baigné de larmes.

« Je... Je n'arrive pas à y croire... Je ne peux pas...

— Je sais... »

Tandis qu'elle la serrait doucement contre elle, elle avait ressenti une étrange impression. Elle savait qu'elle était assise sur le lit à côté de la mère de Holly, mais se sentait un simple observateur de la scène détaché de cette femme et de sa tragédie. Elle n'avait plus à craindre que le corps dans le sac soit celui de Sophie, et elle n'arrivait pas à partager la douleur de Rebecca.

« C'est si injuste... » avait-elle murmuré machinalement.

Rebecca s'était penchée en avant et l'avait regardée dans les yeux.

« Sophie est sans doute morte, elle aussi, vous savez ! J'espère sincèrement que ce n'est pas le cas, mais vous feriez mieux de vous y préparer. Dites-vous bien ça ! Je n'étais pas préparée, moi... »

Que répondre à ce conseil cruel ? Janine avait eu envie de répliquer d'une remarque aussi brutale, mais la pauvre femme ne parlait ainsi que parce qu'elle souffrait. Alors elle était restée muette, avait appuyé la tête contre celle de la maman de Holly et l'avait bercée pendant qu'elle pleurait. Mais, au fond d'elle-même, elle n'avait pu s'empêcher de lui en vouloir d'avoir suggéré que Sophie avait sans doute connu le même sort que sa fille.

En remontant, elle avait trouvé Lucas assis dans l'obscurité à côté de la fenêtre.

« Comment le prennent-ils ? »

Elle n'avait pas répondu à sa question.

« Je trouve inadmissible qu'on n'ait pas envoyé des sauveteurs à sa recherche cette nuit ! (Elle s'était laissée tomber sur le lit, puis avait de nouveau bondi sur ses pieds.) Tu te rends compte ? C'est sa troisième nuit seule en forêt. Elle qui déteste l'obscurité !

— C'est vrai, la pauvre... Tu te souviens de cette

soirée chez moi, le soir où nous avons eu cette panne d'électricité ? »

Janine n'avait pu s'empêcher de sourire à ce souvenir.

Derrière la maison perchée dans les arbres, la forêt, plongée dans les ténèbres, semblait impénétrable et menaçante. Sophie était terrorisée. Lucas avait allumé des bougies et raconté l'histoire d'une petite fille qui habitait aussi une maison perchée dans les arbres, et avait essayé de continuer à lire à la seule lumière des éclairs. Elle n'avait chaque fois le temps de reconnaître qu'un ou deux mots épars qui, mis bout à bout, formaient une histoire très amusante. Sophie avait ri de bon cœur. Elle pensait toujours que Lucas était un peu magicien. Mais, ce soir, il n'était pas avec elle dans les grands bois.

Janine avait regardé dehors la nuit très noire.

« Elle doit être terrifiée... »

Lucas n'avait rien ajouté. Avait-il pensé alors qu'elle refusait de regarder la vérité en face ? Croyait-il, comme Rebecca, que Sophie était morte ? Etait-ce ce qu'il se disait maintenant en attendant Joe et Paula sur le parking ?

Elle leva les yeux vers la chambre de Joe.

— Il n'a pas dû être très content de te trouver dans ma chambre, remarqua Lucas.

Cette idée n'avait même pas effleuré la jeune femme. Effectivement, Joe avait sans doute commencé par aller la chercher dans sa chambre. Ne l'y trouvant pas, il avait compris qu'elle était avec Lucas.

— Il n'y a sans doute même pas fait attention. Il ne pensait qu'à Sophie.

— Je n'en suis pas si sûr !

Ils entendirent la porte de la chambre de Joe s'ouvrir et le regardèrent descendre les marches, suivi de Paula, qui tenait à la main une tasse de café.

— B'jour !

Il actionna la télécommande d'ouverture des portières. Lucas tint une des portières ouvertes pour Janine, qui s'installa derrière le chauffeur.

— Tu te souviens du chemin, Joe ?

— Je crois, oui.

Il démarra et sortit du parking. La route était de nouveau barrée d'une rangée de cônes orange, mais cette fois à l'entrée, deux kilomètres environ avant le lieu de l'accident. Joe se présenta et un homme en uniforme déplaça quelques cônes.

Les premières lueurs de l'aube tachetaient la route tandis qu'ils négociaient lentement les lacets. Près du lieu de l'accident, ils dépassèrent des voitures et des camionnettes garées n'importe comment le long de la route.

— Voilà le QG ! dit Paula en montrant devant eux un gros camion hérissé d'antennes, garé sur le bas-côté, juste en face de l'endroit où l'on avait remonté la Honda.

Joe s'approcha autant qu'il put, mais il y avait tant d'autres véhicules sur la route qu'il fut obligé de s'arrêter assez loin du camion. La vue de tout ce monde toucha et réconforta Janine. Il y avait des dizaines de personnes, certaines en uniforme, d'autres en vêtements de randonneurs, quelques-uns tenaient en laisse des labradors ou des bergers allemands. Elle se sentit moins seule.

— Je vais voir ce qui se passe !

Avant même que Joe ait éteint son moteur, elle avait ouvert sa portière et sauté dehors. Elle courut

236

au camion blanc, grimpa les marches métalliques et entra. A l'intérieur, un homme et une femme, penchés sur une table à dessin, étudiaient une carte. Une autre femme, assise devant une petite table, tapait sur les touches d'un ordinateur portable. Tous levèrent les yeux en l'entendant entrer.

— Je suis la mère de Sophie, Janine Donohue.

La première femme quitta la carte, s'approcha d'elle, main tendue, et écrasa, plutôt qu'elle ne serra, les doigts de Janine.

— Valerie Boykin... C'est moi qui suis responsable des opérations.

— Parfait... Merci...

Valerie Boykin était une grande femme solide, avec des cheveux bruns coupés court. Le genre de personne dynamique et énergique qui devait réussir tout ce qu'elle entreprenait.

— Par quoi on commence, alors?

— Votre mari est là? (Elle regarda vers la porte.) Alors je vous expliquerai à tous les deux en même temps.

Janine suivit son regard. Joe, Paula et Lucas étaient au pied des marches.

— Les voilà.

Elle fit les présentations. Valerie Boykin les précéda à l'autre extrémité du QG, où des strapontins permettaient de s'asseoir, et expliqua comment allaient se dérouler les recherches.

— Nous avons fait venir les équipes de sauveteurs affectées à cette partie de l'Etat et nous avons demandé des renforts de Virginie. Ils sont en train d'arriver. Ils sont...

— Valerie?

237

Son collègue l'appelait et elle tourna la tête vers lui.

— Oui ?

— Le gars est là avec les W.-C. chimiques. Il demande où tu veux qu'il les installe.

— Où tu voudras, voyons !

Elle retourna à ses interlocuteurs.

— Nous allons travailler selon la technique des détachements spéciaux, c'est-à-dire combiner divers moyens de recherche, pour augmenter nos chances de retrouver votre fille. On va commencer par les chiens, en quadrillant le terrain de façon que chaque chien et chaque maître-chien ait à couvrir un espace déterminé. Puis, derrière eux, pour éviter que leur odeur ne désoriente les chiens, viendront les chercheurs au sol.

— On peut participer aux recherches au sol ? demanda Janine.

— Je regrette... Nos hommes sont formés pour cette tâche, ils sont entraînés à repérer les empreintes, les traces de passage, etc.

— Mais je pensais que nous pourrions aller dans les bois et les aider !

— Il faudra nous faire confiance. Je sais qu'il est très pénible d'attendre sans rien faire, mais c'est votre tâche à vous. Oh, encore une chose...

Elle alla à l'autre bout du camion et revint avec un grand sac en plastique blanc, qu'elle ouvrit devant Janine. Une odeur de brûlé monta aux narines de la jeune femme, mais elle reconnut aussitôt le sac à dos, noirci et calciné par endroits, de Sophie.

— C'est à Sophie !

— Exact. C'était dans le coffre, alors ça n'a pas brûlé complètement. Si vous pouviez regarder dedans et choisir un ou deux objets susceptibles d'avoir gardé l'odeur de votre fille...

Les mains tremblantes, Janine ouvrit, sans sortir le sac du plastique, la fermeture à glissière. Elle prit un tee-shirt représentant Winnie l'Ourson et le porta à son nez.

— Oh, mon Dieu !

Elle le pressa contre son visage pour sentir l'odeur de sa fille, puis le tendit à Valerie Boykin.

— Ça sent surtout la fumée, mais l'odeur de Sophie est juste en dessous.

— Parfait ! On verra ce que les chiens pourront en tirer. (Elle reprit le sac en plastique et le déposa sur le sol.) Il y a un autre point dont il faut que je vous parle, bien que je ne croie pas que ça affecte en quoi que ce soit les recherches. Mais je préfère que vous le sachiez.

— De quoi s'agit-il ?

— Vous connaissez Zoe, l'actrice ?

Ils acquiescèrent. Janine fronça les sourcils. Zoe était morte. Quel rapport pouvait-il y avoir entre cette bonne femme et Sophie ?

— Vous vous souvenez peut-être que sa fille, Martina Garson, a été condamnée pour le meurtre d'une autre actrice.

— Ah oui, Tara Ashton, dit Paula.

Janine se souvint des descriptions réalistes d'un assassinat à coups de marteau et du procès, qui avait fait grand bruit.

— Quel est le rapport avec Sophie ?

— Eh bien, il y a quatre ou cinq jours, Martina Garson s'est évadée de sa prison, en Californie. Elle a bénéficié de la complicité d'un des gardiens, et l'on pense qu'ils voyageaient ensemble. En cavale tous les deux, quoi! Hier soir, des randonneurs sont tombés sur un véhicule abandonné dans un chemin de terre, à environ quinze kilomètres d'ici à vol d'oiseau. De l'autre côté de ces forêts. (Elle indiqua vaguement les bois.) A l'intérieur, il y avait un mort, tué par balles. Il a été identifié : c'est le gardien de prison.

Janine jeta un coup d'œil à Lucas, qui fronçait les sourcils d'un air soucieux.

— Qu'est-ce que ça signifie?

— Eh bien, il est à peu près certain que Martina Garson a, pour une raison ou pour une autre, tué le gardien. Il n'y a aucun doute qu'elle était dans cette voiture. On y a trouvé des canettes de bière et des emballages avec ses empreintes digitales. Peut-être se sont-ils battus, personne ne sait. Peut-être avait-elle juste besoin de son aide pour traverser le pays. Quoi qu'il en soit, l'hypothèse est qu'elle l'a abattu et a continué à pied.

— Mais si c'est à quinze kilomètres d'ici, objecta Joe, en quoi ça peut concerner les recherches pour Sophie?

— En rien, sans doute. Toutefois les recherches pour Garson ont commencé sur ce chemin de terre, exactement comme celles que nous avons organisées ici pour retrouver Sophie. Quinze kilomètres, c'est certes une bonne distance, mais une personne désespérée peut couvrir pas mal de terrain en fort peu de temps. Ce qui veut dire que nous allons être obligés de nous montrer prudents. Garson est armée et considérée comme dangereuse. Nous ne voulons pas faire courir de risque à nos équipes.

— Représente-t-elle un danger pour Sophie?

La responsable des recherches se mordilla les lèvres, et hésita un peu avant de répondre.

— Madame Donohue... Janine... vu l'état de la Honda...

— Je sais, je l'ai vue !

— Vu son état et celui des deux victimes, il est plus que probable que Sophie a été sérieusement blessée dans l'accident. Je doute qu'elle ait été capable d'aller assez loin pour que la présence de Garson dans les parages lui fasse courir un quelconque danger.

— Vous pensez qu'elle est morte, hein ?

— Nous partons de l'hypothèse qu'elle est encore en vie. Mais nous avons aussi fait venir des chiens dressés à retrouver des corps, au cas où...

— J'espère que vous avez aussi des chiens dressés à retrouver des personnes vivantes ! (Lucas posa la main sur son épaule.) Je sais que Sophie est vivante, je l'ai senti quand j'étais en bas hier soir.

Valerie Boykin acquiesça machinalement. Elle devait penser qu'elle avait une mère cinglée sur les bras.

— Si elle est vivante, on la retrouvera. Mais il faut que vous sachiez que les chiens n'auront pas la tâche facile. Après la pluie d'hier, ils auront davantage de mal à repérer son odeur. Et on prévoit encore de la pluie pour cet après-midi.

— Comment sont les bois, par ici ? demanda Paula. Ils sont habités ?

— Non. La forêt est très dense, ce qui ne va pas faciliter le travail des chiens. Il y a ici et là quelques constructions abandonnées, de vieilles cahutes, en fait, mais plus personne n'habite par ici.

— Il y a des animaux ?

— Rien d'exceptionnel. Des biches, quelques ours, mais on les voit rarement. Des randonneurs ont aperçu des pumas, mais c'est vraiment rarissime.

— On ne peut pas survoler en hélicoptère ?

— Les bois sont beaucoup trop épais.

— Val ?

Un homme passa la tête par la porte et la responsable lui fit un signe de la main.

— J'arrive ! Il faut que j'y aille. Je vous suggère de retourner au motel dormir un peu, ou...

— Pas question ! coupa Janine.

« Rentrer au motel ? Cette femme est folle ! »

— Alors installez-vous sur la route. Vous pouvez monter dans le camion de temps en temps pour vous mettre à l'ombre, mais il est trop petit pour que vous y entriez tous. On a des chaises pliantes, si vous voulez...

— Valerie ? appela de nouveau l'homme.

— Il faut que j'y aille. Tenez-moi à tout moment informée de l'endroit où vous êtes et je vous tiendrai au courant de nos progrès.

Elle sortit. Janine regarda Lucas.

— Qu'est-ce qu'on fait ?

— Eh bien, on s'installe sur la route.

Ils empruntèrent des chaises et les déplièrent sur le bas-côté. Paula alla avec la voiture de Joe à la ville voisine acheter des provisions, de la lotion anti-moustiques et de la crème solaire, bien que la route dût être à l'ombre la majeure partie de la journée. Janine protesta qu'ils n'en auraient pas besoin.

— On ne va pas rester ici très longtemps !

Elle le pensait sincèrement. Il y avait tant d'hommes et de chiens à la recherche de sa fille qu'il

242

semblait impensable que l'enfant ne soit pas rapidement retrouvée.

Mais la matinée s'écoula et les heures s'égrenèrent sans que la responsable leur fasse signe. Pourtant des hommes montaient régulièrement dans le camion lui parler. Les parents de Janine arrivèrent vers treize heures, inquiets et graves. Ils avaient apporté des sièges plus confortables, des sandwichs et des boissons, et les distribuèrent. Ils avaient aussi pensé à acheter des shorts et des tee-shirts pour Joe, Janine et Paula. Lucas avait été ostensiblement oublié. Ils placèrent leurs fauteuils à côté de ceux de Joe et Paula. Janine entendit son ex-mari leur expliquer comment étaient organisées les recherches.

— On a entendu en venant une information sur la fille de Zoe, dit la mère de Janine. Elle est tout près d'ici.

— Pas tout à fait, protesta Joe. A au moins quinze kilomètres d'ici.

— Pas assez loin à mon goût ! déclara Frank Snyder.

— Zoe n'a jamais accepté la culpabilité de sa fille.

Paula avala une bouchée de sandwich avant de prendre part à la conversation.

— J'ai toujours pensé qu'elle n'était pas vraiment prouvée.

— Elle a quand même un peu trop eu recours à la chirurgie esthétique, elle ne se ressemblait même plus.

— Elle s'y sentait probablement obligée. Son public s'attendait à ce qu'elle reste belle.

Janine, essayant de ne pas entendre cet échange de banalités, partagea son sandwich avec Lucas. Les yeux gonflés et les traits tirés, il semblait épuisé.

« J'ai sans doute la même tête... »

Vers quinze heures, Valerie Boykin sortit enfin du camion et se dirigea vers eux. Elle tenait à la main un objet que Janine prit pour un téléphone portable et parla sans leur laisser le temps de poser des questions.

— Rien de bien nouveau... Je voudrais juste éclaircir quelques détails.

Frank Snyder se leva pour lui offrir son fauteuil, mais elle déclina sa proposition d'un geste, et Janine reconnut l'objet qu'elle tenait à la main. Elle bondit sur ses pieds.

— Mais c'est la chaussure de Sophie !

— C'est une des questions que je voulais vous poser. (Elle lui tendit la chaussure, sale et détrempée, mais intacte.) C'est bien à elle ?

— Oui, j'en suis certaine.

Elle serra la chaussure contre sa poitrine comme un trésor.

— Où l'avez-vous trouvée ? demanda Joe.

— A moins de dix mètres du lieu de l'accident. Mais on n'a rien trouvé d'autre.

— Vous avez dit que vous aviez quelques détails à éclaircir.

— Oui. D'abord je voudrais vous dire que nous sommes très inquiets de ne pas l'avoir encore retrouvée. Vu qu'elle est sans doute blessée et qu'il lui manque une chaussure, nous ne comprenons pas comment elle a pu aller si loin.

— Qu'est-ce que ça signifie ?

— Eh bien, monsieur Donohue, il nous faut envisager l'hypothèse qu'elle ait... succombé à ses blessures et ait été trouvée par un animal, et...

— Vous n'allez quand même pas abandonner les recherches, supplia Janine.

— Il n'est pas question d'abandonner. Nous nous demandons comment il se fait que nous ne l'ayons pas trouvée, avec tous les moyens dont nous disposons. Nous avons des statistiques sur le comportement des enfants perdus. Un enfant de six à douze ans cherche le chemin le plus facile. Malheureusement, il n'y a pas le moindre sentier en bas, ce qui rend la situation bien plus difficile et pour elle et pour ceux qui la cherchent.

— Elle n'aurait pas pu remonter sur la route et la suivre, au lieu de s'enfoncer dans les bois ? demanda le père de Janine.

— Il nous semble peu probable qu'elle ait pu remonter sur la route à partir du lieu de l'accident. C'est beaucoup trop abrupt. Mais nous explorons tous les chemins, au cas où elle y serait arrivée. Mais, qu'elle soit sur la route ou dans les bois, un enfant de huit ans en bonne santé est généralement retrouvé à moins de quatre kilomètres de l'endroit où on l'a vu pour la dernière fois. C'est rare, vraiment très rare de le retrouver plus loin. Et on ne peut pas dire que Sophie soit en grande forme physique.

— Vous n'allez pas vous contenter de chercher dans un rayon de quatre kilomètres, quand même ! protesta Janine.

— Bien sûr que non. On n'abandonne pas les recherches comme ça. Surtout quand il s'agit d'un enfant.

Vers dix-huit heures, Joe et Paula retournèrent au motel avec les parents de Janine. Celle-ci resta avec Lucas, mais un orage éclata et les recherches furent

245

interrompues pour la nuit. Joe leur avait laissé sa voiture et ils regagnèrent à leur tour le motel. Janine n'avait plus l'énergie de jouer la comédie et alla droit à la chambre de Lucas sans même entrer dans la sienne. Complètement épuisée, elle se laissa tomber à côté de lui. Mais, chaque fois qu'elle fermait les yeux, elle voyait dans sa tête le camion blanc, les hommes des équipes de recherche avec leurs grosses chaussures, les chiens aux yeux impatients et les grands bois qui avaient avalé Sophie.

— Il faut que je retourne à Vienna demain, dit soudain Lucas.

Ils avaient un peu parlé, puis étaient tombés dans un silence de découragement, et le son de sa voix surprit autant Janine que les mots qu'il venait de prononcer.

— Pourquoi?

— Juste pour la journée. (Il avait passé un bras sur ses épaules et la serra contre lui pour la calmer.) J'ai quelque chose à y faire. Mais je voulais te suggérer de venir avec moi, et...

— Tu as quelque chose à y faire? Que peux-tu avoir de plus important à faire que de rester ici?

— Ce n'est pas plus important, mais je dois absolument m'en occuper et je ne peux pas le faire d'ici...

Lucas avait toujours gardé certains détails de sa vie pour lui. En général, ça ne dérangeait pas Janine, mais, ce soir-là, elle en fut irritée.

— Ça a un rapport avec ta recherche d'un autre travail?

« Comment peut-il seulement parler de partir? » Lucas soupira.

246

— Non. C'est un projet sur lequel je travaille en collaboration avec d'autres personnes et ils attendent de moi des éléments dont ils ont un besoin urgent.

— On peut trouver un ordinateur portable.

Lucas secoua la tête.

— Toute ma documentation est chez moi. Je suis désolé, mais il faut absolument que je retourne là-bas. Et je pensais que ce serait bien si tu m'accompagnais pour...

— Il n'est pas question que je parte d'ici !

Sa voix était chargée de colère et il hésita un peu avant d'insister.

— Tu ne sers pas à grand-chose, ici, ma chérie. Les recherches continueront sans toi et mon idée était que tu passes au cabinet du Dr Schaefer et que tu lui demandes un peu de ce remède aux plantes, l'Herbaline. Ce qui fait que si... quand on retrouvera Sophie, on pourra le lui administrer immédiatement. Il faut que je loue une voiture pour retourner à Vienna. Je l'y laisserai et on pourra revenir avec ma voiture, ou la tienne. Comme ça on en aura une ici.

Elle lui déposa un baiser sur la joue.

— Merci...

— De quoi ?

— De penser qu'on retrouvera peut-être Sophie encore vivante. J'avais l'impression d'être la seule à y croire. Et d'avoir confiance en l'Herbaline.

— J'ai vu de mes propres yeux combien le traitement a amélioré son état.

— Joe aussi, mes parents aussi. Mais ça ne les a pas fait changer d'avis.

— Alors, tu viens avec moi ?

— Oui.

Elle s'approcha de lui, ferma les yeux. Elle allait essayer de dormir. Pourvu que son sommeil soit interrompu par la bonne nouvelle qu'elle désirait tant entendre...

22

Dès qu'elle entendit les oiseaux saluer l'arrivée du jour, Zoe ouvrit les yeux. La lumière commençait juste à filtrer dans la pièce, et, de sa couchette, elle voyait un cardinal perché sur un arbre de l'autre côté de la moustiquaire recouvrant la fenêtre.

A son arrivée dans la hutte, elle avait trouvé un morceau de grillage à moustiquaire à demi enterré près des latrines, et elle l'avait cloué aux deux fenêtres de la chambre. Pas très utile car les autres fenêtres n'en avaient pas, mais cela lui faisait plaisir d'offrir à sa fille une chambre sans insectes.

Il fallut quelques minutes à Zoe pour se souvenir qu'elle n'était plus seule dans sa hutte. Puis le souvenir de la petite fille lui revint, si lentement que, quand elle leva la tête pour regarder la couchette à l'autre bout de la chambre, elle s'attendait presque à la trouver vide, l'enfant disparue. Comme si sa présence n'avait été que le fruit de son imagination. Mais elle était bel et bien là, un petit être dont le corps gracile soulevait à peine le drap mauve. Elle dormait sur le côté, tournant le dos à Zoe, et ses cheveux roux étaient éparpillés sur l'oreiller.

Zoe reposa la tête sur son propre oreiller et ferma

les yeux. Qu'allait-elle faire de cette enfant ? Etait-elle gravement malade ? La veille, en se réveillant de sa sieste, Sophie avait à peine réussi à garder les yeux ouverts le temps que Zoe lui nettoie et lui bande le pied, qui n'avait pas très belle allure, avant de s'effondrer à nouveau sur le lit. Depuis, elle dormait, rattrapant sans doute les trois nuits d'horreur seule dans la forêt.

C'était une gentille petite, une gamine intelligente, et tout ce qu'elle demandait, c'était de rentrer à la maison. Mais Zoe ne savait pas trop comment s'y prendre pour la renvoyer chez elle sans faire courir un grave danger à Marti.

Durant la nuit, elle avait eu une idée. Elle accompagnerait Sophie jusqu'à la route, huit kilomètres à travers la forêt. Elle laisserait dans la hutte un mot expliquant son absence, au cas où Marti arriverait. Il faudrait d'abord qu'elle trouve une chaussure pour la petite. Et, même ainsi, son pied était en si mauvais état que Zoe ne la voyait pas marcher pendant un kilomètre, et encore moins huit. Mais c'était un obstacle mineur. Si besoin était, elle la porterait sur ses épaules.

Donc, elle la conduirait à la route. Elle était très peu fréquentée, et elles auraient certainement à attendre longtemps que passe un véhicule. Dès qu'elles en entendraient un arriver, Zoe se cacherait et Sophie lui ferait signe de s'arrêter. Il faudrait bien lui expliquer à l'avance de ne pas trahir la présence de Zoe. Ça ne plaisait pas du tout à celle-ci de laisser la fillette monter en voiture avec un inconnu dont elle ignorerait les intentions, mais elle ne voyait pas d'autre solution.

Il y avait toutefois un autre problème : Sophie l'avait reconnue. La veille, en mangeant, elle avait vu Sophie la regarder fixement par-dessus le feu.

« Vous êtes la plus jolie dame que j'aie jamais vue. »

Zoe n'avait pu s'empêcher de se sentir flattée que l'enfant la trouve, à soixante ans, digne d'un tel compliment.

« Vous ressemblez à Zoe », avait continué la fillette.

La satisfaction de l'artiste avait fait place à l'appréhension. Elle était fort déçue que même avec ses cheveux coupés, blancs à la racine, et son absence de maquillage elle puisse être reconnue par une enfant de huit ans.

« Oui, on me l'a déjà dit... mais moi je ne vois pas la ressemblance.

— Oh si ! Vous êtes exactement comme elle, comme elle était dans ce film de Noël.

— Ah oui, je m'en souviens... »

Zoe n'avait accepté ce rôle que sur l'insistance de Max et ça ne lui avait pas trop plu de jouer une grand-mère. Une grand-mère moderne et dynamique, certes, mais quand même une grand-mère.

Elle revint au présent. Donc, un gentil automobiliste prendrait Sophie dans sa voiture et la conduirait au commissariat ou au bureau du shérif. Sophie leur raconterait qu'une dame ressemblant à Zoe s'était occupée d'elle dans les bois. Ce n'était pas si grave. Tout le monde croyait Zoe morte depuis des mois, et, si quelqu'un avait des doutes, il ne viendrait jamais à l'idée de personne qu'elle ait pu quitter sa vie dorée de Hollywood pour vivre seule dans ce trou.

— Moi je crois que vous êtes Zoe !

La voix de Sophie fit sursauter l'actrice. La petite fille s'était retournée et la regardait attentivement. Zoe s'assit dans son lit.

— Eh bien, on a fait un bon somme. Comment te sens-tu ce matin ?

— Je vous ai vue de profil, vous avez une petite bosse sur le nez, exactement comme Zoe !

Elle envisagea de discuter avec elle et de lui dire que plein de gens avaient une petite bosse sur le nez, mais elle voyait sur le visage de l'enfant que celle-ci ne la croirait pas.

— Tu as raison, ma cocotte, je suis Zoe.

Sophie s'assit avec un petit sourire de triomphe.

— Je le savais bien !

Elle était si mignonne quand elle souriait ainsi que Zoe ne put s'empêcher d'en faire autant.

— Et j'ai un service à te demander, Sophie, un très grand service.

— C'est quoi ?

— J'ai l'intention de te ramener à la route tout à l'heure, et...

Son sourire disparut.

— A travers bois ?

— Oui. C'est très loin. Mais c'est le seul moyen de sortir d'ici.

— Je ne pourrai jamais retourner dans cette forêt.

La perspective la fit blêmir et les taches de rousseur de son visage devinrent plus visibles.

— Il n'y a pas d'autre chemin, Sophie.

Sophie ne répondit pas, mais le pli soucieux de son front se creusa encore plus.

— Je vais te conduire à la route. Mais... c'est un peu difficile à expliquer... je ne veux pas qu'on sache que je suis ici. C'est extrêmement important. Alors il faut que je te demande de ne révéler à personne que

251

tu m'as vue ici. Ce sera notre secret à toutes les deux. D'accord?

— Et cette chemise, qui me l'aura donnée, alors?

Sophie leva un bras et la manche roulée de la chemise de Zoe glissa de son épaule.

— Tu pourras dire qu'une dame dans la forêt t'a aidée. Ne leur dis surtout pas qui est cette dame, c'est tout.

— Pourquoi ne voulez-vous pas qu'on le sache?

L'enfant n'avait jamais entendu parler de son suicide et l'actrice n'avait aucun intérêt à le mentionner.

— C'est trop compliqué à expliquer. Je ne pouvais plus supporter d'être reconnue partout où j'allais. Je voulais trouver un endroit où je ne verrais personne pendant un moment.

— Je vois...

Elle acquiesça d'un air entendu.

— Alors, voilà ce qu'on va faire... Je vais préparer le petit déjeuner, et puis je te fabriquerai une chaussure et on se mettra en route.

Sophie regarda par la fenêtre la muraille verte formée par les arbres serrés. Zoe les considérait comme sa meilleure protection, mais elle essaya de les voir avec les yeux de Sophie. Comme ça avait dû être effrayant de passer trois jours à ne voir autour d'elle que l'épaisse et fantomatique forêt!

— S'il vous plaît... Vous ne pourriez pas trouver un téléphone et demander qu'on vienne me chercher? Je ne veux pas retourner dans les bois.

Sa lèvre inférieure tremblait. Zoe s'assit à côté d'elle et lui passa la main dans les cheveux.

— Tu es une très vaillante petite fille, Sophie, sinon tu n'aurais pas réussi à passer trois jours toute seule dans les bois. Cette fois je serai avec toi, mon lapin, tu ne seras pas toute seule. Et il fera jour. Tout ira bien.

L'enfant regarda de nouveau les arbres.

— Il y a un arbre à courage, par ici ?

— Un arbre à courage ? Qu'est-ce que c'est ?

— C'est un grand arbre avec des feuilles larges, et il a des trucs comme des fleurs qui tombent sur le sol. Lucas... c'est le copain de ma maman... il dit que si on met une fleur d'arbre à courage sous son oreiller avant de s'endormir, on est plus courageux quand on se réveille le lendemain matin.

— Je ne sais pas trop s'il y en a par ici...

Elle pensa aux arbres qu'elle avait vus dans la forêt. Elle ne s'y connaissait guère en végétation, surtout celle qui poussait à l'est du pays.

— Il n'a pas d'autre nom ?

— Je ne sais pas. Je crois qu'il s'appelle juste l'arbre à courage.

— Et ça marche, quand tu mets une fleur sous ton oreiller ?

— Oui. Lucas m'apporte une de ces fleurs la veille du jour de mon Herbaline. C'est un médicament... Et le lendemain je n'ai pas peur quand on me le met dans la veine.

Elle leva le bras pour montrer la petite marque rouge près du poignet. Zoe frissonna. Le cathéter, les dialyses, et maintenant ça...

— Ce médicament, cette Herbaline, c'est pour tes reins ?

— Oui.

— Et on te le donne souvent ?

— Le lundi et le jeudi. Et je prends aussi d'autres médicaments, tous les jours, pour m'aider à grandir et éviter que je n'aie trop de phosphore et de potassium. Mais je ne les ai pas avec moi ici. Maman m'avait donné juste ce qu'il fallait pour le week-end.

— Eh bien... Tu en sais des choses sur tes médicaments !

— Maman m'explique tout.

— On est jeudi, aujourd'hui. Tu es censée avoir ton Herbaline, alors ?

— Je l'ai manquée lundi aussi. Mais je ne me sens pas malade. Peut-être que je n'en ai plus besoin.

« Ce serait trop beau ! »

— Je vais te dire... tu vas aux toilettes là-bas, tu te débarbouilles à la pompe, et pendant ce temps-là je vais voir si je peux trouver une fleur d'arbre à courage.

— Mais il faut que je dorme avec, pour que ça marche.

Le stock de patience de Zoe commençait à s'épuiser.

— Eh bien, tu feras une petite sieste avant qu'on ne parte.

Une toute petite sieste. Il ne fallait pas trop tarder si elle voulait être de retour avant la nuit.

— D'accord, répondit Sophie sans grande conviction.

Zoe s'habilla et sortit dans la clairière. Elle alluma le feu et y mit l'eau à chauffer. Puis elle alla dans le bois. C'était une splendide matinée et elle n'avait à partager la forêt qu'avec les oiseaux. Mais elle n'avait guère le temps de l'apprécier.

La forêt était si dense que les fleurs y étaient rares. Elle ramassa un exemplaire de tout ce qui pouvait de près ou de loin être considéré comme une fleur... de petites corolles très découpées, rappelant des pompons... de grosses fleurs violettes qu'elle pensait être des rhododendrons... de petits boutons bleus, qui poussaient comme du chiendent sur un arbre un peu différent des autres, et de grosses gousses vert et rose pâle, pleines de graines, qui étaient tombées d'un autre.

Elle rapporta son butin en espérant avoir trouvé au moins une fleur ressemblant à celle de l'arbre à courage.

Sophie n'avait pas bougé.

— J'ai eu peur d'y aller toute seule...

— Peut-être qu'une de ces fleurs va t'aider.

Elle ouvrit ses mains, pleines de fleurs.

— C'est ça !

Sophie prit la gousse vert et rose, y déposa un baiser et la glissa sous son oreiller. Zoe sourit. Cette petite était vraiment adorable.

— Tu crois que tu pourras faire une petite sieste juste après avoir mangé ? Tu as déjà dormi tellement longtemps !

— Je crois, oui. Et peut-être que ça marchera si je m'allonge un petit moment sans dormir.

— Allons, viens, je vais t'accompagner aux toilettes.

Sophie sortit du lit, poussa un cri quand son pied bandé toucha le sol, et le leva aussitôt comme si elle avait marché sur une abeille. Zoe vit que son pied était enflé et la peau de chaque côté du pansement rouge et gonflée. Bon Dieu ! Comment arriverait-elle à traverser la forêt avec un pied dans cet état ?

— Il va falloir qu'on réfléchisse, toutes les deux, il faut absolument qu'on trouve une solution. On doit se transformer en cordonniers... les gens qui fabriquent des chaussures.

— Je sais ce que c'est qu'un cordonnier, protesta l'enfant, vexée.

— Eh bien, on va y réfléchir en mangeant. Tes habits sont sans doute secs, maintenant, je vais te les chercher. Je vais te donner une culotte à moi, elle sera trop grande mais ce sera mieux que rien.

— Vous savez où est mon canif?

— Il était dans ta poche de short, je l'ai posé sous l'auvent.

Zoe entra dans sa hutte, prit une boîte de porridge précuit sur une des étagères improvisées à l'aide de cagettes et de branches. Elle ressortit, alluma le feu. Au bout d'un moment, Sophie alla à cloche-pied s'asseoir sur une des roches plates. Zoe servit un peu de porridge dans un bol et le lui tendit avec une cuiller. Elles commencèrent à manger.

— Tes parents sont divorcés, alors? Tu dis que Lucas est le copain de ta maman.

— Ouais... Le copain de ma maman s'appelle Lucas. Il habite une maison perchée dans les arbres.

— Non?

— Si, c'est vrai. Il a une vraie maison à côté, mais il ne s'en sert presque pas. Et mon père a une amie, elle s'appelle Paula, mais ce n'est pas vraiment une copine.

— Tu t'entends bien avec eux? Lucas et Paula, je veux dire.

— Oui. Ils sont très gentils avec moi.

— Et comment est ta maman?

— Oh... (Elle plongea sa cuiller dans le porridge.) Elle est gentille et elle prend bien soin de moi quand je suis malade. Elle était pilote d'hélicoptère quand j'étais petite, mais maintenant elle reste à la maison avec moi.

« Une bonne mère... Pas comme moi... »

— Et ton papa ?

— Il est comptable, il s'occupe d'argent.

Zoe ne put retenir un sourire. Elle s'exprimait comme un adulte, cette petite.

— En quelle classe es-tu ?

— Au CE1. Depuis qu'on me donne de l'Herbaline, j'ai pu retourner à l'école. Avant, il y avait une dame, une institutrice, qui venait me faire travailler à la maison.

« Sophie a dû être très gravement malade, pensa Zoe. Peut-être l'est-elle encore. Elle a quand même un cathéter. »

— Ça fait longtemps que tu es malade ?

— Depuis l'âge de trois ans, mais c'est à cinq ans que j'ai commencé à être vraiment malade. Alors je n'ai jamais pu aller plus de quelques semaines à l'école.

— Ça a dû être difficile pour te faire des amis, alors.

— Oh, j'avais des amis à l'hôpital. Et j'en ai quand je vais au cabinet du Dr Schaefer, et dans mon équipe de scoutes. (Son visage se ferma et ses yeux se remplirent de larmes.) Je pense que Holly est morte pour de bon.

« Qui diable est Holly ?... Ah oui... »

— Tu veux dire la petite fille qui était dans la voiture avec toi ?

Sophie déglutit péniblement.

— Je ne sais pas comment j'en suis sortie, mais

elle n'est pas sortie, elle. Ça doit faire très peur quand on brûle.

Zoe s'approcha et lui passa un bras autour des épaules.

— Je suis bien contente que tu en sois sortie, mon lapin. Tu as eu beaucoup de chance. Et tu es une petite fille très courageuse, pour avoir survécu dans la forêt. Et je te ramènerai chez toi envers et contre tout.

— Qu'est-ce que ça veut dire?

— Oh, c'est juste une façon de parler.

Sophie posa son bol.

— Je vais faire un petit somme sur la fleur d'arbre à courage. On pourra partir quand je me lèverai. Ça ira?

— OK. Dors bien, ma cocotte.

Elle boitilla en direction de la hutte, puis s'arrêta.

— Les toilettes! Je n'y suis pas allée.

Zoe se leva.

— Je vais t'accompagner.

— Non. (Elle regarda derrière la cabane en direction des latrines cachées par les arbres.) Je peux y aller toute seule, si vous ne bougez pas d'ici.

— Promis.

Zoe resta assise à réfléchir à un moyen de lui trouver une chaussure.. Elle avait apporté trois paires de chaussures de marche et une paire de très bonnes chaussures de montagne. Les pieds de Sophie étaient bien plus petits que les siens, mais, en tenant compte de l'enflure et du bandage, elle arriverait peut-être à marcher, si on en rembourrait une.

Elle emportait les bols à la pompe quand elle entendit des rameaux craquer derrière elle. Elle lâcha aussitôt les bols, courut à la hutte, saisit son fusil et le leva. Le bruit se rapprocha. Elle ressentit un mélange de crainte et de soulagement. Si seulement c'étaient les gens qui cherchaient Sophie! Elle ferait son numéro de vieille montagnarde, ils emmèneraient la petite et elle n'aurait pas à faire ce trajet, seize kilomètres en tout, dans la forêt. Et surtout elle n'aurait pas à s'inquiéter que Marti, en arrivant à la hutte, ne découvre que sa mère était absente. Elle attendit, le fusil braqué en position de tir. Elle aperçut du jaune derrière les arbres, puis Marti émergea des bois et courut vers elle.

— Marti!

Zoe abaissa son fusil et serra sa fille dans ses bras.

— Oh, ma chérie, tu y es arrivée! Ce que tu as maigri!

Marti n'avait que la peau sur les os.

— Oh, maman! J'ai passé toute la nuit dans les bois! C'était horrible, je n'avais pas de torche. Tu aurais dû m'en laisser une!

Une torche électrique! Bien sûr! Pourquoi n'y avait-elle pas pensé?

— Enfin, tu es arrivée. Tu es en sécurité, maintenant.

Les mots mêmes qu'elle avait dits à Sophie. Mais l'enfant avait, elle, passé trois nuits dans les bois.

— Pourquoi n'as-tu pas dit au gardien de te conduire dans la forêt tôt le matin? Tu aurais eu toute la journée pour traverser les bois.

— J'étais obligée de faire comme il voulait, maman.

Elle s'écarta d'elle, les yeux baissés, et agita la main. Zoe s'aperçut alors qu'elle était armée.

— Où as-tu trouvé ce revolver?

— Je me suis arrangée pour le lui prendre... A Angelo, le gardien. (Marti s'assit sur une des roches plates.) Tu avais trop serré les nœuds de ces bouts de tissu, il m'a fallu des siècles pour les dénouer.

— Désolée... Je voulais être certaine que le vent ne les emporterait pas.

— Ça ne risquait pas.

Marti posa sa tête sur sa main. Elle paraissait complètement épuisée, pâle, en mauvaise santé, aussi fragile que vers la fin de son procès. Le regard de sa mère revint au revolver.

— Qu'est-ce que tu veux dire, tu lui as pris son revolver? De force? Il a eu son argent...

Des feuilles bougèrent de l'autre côté de la hutte et Marti ouvrit des yeux terrifiés. Elle se leva d'un bond et, tenant l'arme à deux mains comme un policier bien entraîné ou un criminel endurci, le braqua sur le coin de la hutte juste à l'instant où Sophie apparaissait. Zoe bondit et lui saisit le bras.

— Ne tire pas, voyons!

La fillette était debout sur un pied à la lisière de la clairière, bras levés et visage terrifié. Marti abaissa son revolver.

— Bon Dieu, qui c'est, ça?

— Pose ton arme par terre, Marti! ordonna Zoe.

La jeune femme posa son revolver sur le sol et Sophie abaissa les mains. Zoe lui fit signe d'approcher.

— Allons, viens, Sophie.

La petite obéit.

— Tout le monde te menace d'une arme, ces temps-ci, hein ma cocotte? remarqua-t-elle gaiement, bien que la réaction de Marti à la soudaine arrivée de la fillette l'ait laissée toute tremblante.

Elle serra contre elle le frêle petit corps.

— Sophie, je te présente ma fille, Marti. Marti, voilà Sophie. Elle s'est perdue dans les bois il y a quelques jours et elle est arrivée ici. Je vais la ramener à la route, et...

— Quoi ?

— Nous en avons discuté. Je me cacherai et j'attendrai que quelqu'un la prenne en voiture, se hâta-t-elle d'ajouter. Sophie comprend que personne ne doit savoir qu'elle m'a vue... N'est-ce pas, Sophie ?

L'enfant, les yeux fixés sur Marti, semblait terrorisée. Elle réussit pourtant à hocher affirmativement la tête.

— Mais maman, tu ne peux pas faire ça ! On va me chercher, ces bois vont fourmiller de gens, il y en a sans doute déjà.

— Pourquoi veux-tu qu'on te cherche, Marti ? Comment peut-on savoir que tu es ici ?

Zoe sentit Sophie s'approcher tout près d'elle.

— Ils le savent, c'est tout.

L'inquiétude de sa mère grandit.

— Ecoute, Marti, tu ferais mieux de m'expliquer ce qui s'est passé. Tu as le revolver du gardien... je ne comprends pas. Il y a eu une complication ?

— C'est le moins qu'on puisse dire !

— Bon... Restons calmes. Asseyons-nous, d'abord. Choisis ton rocher.

Elle s'assit sur le rocher plat le plus proche et Sophie se colla à elle.

— Pas à l'extérieur !

— Mais enfin, personne ne peut nous voir !

— Tu ne comprends pas. Rentrons, maman !

Plus facile d'aller s'asseoir dans la hutte que de la contredire. Zoe soupira, se leva et suivit sa fille. Elle avait passé un bras protecteur autour des épaules de Sophie, qui boitait à côté d'elle, évitant le plus possible de poser son pied blessé. Elle fut obligée de l'aider à monter les marches. Elle ne se voyait pas parcourir huit kilomètres comme ça dans la forêt.

— Mon Dieu! C'est là que tu habites?

La fugitive regardait, les yeux écarquillés, la petite pièce avec le canapé recouvert d'un drap, les murs sales, les étagères de fortune.

— Ça doit grouiller de bestioles, là-dedans! Tu n'as même pas de moustiquaire aux fenêtres.

Zoe, un peu embarrassée, rit.

— Exact. Il n'y a même pas de vitres, en fait.

Elle espérait que la mauvaise humeur de sa fille était provoquée par sa nuit dans les bois et ne durerait pas.

— Mais j'ai mis des moustiquaires aux fenêtres de la chambre, ajouta-t-elle.

— Où suis-je censée m'asseoir?

— Le drap sur ce canapé est propre et tu as une chaise ici.

Elle montra une vieille chaise boiteuse dans un coin, regarda Marti s'y asseoir prudemment, et s'installa sur le canapé, Sophie si près d'elle qu'elle était pratiquement sur ses genoux.

— Tu sais, tu vas être obligée de t'habituer à un peu de saleté. Et d'accepter des conditions de vie rien moins qu'idéales.

Les yeux pleins de larmes, sa fille la regarda avec irritation.

— Ne me parle pas d'accepter des conditions de vie rien moins qu'idéales! Tu ne peux pas imaginer ce que j'ai vécu. Je sors de la prison la plus crasseuse, la plus sordide, la plus brutale de la terre!

Zoe regretta sa dureté. Elle devait garder à l'esprit tout ce que sa pauvre enfant avait souffert, injustement, punie pour un crime qu'elle n'avait pas commis. Et cela parce que sa mère n'avait pas été capable de choisir pour la défendre d'assez bons avocats. Elle n'avait pas l'air du tout en bonne santé. Ses cheveux étaient plus longs qu'elle ne les avait jamais portés, sans doute ne les avait-elle pas coupés depuis son incarcération, et ils avaient perdu leur lustre doré. Même son regard bleu était terne.

— Pardon, ma chérie. Alors, raconte. D'abord, dis-moi pourquoi tu crois qu'on te recherche par ici?

Marti sortit une cigarette de sa poche et l'alluma avec un briquet. Zoe lui avait toujours interdit de fumer dans la maison de Malibu, mais elle jugea que, pour le moment, il valait mieux la laisser faire.

— Je pense qu'on va me rechercher par ici parce que Angelo m'a avertie qu'il dirait à la police où il m'avait laissée.

— Mais pourquoi ferait-il ça? Il a eu son argent, non? Ça ne servirait qu'à lui attirer...

— Comment veux-tu que je sache pourquoi? (Sa voix était très lasse. Elle se passa les mains sur le visage.) Il y a longtemps que j'ai renoncé à essayer de le comprendre. Je te répète juste ce qu'il m'a dit.

— Il bluffait, tu ne crois pas, Marti?

— Non, je ne crois pas. (Elle inspira une bouffée de cigarette.) Je crois qu'il va le leur dire, qu'ils vont venir et organiser une battue.

— Mais ils l'arrêteront, lui aussi.

— Je sais que ça semble absurde. (Elle agita les mains et de la cendre tomba sur le sol. « Elle va mettre le feu à la maison ! ») Il va peut-être donner un coup de téléphone anonyme d'une cabine. Tout ce que je sais, c'est que ce type me déteste et qu'il est dénué de tout scrupule.

— Eh bien, même s'il prévient, il t'a laissée à la grange, non ? Tu es retournée en arrière de deux bons kilomètres et tu t'es enfoncée de quinze kilomètres dans les bois, alors il est peu probable que...

— Ils ont des chiens, maman. Ils retrouveront ma trace.

Des chiens ! Elle n'y avait pas pensé.

— Eh bien, qu'est-ce que tu suggères ?

— Tout d'abord, il n'est pas question que tu me laisses seule pour emmener cette gosse à la route, dit-elle en montrant Sophie du doigt.

— Je suis bien obligée, Marti. Je n'ai pas vraiment le choix, tu sais.

— Il ne fallait pas l'inviter.

— Je ne l'ai pas invitée ! Elle s'est perdue. Elle vient juste d'arriver.

Elle sentit un tremblement sous son bras et baissa les yeux. Sophie pleurait.

— Tout va bien, voyons. Ne t'en fais pas, on trouvera une solution, ma cocotte. Sophie est rescapée d'un accident de voiture, et elle s'est perdue dans les bois. Tu vois comment tu te sens après une nuit dans la forêt ? Eh bien, elle y a passé trois nuits, elle !

Marti regarda la fillette et se radoucit.

— D'accord. Très bien. Mais elle va être obligée de rester avec nous, alors. Tu ne peux pas la ramener.

— Non... pleurnicha Sophie.

— Marti, je vais lui trouver une chaussure et la

reconduire à la route. Et le plus tôt ce sera fait, le mieux ça vaudra.

— Et tu crois vraiment qu'elle ne dira à personne qu'elle a rencontré Zoe dans la forêt? Et maintenant elle sait que je suis ici. Ils vont l'accabler de questions, et...

— Je ne dirai rien, promit la petite d'une voix tremblante. Je dirai juste qu'une gentille dame m'a aidée.

— Ah oui? Ils pensent qu'il y a une seule dame dans ces bois en ce moment, et c'est moi. Alors ils continueront à te poser des questions, et tu finiras par...

— Ça suffit, Marti! Calme-toi. On n'est pas obligées de se décider dans la minute qui vient. On a peut-être besoin d'un temps de réflexion... Sophie? Pourquoi tu n'irais pas faire un petit somme avec ta fleur d'arbre à courage? Quand tu te réveilleras, on te dira ce qu'on a décidé. Toi aussi, tu devrais peut-être aller te reposer, Marti...

Elle allait lui laisser son matelas, elle se bricolerait un endroit où dormir avec des vêtements et du linge.

— Bonne idée! (Elle prit une autre bouffée.) Comme si je pouvais dormir!

Sophie se leva et partit en boitant dans la chambre, dont elle ferma la porte derrière elle.

— Tu as vu comme elle boite! Combien y a-t-il d'ici à la route?

— Ce n'est pas tout près. Huit kilomètres. Il va falloir lui trouver une béquille.

— Tu ne la feras pas marcher huit kilomètres avec un pied dans cet état.

Zoe soupira. Sa fille avait sans doute raison.

Sophie ne se plaignait pas, mais il était évident qu'elle pouvait à peine poser le pied sur le sol. Coudes appuyés sur les genoux, Marti se pencha vers elle.

— Maman, s'il te plaît... Je t'en supplie... On ne peut pas la laisser partir, on est obligées de rester toutes les trois ensemble. Ils vont me chercher. (Sa voix se brisa.) Et je ne peux pas retourner là-bas, maman. C'est tout bonnement impossible.

Elle se cacha la tête dans les mains et fondit en larmes. La douleur qui traversa Zoe en voyant ses épaules secouées de sanglots fut presque insupportable. Elle se pencha vers elle.

— Oublions Sophie pour l'instant. Parle-moi de toi, dis-moi comment c'était à Chowchilla, comment tu as réussi à en sortir. Raconte-moi tout.

Marti releva la tête, s'essuya les joues avec les mains. Sa cigarette s'était consumée et elle chercha du regard où écraser le mégot. Zoe lui tendit une des écuelles posées sur l'étagère.

— Ça a été horrible, maman. Plus affreux que tout ce que tu peux imaginer, la nourriture était immonde, mais ce n'était pas le pire. Les autres détenues étaient de vraies criminelles, elles, on m'a jetée au milieu d'authentiques meurtrières. Et bien sûr, si je protestais que j'étais innocente, que j'étais victime d'une erreur judiciaire, elles se moquaient de moi. (Elle regarda par la fenêtre et parut un instant oublier où elle était.) Tu te rends compte, les lumières restent allumées vingt-quatre heures sur vingt-quatre, sept jours sur sept. Si tu savais comme ça peut te rendre folle! Et le bruit, constamment, renvoyé en écho le long des galeries. Il y a eu deux suicides pendant que j'étais là-bas, et crois-moi, j'y ai pensé aussi.

— Oh, Marti...

— Ils m'ont violée toutes les nuits, et...

Zoe était horrifiée.

— Qui ça?

— Les gardiens, bien sûr. (Marti la regarda, puis baissa les yeux.) On n'y peut rien, c'est normal, là-bas. Tout le monde le sait et tout le monde le fait. Les prisonnières sont traitées comme de la merde. On n'est même plus des êtres humains, on est juste là pour le plaisir des gardiens.

— Oh! Marti, je suis désolée... Viens t'asseoir ici.

Elle tapota le canapé à côté d'elle. Marti quitta sa chaise et s'assit près d'elle, et Zoe l'entoura de son bras. Ça lui paraissait bizarre, de câliner sa fille. Il n'y avait jamais eu beaucoup de démonstrations d'affection entre elles. Mais, dorénavant, tout allait changer. Elle était soulagée de voir sa fille accepter et même désirer qu'il en soit ainsi.

— Si seulement j'avais pu empêcher ton transfert là-bas! Je me suis sentie si impuissante...

— Ça a été encore pire pour moi parce qu'ils savaient que j'étais ta fille, continua celle-ci d'une voix chargée de larmes. Ça faisait bien de se vanter d'avoir baisé la fille de Zoe.

Zoe se crispa.

— Oh, ma pauvre chérie. Etre ma fille t'a toujours rendu la vie plus difficile, je le sais bien, j'en suis désolée.

— Et Angelo n'était pas meilleur que les autres. Je l'ai choisi parce que je savais qu'il était du genre à se laisser acheter si j'y mettais le prix. Ce qui veut dire qu'il était une ordure du bout des orteils à la racine des cheveux. Il m'a obligée à coucher avec lui durant tout notre voyage, maman, deux ou trois fois par nuit.

Le fantasme entretenu par Zoe d'une plaisante camaraderie entre les deux fugitifs s'évapora.

— Il était collant et répugnant. Après, j'allais vomir dans les toilettes. Ce dont je rêve, maintenant, c'est d'un long bain bien chaud. (Elle regarda autour d'elle.) Je suppose que tu n'as pas de salle de bains ici, hein ?

Zoe repoussa une mèche de cheveux tombant sur le front de sa fille.

— Juste des latrines dehors. Mais on a une pompe et je peux te faire chauffer de l'eau.

— Non ! (Elle se leva, alla à la porte, inspecta la clairière.) Plus de feu, pour l'amour du ciel ! Et il faut prévoir ce qu'on va faire si quelqu'un débarque ici, nous faut une position de repli.

— Réglons d'abord le problème Sophie. On ne peut pas la garder ici, Marti, réfléchis... Sa famille sait certainement qu'elle a disparu, il doit y avoir des recherches. Le plus tôt elle sera sur la route, le mieux ce sera pour nous deux.

— Maman ! (Marti se retourna brusquement.) Elle va cafter, c'est sûr !

— Je ne crois pas. Je lui en reparlerai en chemin. C'est une gentille petite et, tout ce qu'elle veut, c'est rentrer chez elle. Si on lui demande de garder le secret, elle le fera.

— Tu rêves !

— Ecoute-moi... Elle est malade. Je ne sais pas si

ce dont elle souffre est grave, mais elle a un problème rénal. Elle a même un cathéter à l'abdomen.

— C'est quoi ?

— Un petit tube pour la relier à une machine qui fonctionne comme les reins.

Marti secoua la tête d'un air incrédule.

— Mais bon sang, qui l'a laissée venir par ici, si elle est dans cet état ?

— Peu importe. Ce qui compte, c'est de la ramener à la route, et c'est exactement ce que je vais faire. Je ne changerai pas d'avis, Marti. Si on part dès qu'elle est réveillée, je devrais pouvoir faire l'aller et retour avant la nuit.

— Parfait ! (La fugitive était écarlate de colère.) Si je ne suis pas là à ton retour, tu pourras te dire qu'on m'a retrouvée et ramenée là-bas pour continuer à y être violée et maltraitée !

Elle sortit en essayant de claquer la porte, mais celle-ci se contenta de grincer faiblement.

Zoe la regarda par la fenêtre se précipiter dans les bois. Elle revit la jeune Marti, alors adolescente, qui à la moindre contrariété quittait la maison en claquant la porte. Elle se réfugiait chez une amie ou retrouvait sur la plage un copain prêt à l'écouter d'une oreille complaisante. Et Zoe restait là, écrasée d'impuissance. Comme maintenant... Avec une différence : cette fois, Marti n'avait absolument nulle part où aller.

23

— Comment ça, tu pars?

Joe discutait avec Janine sur le parking du motel. On était jeudi matin. Lucas était parti louer une voiture à la ville voisine et allait revenir chercher Janine.

— Lucas est obligé de rentrer aujourd'hui, et...

— Eh bien, qu'il s'en aille!

Elle refusa d'entendre.

— ... je rentre avec lui pour chercher ce médicament que prend Sophie, pour pouvoir le lui faire administrer dès qu'elle sera retrouvée. On sera de retour demain matin.

Elle avait demandé à Valerie Boykin si les secouristes pouvaient administrer l'Herbaline. Aucun problème à condition d'avoir une ordonnance signée du médecin. Mais, bien que la responsable des recherches ait répondu gentiment, Janine avait eu le sentiment qu'à son avis Sophie n'aurait plus jamais besoin d'Herbaline, ni de quoi que ce soit d'autre, d'ailleurs.

— Pourquoi Lucas est-il obligé de retourner là-bas? Il n'a plus de travail.

— Il a quelque chose d'important à faire.

Elle le défendait, bien qu'elle ait du mal à comprendre qu'il tienne tant à retourner à Vienna. Sa mère, qui avait, comme eux tous, des cernes sous les yeux, descendait l'escalier...

— Qu'est-ce qui se passe? demanda-t-elle à Joe. Il y a du nouveau?

— Lucas rentre à Vienna et Janine part avec lui.

— J'espère qu'il n'a pas l'intention de retourner

travailler à Ayr Creek! Il a compris qu'il est renvoyé, j'espère?

— Tout à fait...

— Je ne crois pas que ce type soit capable de rester en place plus de quelques heures. Quand il venait travailler tôt, il partait en avance. Il est venu ici, il part avant tout le monde. Pourquoi vas-tu avec lui, Janine? Tu le suis comme un petit chien.

— Maman, Sophie a disparu et je n'ai vraiment pas envie de discuter de ça.

— C'est ici que ta fille a disparu, en Virginie-Occidentale, et toi tu rentres à Vienna pour être avec ton amant. Quelle sorte de mère es-tu?

— Janine veut aller chercher ce cocktail de plantes, enfin cette espèce de médicament, pour l'administrer au plus vite à Sophie, au cas où elle serait retrouvée.

« Si Joe croit m'aider! » pensa amèrement Janine.

— Pfeuh! C'est d'une dialyse qu'elle aura besoin, pas de cette potion magique.

— Peut-être. Mais je tiens à avoir de l'Herbaline sous la main.

Lucas entrait dans le parking au volant d'une Taurus blanche. Elle alla vers lui sans dire au revoir à Joe ni à sa mère. Avant même qu'il ait eu le temps de se pencher pour lui ouvrir la portière, elle était assise à côté de lui et attachait sa ceinture de sécurité.

— Partons vite!

Deux heures plus tard, elle et Lucas arrivèrent au centre de santé où se trouvait le cabinet du Dr Schaefer. Janine descendit de voiture.

— Oh, mon Dieu!

— Qu'est-ce qu'il y a?

— Je viens juste de m'apercevoir qu'on est jeudi, le jour de l'Herbaline. Les enfants qui participent à l'étude du Dr Schaefer vont venir toute la journée pour leur perfusion.

— Et alors ?

— C'est juste que... (Elle referma la portière mais resta immobile.) Je vais voir tous ces enfants et leurs mères. Je les connais bien, Sophie et moi on les rencontrait ici tous les lundis et tous les jeudis. Seulement, aujourd'hui, Sophie n'est pas avec moi.

Lucas fit le tour de la voiture et la serra contre lui.

— Tu veux que j'y aille ? Téléphone au Dr Schaefer et dis-lui que je viens à ta place et qu'il peut me le donner.

Elle secoua la tête et regarda l'entrée du bâtiment.

— Je suis peut-être folle... Je sais que Valerie Boykin pense que c'est absurde de ma part d'aller chercher ce médicament. Elle est persuadée que Sophie est morte. Et tous ces gens qui cherchent sont du même avis.

— Mais non, Jan. Tu l'as bien entendue, elle t'a dit qu'ils partent du principe qu'elle est encore vivante.

— Ils ont davantage de chiens dressés pour trouver des cadavres que de chiens entraînés à découvrir des gens en vie.

— Qu'est-ce qui te fait dire ça ?

— Je les ai comptés !

— Oh Jan ! (Il la serra contre lui.) Pourquoi te tortures-tu comme ça ? Ils ont appelé des renforts, ils ne le feraient pas s'ils n'estimaient pas avoir une bonne chance de la retrouver vivante.

— Elle est vivante, Lucas, je le sens.

— Oui. Moi j'ai foi en ton intuition. Toi et Sophie êtes très proches l'une de l'autre, et si tu ressens au plus profond de toi qu'elle est encore en vie, alors je le crois.

Il lui passa un bras autour des épaules, ils entrèrent et prirent l'ascenseur jusqu'au troisième étage, où se trouvait le cabinet du Dr Schaefer.

Dès qu'elle aperçut Janine, Gina, l'infirmière qui assistait le Dr Schaefer, quitta son bureau pour la rejoindre dans la salle d'attente vide. Elle posa la main sur le bras de Janine.

— Vous avez des nouvelles ?

— Toujours rien.

— On prie tous pour elle.

Comme Sophie, Gina était rousse, et Janine savait qu'elles éprouvaient beaucoup d'affection l'une pour l'autre.

— C'est une petite fille coriace. Si quelqu'un peut survivre quelques jours dans la forêt, c'est bien elle.

— Merci, Gina. (Elle posa la main sur l'épaule de Lucas.) Vous vous souvenez de Lucas Trowell ?

Lucas l'accompagnait lors de sa première visite au Dr Schaefer, la veille du début du traitement.

— Bien sûr. Le type de l'arbre à courage.

— Juste, dit Lucas en souriant.

— On s'assoit ici ?

La salle d'attente était vide mais Janine savait que le médecin recevait un grand nombre de patients dans la grande salle de traitement à l'autre bout du couloir. Certains parents venaient de Californie pour faire participer leurs enfants à cette étude.

— Non, pas ici, protesta l'infirmière. Les autres

mamans veulent vous voir. Tout le monde est au courant, personne ne l'ignore, on en parle toutes les cinq minutes à la radio.

Sans laisser à Janine ou à Lucas le temps de protester, elle les avait poussés vers la salle de traitement.

— Au moins on est en été, et non à la saison froide, remarqua-t-elle en marchant. Les nuits sont drôlement froides, là-haut, en hiver.

La salle de traitement était d'une bonne taille, mais huit chaises longues disposées en cercle en occupaient tout l'espace. Des enfants étaient allongés sur les fauteuils, avec un de leurs parents (cinq mères et un père, ce jour-là) assis à côté. A l'entrée de Janine et de Lucas, tous se levèrent comme un seul homme, entourèrent la mère de Sophie, l'embrassèrent et l'assurèrent de leur sympathie. C'était le groupe du matin, sept enfants, en comptant Sophie. Ils seraient suivis de huit autres l'après-midi.

Janine se retourna pour présenter Lucas, mais il n'était plus là. Assis à côté d'une petite fille, il lui parlait avec sérieux. Surprise et touchée, Janine retourna à sa conversation avec les autres parents.

— Je suis venue chercher de l'Herbaline, afin de l'avoir sous la main dès que ma fille sera retrouvée.

— Excellente idée! répondit une mère, et les autres approuvèrent.

— On a découvert quelque chose? demanda l'unique père. Aucun indice?

— Seulement sa chaussure, tout près du lieu de l'accident.

— Nous avons été si soulagés d'apprendre que l'enfant dont on a retrouvé le corps dans la voiture n'était pas Sophie... mais ses pauvres parents doivent être bien malheureux.

Janine soupira en pensant au chagrin et à la colère de Rebecca. Elle aurait dû l'appeler, mais n'arrivait pas à s'y résoudre. Janine avait la certitude que Sophie était encore vivante, et ne voulait pas entendre les sombres prédictions de Rebecca.

Lucas s'approcha et Janine le présenta à la ronde.

— L'Herbaline réussit aussi bien à vos enfants qu'à Sophie ?

Janine savait que c'était le cas.

— C'est miraculeux, dit une mère.

— Le Dr Schaefer est un génie, renchérit une autre.

— Jack n'a eu besoin que de quatre heures de dialyse, cette semaine, expliqua le père.

Janine sentit les larmes lui monter aux yeux. L'Herbaline, quoi qu'en aient dit les médecins de Sophie, faisait plus que masquer les symptômes. La diminution du nombre de dialyses nécessaires aux petits malades en était la preuve.

— C'est une bonne nouvelle, ça ! Sophie en était à deux par semaine.

— Pas d'effets secondaires ? demanda Lucas.

Janine apprécia qu'il fît montre d'un sincère intérêt. Ce n'aurait pas été le cas de Joe.

— Oh, Susan a des tas d'effets secondaires, déclara une mère. Elle dévore, elle fait du roller toute la journée et elle est heureuse.

Lucas rit.

— Ça doit être merveilleux pour vous de la voir ainsi...

— Qu'en est-il de cette histoire de la fille de Zoe en cavale près de l'endroit où on recherche votre fille ?

— Ah oui, c'est vrai... Elle s'est évadée de prison, n'est-ce pas? On pense qu'elle a tué le gardien qui l'a aidée à s'échapper. Elle n'est pas dans le coin où on cherche Sophie?

Lucas posa sur le bras de Janine une main rassurante.

— Oh, c'est vaste, là-haut. Si elle s'y trouve vraiment, elle est à des kilomètres et des kilomètres de Sophie.

— Eh bien heureusement. Après ce qu'elle a fait à cette actrice, je n'aimerais pas la savoir à côté de votre fille, Janine!

— Elle n'y est pas, Dieu merci! répondit Janine, un peu rassérénée par l'attitude de Lucas, qui semblait certain que Martina Garson ne représentait pas une menace pour Sophie.

Gina passa la tête par la porte.

— Le docteur a votre Herbaline, Janine. Entrez, s'il vous plaît.

— Viens avec moi, murmura-t-elle à Lucas.

Tous deux sortirent, traversèrent le couloir et entrèrent dans le cabinet du médecin. Celui-ci se leva, s'avança vers Janine, mais eut un mouvement de recul en voyant Lucas. Le médecin était absent, la première fois qu'elle était venue avec Lucas, et elle crut qu'il le prenait pour Joe. Puis elle se souvint que les deux hommes se connaissaient, puisque Joe était venu reprocher au médecin d'avoir accepté Sophie parmi ses malades. Elle commença à faire les présentations, mais Lucas la devança et tendit la main au médecin.

— Je suis Lucas Trowell. Nous nous sommes parlé au téléphone, l'autre soir.

— Oui, je me souviens.

Il prit un petit sac isotherme sur son bureau et le tendit à Janine.

— Veillez à garder le P.R.E.-5, enfin l'Herbaline, au frais. L'ordonnance est à l'intérieur, vous avez tout ce qu'il vous faut.

— Parfait. Tout ce qu'il me reste à faire, c'est retrouver ma fille.

Elle remercia le médecin et fit un pas vers la porte, mais Lucas ne bougea pas.

— On dirait que votre étude avance à grands pas, docteur.

— Effectivement.

Schaefer eut ce sourire dubitatif auquel Janine n'arrivait pas à s'habituer. Personne ne pouvait accuser cet homme d'être trop sûr de lui.

— Les résultats sont même meilleurs que ce que j'espérais, continua-t-il. Je dois donner une conférence de presse dans quelques jours, communiquer le bilan de... euh... deux mois de travaux. Et nous avons décidé de modifier les jours de perfusion, pour voir comment réagissent les enfants. Ce sera dorénavant le mardi et le jeudi. Alors, quand Sophie sera retrouvée, amenez-la le mardi au lieu du lundi.

— Très bien.

Son optimisme lui réchauffa le cœur.

— Et les résultats d'analyses ? demanda Lucas. Les médecins de Sophie ne voient dans l'amélioration de son état qu'une diminution provisoire des symptômes et une simple rémission. Que disent les analyses de sang ?

Janine était un peu gênée de voir Lucas occuper le temps du médecin.

— Lucas a beaucoup d'affection pour Sophie,

expliqua-t-elle pour l'excuser, c'est pourquoi il veut savoir.

— Bien sûr, je comprends...

Schaefer répondit à la question sur les analyses de sang, mais il se passa encore quelques minutes avant que la jeune femme ne réussisse à emmener Lucas.

— Tu trouves que j'ai posé trop de questions ? lui demanda-t-il en souriant quand ils furent dans le couloir.

— Mais non... C'est gentil de ta part de t'y intéresser.

Lucas la laissa à Ayr Creek. Il arrêta la Taurus au bout de l'allée. Janine tendit la main vers la poignée de la portière, puis se ravisa.

— Pourquoi n'attendrais-je pas avec toi que tu aies fini ton travail, puis on pourrait repartir ensemble dans la nuit ?

Il descendit de voiture.

— Non. Je ne peux pas repartir avant demain matin. Mais on sera sur la route à l'aube. Promis.

Elle descendit à son tour et tous deux se dirigèrent vers la maison d'hôtes.

— Je n'arrive pas à comprendre, Lucas. C'est à cause de Joe ? Tu as du mal à le supporter ? Je sais qu'il est...

Il était devant la porte, les yeux fermés, et semblait profondément plongé dans ses pensées.

— Je sais que tu as besoin de moi auprès de toi, Jan. Je t'assure que si je pouvais me couper en deux je le ferais.

— Pourquoi ne veux-tu pas me dire pour quelle raison il est absolument essentiel que tu passes la nuit à Vienna ?

278

— J'ai quelque chose à faire que je ne peux pas différer plus longtemps.

— Une affaire louche ?

Il rit.

— Non, pas du tout ! Je te parlerai de tout ça quand on aura retrouvé Sophie. Ça ne vaut pas la peine de s'en occuper maintenant. Fais-moi confiance, c'est tout.

— Bon...

Cela faisait quelques mois qu'elle lui faisait confiance. Elle haussait les épaules quand ses parents se plaignaient de son manque d'assiduité au travail et elle ne cherchait jamais à savoir pourquoi ils ne pouvaient pas se voir certains soirs. Si une de ses amies lui avait avoué avoir un faible pour un type aussi mystérieux et cachottier que Lucas, elle lui aurait conseillé de s'enfuir à toutes jambes.

Mais Lucas n'était pas « un type ». Elle lui faisait encore confiance. A cent pour cent.

24

Paula et Joe étaient assis sur des fauteuils pliants près du QG des recherches. Bien que la route fût à l'ombre et que le soleil de juin jouât à cache-cache avec les nuages, le nez et les joues de la jeune femme étaient rose vif. Joe arborait un coup de soleil sur le front. A quelques mètres d'eux, Frank Snyder, assis sur un autre fauteuil pliant, lisait un ouvrage sur la guerre de Sécession. Son épouse était retournée se reposer au motel. Paula avait acheté la veille deux livres de poche pour elle et Joe, mais n'en avait lu que quelques pages. Joe n'avait même pas ouvert le sien. Il était bien incapable de se concentrer sur un roman alors que sa vie lui semblait de plus en plus irréelle.

Des messages radio s'échappaient presque à chaque instant du camion, et Joe essayait de trouver un réconfort dans l'idée que la forêt fourmillait de gens décidés à retrouver sa fille. Des sauveteurs, accompagnés ou non de chiens, montaient au QG et en descendaient. Des cartons de bouteilles d'eau étaient empilés à côté d'une rangée de seaux pleins d'eau, destinés aux chiens. Joe scrutait le visage de chacun, espérant un bref sourire, une lueur dans les yeux susceptibles de lui donner une raison d'espérer. Mais la plupart d'entre eux affichaient un visage de bois et évitaient de croiser son regard.

Combien de jours serait-il encore capable de supporter cette attente, ce temps passé à regarder d'autres gens chercher sa fille? Jamais il ne s'était senti aussi impuissant. Joe avait toujours mené sa vie comme il l'entendait, et se sentir inutile lui était insupportable. Et, pour couronner le tout, son ex-femme n'était même pas avec lui pour partager ses souffrances. Janine était si amoureuse de Lucas qu'elle semblait avoir oublié que lui, Joe, était le père de Sophie.

— Je n'arrive pas à comprendre pourquoi Janine est retournée à Vienna, dit soudain Frank Snyder comme s'il avait lu dans les pensées de son ex-gendre.

Joe sentit les yeux de Paula sur lui.

— Pour être avec Lucas.

Frank secoua la tête.

— Je n'arrive pas à admettre qu'elle fasse passer ses besoins avant ceux de sa fille.

— Elle est allée chercher sa voiture, intervint Paula, elle veut l'avoir ici.

— Tu y crois, toi?

Paula posa son roman ouvert sur ses genoux.

— Ce que je crois, c'est que Lucas est la seule personne à lui apporter du réconfort. Toi, tu lui en veux, et vous et Donna aussi. Pour l'amour du ciel, c'est à peine si vous lui parlez! C'est normal qu'elle préfère être auprès de lui.

La réponse de Paula fit taire Frank, et Joe, bien qu'elle le rendît furieux, admira son courage. Il allait répliquer quand il y eut une certaine agitation à leur droite. Quelques hommes arrivèrent en courant et montèrent dans le camion, non sans leur jeter au passage un bref coup d'œil, et la radio se mit à fonctionner sans arrêt.

Joe regarda Paula, Frank, de nouveau Paula. Avait-on retrouvé Sophie? Vivante?

Il se levait pour aller se renseigner quand Valerie Boykin sortit et s'approcha d'eux. Frank se leva aussi et attendit.

— Il y a des nouvelles?

— On pense qu'un des chiens a retrouvé sa trace.

— Un des chiens qui retrouvent les personnes vivantes, ou bien...

Il ne put terminer sa phrase.

— Oui. Il se peut même qu'il l'ait déjà flairée hier soir, mais on n'en était pas sûr. Mais aujourd'hui il est reparti sur la même piste. Alors s'il a, ainsi que nous le pensons, retrouvé la trace de votre fille, ça signifie qu'elle était vivante quand elle l'a laissée. A un kilomètre de la route environ.

— Un kilomètre!

Joe en resta muet. Il avait du mal à croire que sa frêle petite fille ait pu parcourir un kilomètre toute seule dans les bois.

— Et alors, finit-il par articuler, le chien suit sa trace?

— Il y a un problème. (Le récepteur d'appel de Valerie couina et elle en regarda attentivement l'écran, sans doute pour mémoriser le message, avant de lever de nouveau les yeux sur Joe.) Le chien est arrivé à un ruisseau et il ne semble pas retrouver sa trace de l'autre côté. On va faire venir d'autres chiens pour voir s'ils repèrent aussi sa trace et peuvent la retrouver de l'autre côté du ruisseau.

— Et s'ils ne la retrouvent pas, ça signifiera quoi? demanda Paula.

— C'est difficile à dire. Qu'elle a descendu le ruisseau pendant un petit moment, peut-être. Mais je ne vois pas pourquoi elle aurait fait ça.

— Peut-être ne savait-elle pas où aller? suggéra le grand-père de la fillette.

Joe eut une autre idée.

— A moins qu'elle n'ait eu mal au pied. Rappelez-vous, elle a perdu une chaussure.

— Il y a une autre hypothèse: la pluie a pu laver son odeur. Ça nous semble plus plausible.

Le récepteur d'appel couina de nouveau et cette fois la responsable prit congé.

— Je vous avertis à l'instant où j'en sais davantage, ajouta-t-elle avant de retourner au camion.

Joe s'éloigna de quelques pas.

— Je vais appeler Janine, il faut qu'elle revienne.

Il traversa la route pour téléphoner loin de l'agitation.

— Où es-tu?

Il craignait de l'entendre répondre qu'elle était avec Lucas dans sa maison dans un arbre.

— A Ayr Creek, chez moi. Il y a... on a retrouvé Sophie?

Il savait qu'elle s'attendait au pire.

— C'est une bonne nouvelle, se hâta-t-il de dire. Enfin, un petit bout de bonne nouvelle. L'un des chiens, ceux qui recherchent les gens vivants, a trouvé sa piste à environ un kilomètre d'ici.

— Un kilomètre!

— Oui. Tu t'imagines, elle a marché un kilomètre dans les bois.

— Ma pauvre chérie! (Sa voix était rauque.) Et il lui manque une chaussure. Oh, Joe...

— Je sais, c'est difficile à croire. Mais c'est une bonne nouvelle, Janine.

Il lui expliqua que d'autres chiens étaient attendus.

— Il faut que je revienne ce soir.

— Oui, je crois que tu devrais.

— Lucas ne peut pas quitter Vienna avant demain matin, alors je vais revenir toute seule.

Joe était tout à fait partisan de ne jamais revoir Lucas au QG, mais il n'était pas enthousiasmé par l'idée que Janine refasse, seule et de nuit, ce long trajet. Surtout dans cet état de nervosité.

— Si tu lui dis ce qui s'est passé, il va bien revenir avec toi ce soir, quand même?

— Non. Il a un travail à faire. Ce n'est pas grave, Joe, je peux revenir toute seule.

— Quel travail?

— Je ne sais pas trop...

— S'il tenait à toi, tu crois qu'il te laisserait revenir ici toute seule? Je me demande ce que tu trouves à ce type!

— Joe, je t'en prie... Tu es ridicule!

— Ecoute, je viens te chercher. (Sa suggestion le surprit lui-même.) Je ne veux pas que tu fasses ce voyage toute seule.

— Mais c'est inutile! Je crois que tu...

— J'ai besoin de prendre des vêtements, de toute façon. Alors ne bouge pas, je serai chez toi dans quelques heures. Disons vers...

Il regarda sa montre : seize heures. Il voulait passer chez lui à Reston, et il lui faudrait un peu de temps pour vérifier quelque chose. Janine pouvait ne pas se poser de questions sur ce que Lucas avait à faire de si important cette nuit, mais lui, il avait besoin de savoir. Ce type n'était pas clair.

— Vers vingt et une heures, vingt et une heures trente. Ça te va?

— Oui, très bien. Si tu y tiens...

Il retourna auprès de Paula.

— Je rentre à Vienna. J'ai besoin de vêtements et ça me permettra de ramener Janine. Son jardinier ne peut pas revenir avant demain, il a autre chose à faire.

— Quoi?

— Ah, mystère et boule de gomme. Janine ne sait pas. Un autre des grands secrets de Monsieur. Tu ne trouves pas que c'est un peu bizarre, un couple où l'un des deux ne veut pas dire à l'autre pourquoi il ne peut pas revenir ce soir?

— Peut-être qu'elle le sait et qu'elle considère que ça ne te regarde pas.

— Et tu penses comme elle ? Ça ne me regarde pas ?

— Je pense que tu es obnubilé par Lucas Trowell et que tu meurs d'envie de démontrer à Janine que c'est un salaud, afin de la récupérer.

— Pfeuh ! Je veux juste m'assurer qu'il n'est pas un salaud, justement. Je ne veux pas qu'elle soit malheureuse.

— Hmm...

Elle ne le croyait pas, et il ne pouvait guère lui en vouloir : il n'y croyait pas lui-même.

— Tu veux rentrer avec moi ? Tu ne vas pas travailler, et...

— Je ne retournerai pas travailler avant que Sophie soit retrouvée. Il me reste des tas de jours de congé à prendre. Mais je vais aller avec toi chercher des vêtements et quelques affaires. A moins que tu ne veuilles revenir seul avec Janine.

— Non, pas du tout.

C'était pourtant ce qu'il avait prévu, ou plutôt espéré. Mais il ne pouvait pas dire à Paula qu'il ne voulait pas qu'elle rentre en Virginie avec lui.

Ils traversèrent les montagnes en silence jusqu'à la R66. Joe était plongé dans ses réflexions, et ce ne fut qu'en arrivant à l'appartement de Paula qu'il ouvrit la bouche pour parler.

— Je passe chez moi et je fais quelques courses. Puis j'irai chercher Janine et je te reprendrai ici vers neuf heures et demie, dix heures.

Elle le regarda d'un air soupçonneux.

— Toi, tu mijotes quelque chose. Qu'est-ce que tu as dans la tête, encore ?

285

Bon Dieu, cette femme lisait en lui comme dans un livre !

— Je ne sais pas exactement. Mais il n'est pas impossible que je rende une petite visite à certain jardinier. En toute discrétion.

Elle secoua la tête avec désapprobation.

— Je ne sais pas ce que tu manigances mais j'ai l'impression que je n'arriverai pas à t'en dissuader, alors je ne vais même pas essayer.

— Tant mieux, répondit-il en souriant. A plus tard !

25

Janine était bien obligée de s'avouer qu'elle se sentait délaissée. Lucas l'avait laissée seule au moment où elle avait le plus besoin de lui, et elle n'arrivait pas à comprendre pourquoi il ne pouvait pas être auprès d'elle ce soir.

Elle était allongée sur le lit de sa fille et, comme elle l'avait fait quelques jours plus tôt, serrait contre elle la peluche de Sophie. La nuit tombait et elle apercevait des lucioles par la fenêtre. Elles volaient lentement, comme si elles se déplaçaient dans du sirop.

— C'est un impératif quelconque qui le retient chez lui, se répétait-elle, sinon il serait avec moi.

Mais elle ne pouvait s'empêcher de se demander si elle ne prenait pas ses désirs pour des réalités. Considérait-elle leur liaison d'un œil plus sérieux que lui ? A cet instant précis, elle avait l'impression de le connaître à peine. Elle ne pouvait pas se sentir proche d'un homme qui lui cachait la raison pour laquelle, cette nuit entre toutes, ils ne pouvaient être ensemble. Elle avait pensé l'appeler pour lui annoncer que les chiens avaient retrouvé la piste de Sophie, mais elle avait craint de le déranger. Il avait, paraît-il, un travail important à effectuer cette nuit. Mieux valait ne pas lui téléphoner.

Elle en arrivait à douter de son honnêteté et à le soupçonner de se servir d'elle... Et puis elle le revit dans le cabinet du Dr Schaefer, un peu plus tôt. Il avait bavardé avec quelques enfants avec une évidente sympathie. Il avait posé des questions aux parents, au médecin lui-même, et il était indubitable que son intérêt n'était pas feint. Non, Lucas était vraiment un être exceptionnel. Elle cessa de lui en vouloir de la laisser seule ce soir. Quelles que fussent ses raisons, elles étaient certainement excellentes.

Ses pensées retournèrent à Sophie. Ils avaient retrouvé sa piste à un kilomètre de la route. Ce qui signifiait qu'elle n'était pas gravement blessée, sinon elle n'aurait jamais pu marcher si loin. Mais que cette pauvre enfant avait dû avoir peur ! Elle n'était pas habituée à la forêt, et elle avait maintenant passé quatre nuits toute seule dans cette impénétrable obscurité traversée d'étranges bruits.

— Tiens bon, ma chérie !

La pauvre petite devait se sentir tellement abandonnée, elle devait se demander pourquoi on ne l'avait pas encore retrouvée, et si on ne l'avait pas oubliée.

Janine se mit sur le côté et sentit ses larmes couler sur l'oreiller. C'est alors qu'elle entendit l'étrange bruit. Elle leva la tête et écouta. Des gémissements rauques, torturés... Orla errait dans les bois à la recherche de sa petite fille, l'enfant qu'on lui avait arrachée pendant la nuit.

Et, pour la première fois, Janine savait exactement ce qu'elle ressentait.

26

Elles étaient toutes les trois assises sur les rochers plats de la clairière et se partageaient une boîte de saucisses aux haricots. Marti, de peur d'être trahie par la fumée, n'avait pas laissé sa mère allumer de feu.

Sophie n'avait pas grand appétit et Zoe ne pouvait le lui reprocher. Son pied la faisait souffrir, et elle avait très peur. Elle devait aussi commencer à comprendre qu'elle n'était pas prête à sortir de cet endroit.

Zoe avait finalement renoncé à la conduire à la route. Pour plusieurs raisons : d'abord, la fillette avait dormi jusqu'à quatorze heures, et, en partant si tard, il était absolument impossible à Zoe de l'emmener à la route et d'être de retour avant la nuit. Ensuite, lorsque l'enfant s'était réveillée, son pied était si enflé et si visiblement infecté qu'elle ne pouvait même pas le poser sur le sol. Zoe lui avait administré un antibiotique, en espérant qu'il allait lui faire du bien sans avoir d'effet fâcheux sur l'affection rénale dont souffrait l'enfant. Qui pouvait savoir comment allait réagir ce petit corps ?

Mais sa troisième raison de ne pas emmener

Sophie était la plus impérative : elle se refusait à mettre Marti en danger. Certes, Sophie avait promis de ne pas révéler l'identité de la personne qui l'avait trouvée dans les bois, et Zoe savait qu'elle avait l'intention de tenir sa promesse. Mais Marti avait raison : on la questionnerait jusqu'à ce qu'elle craque. Elle avait beau être intelligente et courageuse, elle était également malade et effrayée. Non, Zoe ne pouvait pas faire ça à Marti.

— Je t'en supplie, maman, ne la ramène pas à la route ! (Marti parlait à mi-voix et Zoe entendait la peur derrière ses mots.) Tu as élaboré ce splendide plan pour me tirer de là-bas, tu vas tout gâcher si tu la ramènes.

— Mais c'est une enfant, et elle est gravement malade. J'ai peur qu'elle ne meure, si elle n'est pas soignée.

— Mais comment peux-tu la faire soigner ? Sois réaliste, son pied est en trop mauvais état pour qu'elle marche. Je sais que tu as de bonnes intentions, maman, mais tu n'y peux rien si elle ne peut pas se déplacer, c'est comme ça, c'est tout. De même qu'on n'a pas de téléphone pour demander du secours. Tout ce qu'on peut faire, c'est nous efforcer de la soigner le mieux possible.

— Sauf que... je pourrais aller à la route toute seule... (Zoe réfléchissait tout haut.) ... faire du stop jusqu'à la ville la plus proche et avertir qu'il y a une enfant qui a besoin d'aide.

Marti écarquilla les yeux.

— Tu plaisantes ! Tu seras forcément vue et reconnue. On saura que tu n'es pas morte, on viendra me chercher et on me ramènera à Chowchilla. Et je n'en sortirai jamais. Et on t'y enfermera avec moi pour te punir de m'avoir aidée à m'évader.

— Ça me serait bien égal! Je me moque de ce qui peut m'arriver. Mais toi, il n'est pas question que tu retournes là-bas, je ferai tout pour que ça n'arrive pas.

— Alors tu vois bien, tu ne peux pas aller chercher du secours.

— Oui, je sais...

— Merci m'man!

Elle prit une autre cigarette et l'alluma. Ses yeux se remplirent de larmes.

— Qu'est-ce que tu as?

— Je crois que je suis jalouse... ou quelque chose comme ça. A te voir avec cette gosse... je m'aperçois que quand j'avais huit ans tu ne m'as jamais accordé un dixième de l'attention que tu lui prêtes.

— Je sais, ma chérie. Si tu savais comme je le regrette!

— Pourquoi as-tu eu un enfant?

Zoe regarda la forêt.

— J'en voulais un. J'avais trente-deux ans et pratiquement toutes les femmes de ma connaissance étaient mères. J'avais l'impression de manquer quelque chose. Ton papa avait quarante-trois ans et il n'avait guère la fibre paternelle, il tenait trop à sa carrière, et à la mienne. Il ne voulait pas que je sois enceinte, parce que ça risquait de m'obliger à m'arrêter quelque temps.

Bien que Zoe ait travaillé dans le monde du spectacle depuis son enfance, c'était Max qui en avait fait une vedette. Elle avait endossé un peu toutes les personnalités : petite poupée séductrice, chanteuse, danseuse, actrice. La seule étiquette qu'elle ne pouvait pas briguer était celle de mère.

— J'ai l'impression de n'avoir jamais bien connu papa.

— Je sais. Il a été un père fantôme, comme moi j'ai été une mère fantôme.

— Tu ne t'en es pas aperçue, à l'époque? Que tu n'avais jamais de temps pour moi?

Zoe réfléchit. Elle tenait à répondre honnêtement. Cette fois, elle serait sincère avec sa fille.

— Si, bien sûr. Je le savais très bien, et je me sentais coupable. Mais la vérité, c'est que même si j'avais eu le temps de m'occuper de toi je n'aurais pas su comment m'y prendre. Je n'avais pas l'étoffe d'une mère. Je m'en rendais compte, c'est pourquoi tu as été élevée par des nounous.

— Tu n'étais jamais à la maison, insista Marti d'un ton d'amertume à peine voilé.

C'était exact. Zoe avait été en tournée pendant presque toute l'enfance de Marti. Et pendant les rares moments qu'elle passait chez elle, elle n'était pas à l'aise avec sa fille. Celle-ci lui semblait être une inconnue. Zoe, effectivement, n'avait jamais connu sa fille.

— C'est pourquoi j'ai voulu faire ça, t'aider à prouver ton innocence. Mais mes avocats ont tout gâché.

La jeune femme leva les yeux au ciel.

— Ça, tu peux le dire!

— Alors j'ai eu cette idée de t'aider à te faire la belle. (L'expression la fit sourire.) Ni toi ni moi n'avons grand-chose à perdre. Si ça réussit tant mieux, sinon on se retrouvera au point de départ.

— Maman... (Marti se pencha, posa la main sur le bras de Zoe, les yeux de nouveau pleins de larmes.) Je ne pourrai jamais retourner là-bas. Tu me promets de tout faire pour l'empêcher ?

— Bien sûr, ma chérie.

Elle prit sa fille, sa chère petite fille, dans ses bras. Sophie n'aurait qu'à s'arranger pour guérir toute seule. Zoe renonçait, qu'il arrive ce qu'en déciderait le destin. Elle ne pouvait plus rien pour la fillette.

— Hé, regardez !

Marti désigna l'orée du bois. Zoe et Sophie levèrent les yeux. Une grosse tortue était sortie du couvert des arbres et avait commencé à traverser lourdement la clairière. Marti s'en approcha.

— C'est une tortue terrestre ou une tortue d'eau ?

— A quoi voit-on la différence ? demanda Zoe.

— Je n'en ai aucune idée.

— Ça mord, ces tortues, assura gravement Sophie.

— Comment tu sais ça, toi ?

Sophie, occupée à étaler à l'aide de son canif du beurre de cacahuètes sur un biscuit, haussa les épaules. Elle n'était pas gaie, ce soir.

— Elles mordent, tu dis ?

— Elles peuvent couper un doigt.

— On va voir ça !

Marti était tout près de la tortue. Elle ramassa un bâton, le tint devant la tortue. Zoe la vit sortir tout doucement un couteau à cran d'arrêt de sa poche.

— Oh, ne lui fais pas de mal, Marti !

Trop tard. A l'instant où la tortue allongeait le cou pour mordre le bâton, la jeune femme l'avait proprement décapitée.

— Soupe à la tortue au menu demain! s'exclama-t-elle triomphalement.

— Oh, Marti!

Zoe était secouée et écœurée. Elle détourna les yeux. Pourquoi cette réaction? Elle-même avait chassé, tué des bêtes. Quelle différence?

De l'autre côté de la clairière, le visage de Sophie exprimait à la fois la peur et l'horreur.

— Pourquoi avez-vous fait ça? Elle n'aurait fait de mal à personne, si on l'avait laissée tranquille.

Marti jeta son couteau sur le rocher et se rassit.

— Parce que la soupe à la tortue est délicieuse, voilà pourquoi.

— Et comment allez-vous faire de la soupe à la tortue, sans feu?

Elle posa son canif sur le rocher et partit à cloche-pied vers la hutte.

— Quel petit cœur tendre, hein?

Zoe se gratta la gorge.

— J'ai un livre à l'intérieur, où on explique comment vider une tortue.

— On ne peut pas faire de soupe à la tortue. Sophie a raison, il faudrait allumer du feu.

— Alors tu l'as tuée pour rien...

La colère montait en Zoe, et elle fit de son mieux pour ne pas la laisser percer dans sa voix.

— Tu ne vas quand même pas faire du sentiment pour une tortue, hein? (Elle se leva et alla à la hutte.) Vous êtes bien pareilles, toutes les deux, Sophie et toi!

Zoe resta seule sur le rocher, évitant de poser les yeux sur la dépouille de la tortue. Elle s'en voulait de sa réaction. « Je tue des animaux et je n'admets pas que Marti le fasse ? » Et, tout à coup, elle comprit pourquoi son cœur battait la chamade et ses mains tremblaient. Un souvenir fit surface... le chaton.

Une petite boule de poils soyeux que sa fille avait reçue pour ses sept ans, ou peut-être huit. Elle avait paru ravie de ce cadeau. Mais un jour, le chaton avait disparu. La nounou l'avait retrouvé un peu plus tard, étranglé, sous le lit de la petite fille. L'enfant avait prétendu ne rien savoir de la mort du chaton, et sa mère l'avait crue. Ou, du moins, elle avait feint de le croire. Zoe était actrice. Elle excellait à jouer la comédie.

27

La maison de Lucas était plongée dans l'obscurité. Joe se gara un peu plus loin, hésitant sur la conduite à tenir. L'automobile du maître de maison était devant chez lui. Peut-être était-il avec une autre femme dans sa maison perchée dans les arbres ? Sinon, pourquoi aurait-il laissé Janine seule en pareille circonstance ?

La nuit était tombée sur Vienna, et Joe profita des ténèbres pour descendre de voiture. Il entendit de la musique, qui provenait de l'amphithéâtre du parc national de Wolf Trap. Elle cessa, fut suivie d'un tonnerre d'applaudissements ponctués de sifflements. Quel était le programme, ce soir ? Sûrement pas l'orchestre symphonique, en tout cas.

Il se glissa sans bruit dans le bois bordant la propriété de Lucas. Il n'était jamais allé à sa maison perchée dans les arbres, mais il en connaissait approximativement l'emplacement, car en hiver, quand la forêt avait perdu ses feuilles, elle était visible de la route. Il ne lui fallut pas longtemps pour se trouver complètement encerclé par de gros troncs et un peu désorienté. Il avait l'impression d'être au fond d'un puits. Lui, un homme de trente-cinq ans, à deux pas de la ville, à quelques pâtés de maisons de rues animées, et à qui parvenaient par moments quelques notes de musique, il se sentait mal à l'aise ? Qu'en était-il alors de Sophie, seule nuit après nuit dans la forêt ? Comment pourrait-elle survivre à une telle aventure ?

Le fait était que Sophie n'avait probablement pas survécu. Quand il regardait la situation en face, Joe savait que c'était la vérité. Même en supposant qu'elle ait eu la force morale de supporter le choc de se savoir perdue, le courage de passer quatre nuits seule dans les bois et l'ingéniosité de trouver à manger, son insuffisance rénale rendait impossible l'espoir d'une survie. Même si, comme Janine semblait en être persuadée (mais pas lui), l'Herbaline était un remède miracle, la petite avait encore besoin de dialyses. « Oh, ma Sophie... quelle cruelle façon de mourir. Personne ne mérite de mourir seul et effrayé, et encore moins une petite fille. »

Une lumière scintilla entre les feuilles, au-dessus de lui. Il s'approcha à pas de loup et vit, à son grand soulagement, qu'elle provenait de la maison dans un arbre. L'habitation à deux niveaux était dans l'obscurité, à part une pièce violemment éclairée. D'en bas, Joe voyait clairement Lucas, assis devant son écran d'ordinateur. Pas trace de femme. Et c'est pour ça qu'il avait renoncé à passer la nuit avec Janine ? Accro d'Internet en état de manque ?

En faisant quelques pas vers la gauche pour essayer de distinguer ce qu'il y avait sur l'écran, il écrasa du pied une branche morte. Le craquement fut si bruyant que Lucas tourna la tête vers la fenêtre. Joe retint son souffle. Lucas se leva, s'approcha de la vitre pour scruter le bois sombre, puis quitta la pièce. « Il est sorti sur la terrasse ! Il va allumer la lumière extérieure pour voir qui est l'intrus. »

Joe n'avait aucune envie d'être pris en flagrant délit d'espionnage, il fit volte-face et fila vers la route. « Je me conduis comme un cinglé ! Pourvu que personne ne me voie ! » Il arriva à la route ruisselant de transpiration, et allait remonter en voiture quand il remarqua sur le trottoir devant la maison deux sacs de papiers destinés à être recyclés. Il s'approcha pour regarder à l'intérieur. Les lampadaires se trouvaient de l'autre côté de la route mais il vit quand même que l'un des sacs était plein de vieux numéros du *Washington Post*. Le second semblait contenir des prospectus et des magazines. Il se pencha et déchira la fermeture. Peut-être ces papiers lui apprendraient-ils quelque chose d'intéressant sur le mystérieux Lucas Trowell ?

Le contenu s'éparpilla sur le trottoir, et Joe, horrifié, écarquilla les yeux. Un des magazines s'était ouvert sur la photographie d'une petite fille nue. Il le poussa du bout du pied vers une zone mieux éclairée mais, venant du bois, un bruit de feuilles l'arrêta. Une petite lumière bougeait parmi les arbres. Une torche électrique ! Lucas arrivait. Joe abandonna le sac de papiers et battit en retraite vers sa voiture. Les mains tremblantes, il s'assit au volant, tourna la clef et démarra en trombe.

En approchant d'Ayr Creek, il s'arrêta sur le bas-côté, éteignit le moteur et se laissa aller contre le dossier. Il était mort de honte et aurait voulu effacer de son esprit la demi-heure qui venait de s'écouler. Il était un espion, un voyeur. Comme le lui avait fait remarquer Paula, il était obnubilé par Lucas Trowell.

Bon, ce qui était fait était fait. Inutile d'y revenir, mieux valait tout oublier. Il redémarra.

Quand il arriva dans l'allée du domaine, il était parvenu à repousser au fond de sa mémoire les détails de son escapade... mais pas l'image floue de la petite fille nue.

28

Janine, au bord de la piste du petit aéroport, attendait en conversant avec le responsable de l'agence de location l'arrivée de Lucas. Elle l'avait appelé à cinq heures trente pour lui annoncer qu'elle avait décidé de louer un hélicoptère. Pouvait-il la rejoindre non au motel, mais à l'aéroport ?

Il était à peine huit heures et elle était en avance, mais elle n'en pouvait plus de se ronger les ongles dans sa chambre. N'ayant pas sa voiture, elle avait été obligée de demander à Joe de la conduire à l'aéroport et elle avait dû tomber sur un moment de faiblesse car il n'avait pas protesté. Il avait même accepté de faire un crochet par le QG de recherches, afin qu'elle puisse déposer l'Herbaline dans le réfrigérateur du camion et prévenir Valerie Boykin de ses intentions. Celle-ci ne pensait pas qu'une recherche en hélicoptère au-dessus de cette forêt dense soit d'une quelconque utilité, mais Janine ne pouvait envisager une autre journée d'attente oisive. On lui interdisait de participer aux recherches dans les bois, mais on ne pouvait l'empêcher de les survoler.

— Vous êtes vraiment une femme extraordinaire! remarqua le responsable de l'agence.

Il s'appelait Tom et avait la quarantaine, bien que son catogan grisonnant le fît paraître plus âgé.

— Ah bon?

Elle sourit poliment et fit le tour de l'appareil. Elle était impatiente de décoller.

— Si notre fille disparaissait, ma femme serait effondrée... elle se cacherait dans un trou jusqu'à ce qu'on la retrouve. Mais vous, vous êtes prête à piloter un hélicoptère pour la rechercher.

— Je ne supporte pas de me sentir impuissante.

— Vous êtes quand même quelqu'un! (Il la gratifia d'un salut militaire, s'éloigna, puis se retourna vers elle.) Prévenez-moi si je peux faire quelque chose pour vous!

— D'accord. Merci!

Appuyée contre l'appareil, Janine guettait sur la route l'arrivée de Lucas. Elle avait hésité avant de l'appeler. Après sa désertion de la veille au soir, elle ne savait plus trop où elle en était avec lui et avait été soulagée qu'il accepte volontiers de l'accompagner. En entendant sa voix chaleureuse et inquiète, elle s'en voulut d'avoir douté de son amour pour elle et pour sa fille. Leur liaison ne durait que depuis sept mois, mais il lui avait donné tant de preuves d'amour qu'elle avait honte de son propre manque de confiance. Comment avait-elle pu oublier que Lucas était de ceux qui savent donner?

Après être entré chez elle par effraction, Lucas était souvent revenu à la maison d'hôtes d'Ayr Creek. Au début, elle faisait bien attention à ne jamais le laisser seul avec Sophie, mais elle avait vite compris que son intérêt pour l'enfant n'avait rien de louche. La petite lui rappelait sa nièce bien-aimée, rien de plus. Il la traitait presque en grande personne, lui demandait son opinion sur des livres ou des films, la chargeait de choisir le menu du dîner, lui apprenait des devinettes, la questionnait sur ses espoirs et ses rêves.

Il les avait invitées toutes les deux dans sa maison perchée dans les arbres, un refuge romanesque et dépaysant. Sophie avait été enchantée de se retrouver parmi les branches dénudées et de pouvoir voir d'un côté jusqu'au Filene Center de Wolf Trap et de l'autre jusqu'à Ayr Creek. C'était vrai, Lucas savait donner, à tous les niveaux.

Le plus beau cadeau, toutefois, il ne l'avait pas fait à Sophie, mais à Janine.

Tôt un matin, très peu de temps avant Noël et un mois à peu près après leur rencontre, la jeune femme avait été réveillée par un bruit qui la faisait toujours frémir, une plainte rauque venue des bois entourant la maison, assez forte pour lui parvenir à travers la fenêtre fermée. Elle l'avait déjà entendu plusieurs fois, mais toujours l'été. Le douloureux gémissement la laissait chaque fois figée sur son lit, imaginant la malheureuse Orla en train d'errer dans les bois à la recherche de son enfant perdue. Ce jour-là, elle avait vraiment eu envie de savoir qui poussait ce cri à vous briser le cœur. Elle s'était levée, avait enfilé par-dessus son pyjama une robe de chambre duveteuse, des tennis, et était sortie tout doucement par la porte de derrière. La lamentation s'était aussitôt arrêtée comme si Orla, l'ayant vue sortir, craignait d'être découverte. Elle avait entendu du bruit à côté de la maison et, faisant le tour, avait aperçu Lucas chargé d'une longue guirlande lumineuse destinée aux déco-rations de Noël.

Il sursauta en la voyant.

« Vous êtes debout de bonne heure, ce matin !

— Vous n'avez pas entendu ce bruit ?

— Quel bruit ?

— Une sorte de gémissement, des pleurs. Orla. »

Il regarda les bois.

« Ah oui, j'ai entendu. C'est un peu angoissant, mais vous avez probablement raison, c'est un cri d'opossum ou d'une bestiole quelconque. »

Elle frissonna et serra plus étroitement sa robe de chambre autour d'elle.

« C'est la première fois que je l'entends en hiver.

— Où est Sophie ? Encore au lit ?

— Elle est partie passer le week-end chez Joe.

— Ah bon. »

Il enroula le bout de la guirlande.

« J'aimerais bien faire la connaissance de Joe, un de ces jours.

— Pourquoi ça ?

— Juste parce qu'il est le papa de Sophie. Et je suppose qu'il se méfie de moi, comme vos parents. J'aimerais qu'il comprenne que je ne suis pas un ogre. »

« Ni un pédophile. »

300

Elle tenait particulièrement à ce que ses parents et Joe ignorent son amitié avec Lucas Trowell. Quand il passait chez elle, c'était toujours en cachette. Ni l'un ni l'autre n'en parlaient, mais tous deux savaient que la discrétion était de mise. Elle avait toute confiance en Lucas, mais elle savait pertinemment que ni ses parents ni son ex-mari ne se fieraient à son jugement.

« J'allais faire du café. Vous entrez en prendre une tasse ?

— Bien sûr. J'arrive dans un instant, juste le temps d'ajouter cette guirlande à l'épicéa de devant, il m'a paru un peu nu, hier soir. »

Elle alla enfiler en hâte un jean et un pull et s'affaira à préparer du café. Elle se sentait un peu coupable, non seulement parce qu'elle savait que ses parents désapprouveraient fortement toute fraternisation avec un humble jardinier, mais aussi parce que, pour la première fois, Lucas venait chez elle en l'absence de Sophie. Elle commençait à se sentir attirée par Lucas, et sa fille n'était pas là pour la chaperonner. Elle avait plusieurs fois eu l'impression que ce désir était partagé, un jour où il la regardait tresser les cheveux de l'enfant, par exemple, et une autre fois alors qu'elle préparait à dîner. Mais peut-être était-ce seulement dans son imagination.

Elle ouvrit un paquet de beignets et les plaça sur la table. Lucas prit soin d'entrer par la porte de derrière. Ils s'installèrent dans la cuisine, burent du café, grignotèrent des beignets et parlèrent. « Est-ce que je lui plais, moi aussi ? » Elle regrettait de n'avoir pas pris le temps de se peigner. « Je suis tout échevelée. Et un peu d'anticernes n'aurait pas fait de mal. » L'idée qu'ils étaient seuls dans la maison la troublait, mais, comme de coutume, Lucas paraissait préférer parler de Sophie.

« Qu'est-ce qu'elle va faire avec son père, ce week-end ?

— Je ne sais pas trop. »

Elle se versa une autre tasse de café.

« Lui et son amie Paula avaient l'intention de l'emmener voir les illuminations de Noël à Bull Run, ce soir. Et ils vont en général au cinéma l'après-midi, quand elle est chez lui. »

Lucas prit une serviette en papier.

« Je voulais vous dire... j'ai entendu à la radio une brève annonce concernant les essais cliniques d'un nouveau traitement, et j'ai pensé à Sophie. Je n'en suis pas certain, mais il semble qu'elle pourrait être acceptée. C'est une recherche thérapeutique concernant les insuffisances rénales à un stade avancé. »

Janine secoua la tête.

« Si Sophie risquait d'être concernée, son médecin me l'aurait dit. Il se tient au courant de toute la recherche en cours.

— C'est dans le cadre des médecines douces, vous comprenez. Je n'ai pas fait attention à tous les détails, mais j'ai retenu le numéro de téléphone, au cas où ça pourrait concerner votre fille.

— Son médecin n'accepterait jamais qu'elle ait recours aux médecines douces.

— Vous ne croyez pas que ça peut valoir la peine d'essayer ? »

Janine était lasse des suggestions. Elle était constamment accablée de conseils.... inscrire Sophie à un club de prière... lui faire boire de l'eau mélangée à de la mélasse... lui administrer quelque coûteuse

302

drogue ayant guéri du ver solitaire et d'un zona le père de la meilleure amie de la sœur de quelqu'un...

« Je ne sais pas...

— Vous êtes à bout, n'est-ce pas ?

— C'est vrai...

— Alors, par curiosité, vous me permettez de me renseigner un peu plus ? Je vais essayer d'en apprendre davantage et je vous en ferai part. Ensuite, vous déciderez si c'est intéressant ou pas. L'étude paraissait extrêmement novatrice, mais sérieuse. C'est vrai !

— Si vous voulez... Mais vous ne m'en voudrez pas si je décide que ça ne m'intéresse pas, d'accord ?

— Marché conclu. »

Et soudain, sans raison précise, elle fondit en larmes. Elle se détourna et s'essuya les yeux, gênée de si peu se dominer ces temps-ci. Il resta assis en face d'elle.

« Que se passe-t-il ? » demanda-t-il gentiment quand les sanglots cessèrent.

Elle ne put lui répondre tout de suite. Enfin, elle se moucha et se retourna vers lui.

« C'est désespérant... Nous avons essayé tellement de traitements, mais elle a besoin de plus en plus de dialyses. Et tous ces médicaments la rendent de plus en plus malade. D'ailleurs vous l'avez bien vu, vous savez tout ce qu'elle subit. Et vous savez tout comme moi comment ça va se terminer. Il lui reste six mois à vivre, une année tout au plus. Je ne peux penser à rien d'autre. C'est si injuste ! Qu'a-t-elle fait pour mériter ça ? Quand vais-je la perdre ? Et comment pourrai-je le supporter ? »

Il lui prit la main. Ils s'étaient déjà serré la main, mais, cette fois, le geste était plus qu'amical.

« Janine... que fait Sophie, ce week-end, à cet instant ? »

Elle haussa les épaules

« Qu'est-ce que vous voulez dire ? Je vous ai expliqué qu'elle était chez Joe.

— Et qu'elle va aller au cinéma, et voir les illuminations de Noël. Aujourd'hui, elle est vivante, Janine. Aujourd'hui elle s'amuse bien avec son papa. Et vous, ce que vous faites, c'est vous concentrer sur ce que vous réserve l'avenir. Vous ne pensez ni à votre aujourd'hui, ni à celui de Sophie. Si votre vie reste dans l'ombre du futur, jamais vous ne pourrez apprécier l'instant présent. »

Elle s'appuya à son dossier. C'était comme une révélation. Ces trois dernières années avaient été dominées par l'angoisse. Elle ne pouvait pas se souvenir d'avoir apprécié un seul moment, tous avaient été assombris par l'arrière-pensée qu'elle allait, selon toute probabilité, perdre sa fille. On lui avait déjà conseillé de s'efforcer de vivre l'instant présent, mais jamais la suggestion ne lui avait paru mériter le moindre intérêt. Cette fois, elle l'avait enthousiasmée.

« Vivez au jour le jour, Janine.

— Vous le faites, vous ?

— J'essaie. Il y a des jours où j'y arrive mieux que d'autres.

— Il vous est arrivé quelque chose qui vous a rendu comme ça ? Je veux dire, comment peut-on se décider à vivre ainsi, si on n'a pas été touché par le malheur ?

— Certaines personnes ont la chance de le comprendre sans avoir besoin de souffrir. Mais moi, oui, j'ai été touché par le malheur. »

Il se tut et regarda ses mains, posées sur celles de Janine. Elle aurait aimé en savoir davantage, mais ne demanda rien. Un sourire éclaira son visage. Lucas avait raison. Aujourd'hui, à cette heure, Sophie vivait et sa journée était pleine de petits bonheurs. Quoi que doive apporter le lendemain, Sophie avait aujourd'hui.

« C'est vrai que je me sens mieux... »

La simple remarque de Lucas avait tout changé. Sans lui lâcher les mains, il leva de nouveau les yeux vers elle. La lumière matinale glissait peu à peu dans la pièce et éclairait ses yeux gris pâle. Un peu de sucre glace du beignet était collé à sa lèvre supérieure. Sans réfléchir, elle se leva, se pencha au-dessus du coin de la table et l'embrassa. Il sourit.

« Qu'est-ce que vous croyez que vous êtes en train de faire ?

— Je vis pour l'instant, je saisis le bonheur qui passe, tout ça... »

Il se leva, l'attira vers lui et l'embrassa. Ses lèvres étaient sucrées et sa langue avait un goût de café. Elle pensa à ses fantasmes, où il avait eu le premier rôle. Sans plus hésiter elle le prit par la main et le mena à sa chambre.

Le lit n'était pas fait, la couette était roulée en boule sur le drap. Elle quitta son pull et lui retira le sien. Il la regardait d'un air intrigué, attendant la suite des événements.

Elle toucha du doigt l'orthèse.

« Je peux l'enlever ?

— Non. Mais tout le reste, oui. »

Elle lui retira son tee-shirt et tendit la main vers sa boucle de ceinture. Il n'eut pas un geste pour l'arrêter, mais quand il fit glisser ses bretelles de soutien-gorge pour lui caresser les seins du bout de la langue, elle fut incapable de continuer à le déshabiller. Les genoux flageolants, elle lui laissa l'initiative de la suite. Les dés étaient jetés, l'homme qui lui avait appris à vivre dans l'instant allait lui faire l'amour.

Après, elle resta allongée dans ses bras, submergée par un sentiment de paix qu'elle avait l'impression de ne jamais avoir ressenti auparavant. Il n'y avait pas eu pénétration. Lucas avait suggéré qu'ils s'en abstiennent, parce qu'elle ne prenait plus la pilule. Elle admira sa maîtrise de lui et lui en fut reconnaissante. Cette réserve ne les empêcha pas de se donner mutuellement du plaisir.

« Merci, Lucas. »

Il leva la tête et la regarda.

« Pour ça ?

— Non, pour le cadeau de Noël. Pour m'avoir fait retrouver ma vie et celle de Sophie. Pour m'avoir fait prendre conscience de ce qui compte. »

Le simple conseil donné par Lucas avait complètement transformé la façon de vivre de Janine. Chaque jour elle avait trouvé le temps de faire avec sa fille quelque chose d'agréable pour la petite. Elle avait refusé les traitements qui, s'ils avaient une chance de prolonger la vie de Sophie de quelques mois, feraient de cette vie un enfer. Et elle avait commencé à ne plus être toujours d'accord avec Joe sur la maladie de Sophie. Il ne partageait pas sa nouvelle théorie sur l'importance d'apprécier l'instant. Quand elle avait essayé de la lui expliquer, il l'avait regardée sans comprendre.

Mais, en voyant la voiture de Lucas entrer sur le parking du petit aéroport, Janine se demanda quel instant elle allait trouver à apprécier dans une journée comme celle-ci, avec Sophie toujours introuvable, probablement malade et certainement terrorisée.

Elle traversa la piste à sa rencontre. Il la serra de toutes ses forces contre lui.

— Toujours pas de nouvelles?

— Rien...

— Pardonne-moi pour hier soir, murmura-t-il sans relâcher son étreinte... pour t'avoir laissée seule. Je sais que tu dois penser que je ne sais pas ce qui compte le plus, mais...

— Non, ça va. Je sais que si tu avais pu rester avec moi tu l'aurais fait.

— Merci d'être si compréhensive.

Elle refusa le compliment.

— N'en parlons plus, allons-y.

— Les chiens ont retrouvé la piste de Sophie? demanda-t-il alors qu'ils passaient au-dessus du lieu de l'accident.

L'endroit semblait tout à fait différent que lors de leur premier survol. L'épave n'était plus là, et la pluie avait fait sortir une nouvelle herbe verte qui cachait déjà en grande partie les plaques de terre brûlée.

— Non, pas encore. Ils pensent que la pluie a emporté son odeur. Je suis passée au QG ce matin, ils essaient toujours, ils n'ont pas renoncé.

— Heureusement pour eux. (Il se pencha et l'embrassa.) Sinon il leur faudrait affronter les foudres de Mme Donohue!

Ils repérèrent, plein ouest à partir du lieu de l'accident, le ruisseau où avait été retrouvée la piste de la petite fille. Janine employa à peu près la même technique que le mardi à partir du camp de vacances des scouts et, prenant cet endroit comme épicentre, ils survolèrent en cercles concentriques de plus en plus larges les alentours immédiats.

Valerie Boykin ne s'était pas trompée, il était presque impossible de distinguer quoi que ce soit sous l'épaisseur des arbres. Ils volèrent le plus bas possible, à la recherche d'un mouvement ou d'un éclair de couleur.

— Regarde, il y a une cabane en bas, fit remarquer Lucas après presque une heure de vol.

Leur dernier cercle avait un si large rayon que Janine était sur le point de suggérer d'abandonner et de retourner à l'aéroport. Elle plaça l'appareil juste au-dessus de la vieille cabane en rondins. Un petit rond de pierres noircies faisait face à l'entrée, mais elle ne vit ni fumée ni braises. La cabane semblait abandonnée depuis longtemps. De gros rochers plats encerclaient le foyer et elle aperçut sur l'un d'eux quelque chose qui brillait dans un creux sombre. « Du mica ou du quartz. »

Elle poussa un soupir déçu.

— On ferait mieux de faire demi-tour. On est beaucoup trop loin du ruisseau. Sophie n'aurait jamais pu marcher jusqu'ici.

— Non, pas avec un pied nu.

Janine reprit la direction d'où elle était venue mais, tout en continuant à scruter les arbres au-dessous d'elle, elle revoyait dans sa tête la cabane en ron-dins... les rochers plats... le petit truc brillant... Pour quelle raison ne pouvait-elle cesser d'y penser ? Sans doute parce qu'elle savait que si Sophie avait ren-contré une cabane de ce genre elle s'était certaine-ment réfugiée à l'intérieur. Mais celle qu'ils venaient de voir était vraiment trop loin et ni Lucas ni elle n'en avait aperçu d'autres. Pourtant, lorsqu'elle se posa, l'image de cette cabane s'obstina à rester au fond de sa tête.

29

Zoe, assise sur le canapé, entendit un bruit. Elle pensa d'abord au tonnerre, un orage devait approcher, et elle cessa de manger ses céréales pour écouter. Sophie était installée à l'autre bout du canapé, son bol sur les genoux et son pied blessé posé à l'horizontale sur une caisse. Elle aussi l'entendit. Elle leva brusquement la tête et la tourna en direction de la fenêtre. Seule Marti, debout, appuyée au chambranle de la porte, parut ne rien remarquer. Elle avait refusé les céréales car le seul lait disponible était en poudre, et mangeait des pêches au sirop.

Ce n'était pas le tonnerre mais un avion... Non... Zoe avait déjà entendu des avions survoler la clairière, le bruit était différent. Le bruit approchait, devenait de plus en plus fort. Elle regarda Marti. La jeune femme s'était figée, la cuillerée de pêche devant la bouche et les yeux dilatés par la peur.

— C'est un hélicoptère !

Sophie jeta son bol par terre, bondit et fila en boitillant vers la porte. Marti, laissant aussi ses pêches s'écraser sur le sol, se jeta sur elle et lui saisit le bras.

— Non, tu ne sors pas !

— Aïe !

— C'est son bras brûlé, Marti !

Elle le lâcha, mais s'empara aussitôt de l'autre. Sophie se débattait comme un diable.

— Ma maman sait piloter un hélicoptère, c'est peut-être elle!

Le vacarme de l'appareil était maintenant assez près pour faire frissonner Zoe. Elle voyait par les fenêtres les feuilles follement agitées. Avait-elle laissé dehors quelque objet susceptible de les trahir? Marti avait raison d'interdire de faire du feu, et, Dieu merci, il y avait longtemps qu'elle avait retiré la bâche bleue du toit.

— Non, tu ne sors pas! répéta la fugitive en serrant le bras de Sophie. Tu ne comprends donc pas?

Sophie lui envoya un coup de pied.

— Merde!

Marti recula, mais seulement un instant, car Sophie se précipitait de nouveau vers la porte. Zoe se leva, prête à arrêter l'enfant, mais sa fille saisit Sophie aux épaules et lui fit faire volte-face.

— Petite teigne! C'est ma vie qui est en jeu, ma vie, tu comprends?

Sophie semblait ne pas l'entendre, elle regardait la fenêtre.

— Il s'en va! Laissez-moi sortir! Maman...

Elle s'arracha aux mains de Marti et sortit avant que les deux femmes n'aient pu l'arrêter, mais il était trop tard. Le bruit de l'appareil diminuait rapidement, et bientôt on n'entendit plus que les cris, de plus en plus déchirants, de Sophie appelant sa mère. Ils s'espacèrent, Zoe savait que la fillette était en larmes et alla à la porte.

— N'y va pas! Tu ne vas quand même pas la consoler de ne pas avoir réussi à nous envoyer finir nos jours en prison!

Zoe se tourna vers sa fille.

— Tu es vraiment très dure, Marti. Je ne m'en étais jamais rendu compte.

— Il m'a bien fallu être dure, j'ai grandi sans personne pour me protéger, moi !

La remarque blessa Zoe mais, avant qu'elle n'ait eu le temps de répliquer, Sophie rentra à cloche-pied. Le bandage de son pied blessé était rouge de sang.

— Ton pied s'est remis à saigner, ma cocotte. Assieds-toi, je vais m'en occuper.

La fillette se laissa tomber sans un mot sur le canapé et remit le pied sur la caisse. Elle avait le nez et les joues rouges et refusait de regarder les deux femmes. Zoe s'agenouilla devant la caisse et commença à dérouler la bande. Une douleur lui vrilla le dos. Combien de nuits encore supporterait-elle de dormir sur le tas de vêtements et de linge qui lui tenait lieu de matelas ?

— Apporte-moi l'eau oxygénée, s'il te plaît, Marti. Dans la chambre, dans la boîte à côté de mon lit.

Le pied de Sophie avait encore plus vilaine apparence que la veille. Quand les antibiotiques allaient-ils faire effet ?

Marti revint avec la bouteille d'eau oxygénée et une poignée de boules de coton.

— Tu l'as bien arrangé, ma petite, ton pied, à courir comme ça ! remarqua-t-elle.

Sophie tourna la tête vers elle.

— Vous êtes une méchante femme !

— Non, ma cocotte, elle n'est pas méchante, elle a peur, corrigea Zoe en tamponnant le pied avec du coton imbibé d'eau oxygénée.

— Vous avez tué cette pauvre tortue et vous ne l'avez même pas mangée !

Elles l'avaient abandonnée dans la clairière et au matin elle avait disparu. Des chiens avaient dû s'en emparer.

Marti s'assit à l'autre bout du canapé et se mit à allumer et éteindre son briquet. Elle n'avait plus de cigarettes et essayait de compenser en jouant avec son briquet.

— Ecoute, Sophie, essaie de comprendre la situation... dit-elle enfin.

La petite fille lui lança un regard soupçonneux.

— Qu'est-ce que vous voulez dire ?

— Je veux dire que si on te trouve on me trouve aussi et je retourne en prison. Un jour on pourra partir d'ici et on te laissera partir aussi, mais ce n'est pas demain la veille.

— Pourquoi étiez-vous en prison ? demanda l'enfant, les yeux fixés sur son pied, que Zoe enveloppait de gaze.

— On pense que j'ai assassiné quelqu'un.

— Vous l'avez fait ?

— Non. Mais l'enquête a conclu que c'était moi. Alors je dois rester en prison jusqu'à la fin de mes jours. (Elle soupira.) Tu sais comment c'est, la prison ?

— Pas vraiment.

— Eh bien, imagine-toi enfermée dans un endroit d'où tu sais que tu ne sortiras jamais. Jamais. Et tu es entourée de gens qui te font mal. Les surveillants, qui sont là pour t'empêcher de sortir, te font mal. Les autres prisonniers te font mal. Tout le monde déteste tout le monde. Tu dois manger ce qu'on te donne et c'est immonde, de toute façon. (Elle alluma le briquet et regarda la flamme.) Tu n'es libre d'aller nulle part. Tu dois faire tout ce qu'on te dit de faire, sinon tu te retrouves au cachot, toute seule, jour et nuit dans le noir, et... tu deviens folle.

Sophie lui jeta un regard en biais puis se concentra de nouveau sur son pied.

— Je crois que je sais un peu comment ça doit être, en prison. Je connais un garçon qui dit que les dialyses c'est comme une prison. (Elle haussa les épaules.) Ça y ressemble, par certains côtés. Avant qu'on me donne de l'Herbaline, j'avais des dialyses toutes les nuits. Maman me branchait à une machine avec le tube que j'ai dans le ventre et je restais branchée toute la nuit. Ce n'était pas facile de changer de position, ni de se lever pour aller aux toilettes. Le matin, elle était obligée de laisser un peu d'eau dans mon estomac et j'avais toujours un gros ventre. Et toute la journée il fallait que je mesure exactement tout ce que je buvais, même des choses comme des glaces ou de la gelée, parce que, en fait, c'est du liquide. Et si j'absorbais trop de liquide, j'étais vraiment très malade. Il y avait plein de choses que mes amies pouvaient manger et pas moi, comme les bananes ou les frites. (Elle regarda Marti.) Vous avez été envoyée en prison alors que vous n'aviez rien fait de mal, et moi j'étais obligée de subir des dialyses et je n'avais rien fait de mal non plus. Des fois les gens ont des malheurs comme ça, sans raison.

— Les merdes vous tombent dessus, c'est ça? (Elle se leva et s'étira.) Ce que je peux m'ennuyer! Je vais lire un peu à côté.

313

« Elle ne comprend rien, pensa Zoe, ou bien elle comprend mais s'en moque. »

Elle avait fini le pansement. Elle se leva et déposa un baiser au sommet du crâne de la fillette. Cette petite était si courageuse !

Elle rangea l'eau oxygénée et alla jeter le pansement souillé dehors. Elle avait les larmes aux yeux. « Sophie n'est sortie d'une prison que pour se retrouver dans une autre. Et Marti et moi sommes ses geôliers. »

30

— J'ai honte de penser ça, murmura Joe en tournant sur la 66, mais je commence à regretter que Sophie n'ait pas été tuée dans l'accident, elle aussi.

Voilà, il avait enfin osé prononcer tout haut ce qu'il se répétait tout bas. Cela faisait deux jours que cette idée le taraudait, mais il avait refusé de l'admettre et feignait de garder l'espoir de retrouver sa fille vivante. Il n'aurait pu imaginer faire cet aveu à quiconque, excepté à Paula. Celle-ci, assise à côté de lui, lui posa la main sur l'épaule.

— Je sais... Moi j'espère encore que... par quelque miracle...

Elle secoua la tête, aussi désemparée que lui. Il venait de passer une longue journée assis, impuissant et oisif, à côté du camion du QG, à scruter les bois qui avaient englouti sa fille. Il avait l'impression que tous les chiens de sauvetage présents sur le site

314

avaient été conduits près du ruisseau flairer l'odeur de Sophie. Valerie Boykin lui avait dit que quelques-uns semblaient effectivement renifler quelque chose, mais perdaient à nouveau la trace. Même les chiens spécialisés dans la recherche de cadavres y avaient été amenés, mais personne ne sembla s'étonner qu'eux non plus n'arrivent à rien.

Joe et Paula retournaient à Vienna. Frank et Donna Snyder aussi rentraient chez eux, car les obsèques de la petite Kraft avaient lieu le lendemain. Et Joe avait beau combattre de toutes ses forces ce sentiment, il ne pouvait s'empêcher de se demander si, en fin de compte, ce n'étaient pas les parents de Holly qui avaient eu le meilleur sort. Au moins, ils savaient que leur fille était morte rapidement et étaient certains qu'elle ne souffrait plus.

— Tu sais, Paula, je n'arrive pas à croire que ça fait déjà cinq jours.

— Moi, ça m'a semblé cinq semaines.

— Tu n'as pas entendu dire que les recherches s'arrêteraient dimanche ?

Joe craignait d'avoir entendu Valerie Boykin faire une remarque dans ce sens, mais, comme il ne voulait pas y croire, il s'était abstenu de poser des questions.

— Il me semble que c'est ce qu'a dit la responsable.

— Alors on ne saura jamais ce qui est arrivé.

— Ils vont encore continuer à chercher demain, Joe.

— Elle peut être n'importe où. Quand je regarde cette carte d'état-major, dans le camion, je suis effaré de l'immensité de territoire qu'il faudrait couvrir !

315

Son téléphone portable sonna et il le saisit en hâte. Sans doute ne serait-il plus jamais capable de répondre calmement au téléphone.

— Allô?

— Joseph Donohue?

Une voix féminine dans laquelle il crut reconnaître celle de Valerie Boykin. Il se raidit pour affronter ce qu'elle allait lui apprendre.

— Oui...

Paula se rapprocha un peu de lui.

— Ici Catherine Maitland, de la Fondation Monticello. Vous désirez des informations sur un de mes anciens employés, n'est-ce pas?

— Euh... Oui, c'est exact...

Il avait presque oublié avoir appelé la Fondation Monticello le matin même. Ça paraissait si loin...

— Vous avez donné le nom de Lucas Trowell, n'est-ce pas? T, r, o, w, e, l, l. C'est ça?

— Oui.

— Alors je pense qu'il y a erreur. Nous n'avons aucun employé de ce nom dans notre personnel.

— Il ne travaille plus chez vous. C'est un ancien employé.

— Nous n'avons jamais eu personne de ce nom.

Joe ne s'attendait pas à cette réponse. Il pensait plus ou moins entendre que Trowell avait été un travailleur aussi négligent à Monticello qu'à Ayr Creek, ou bien une remarque sur son inhabituel intérêt pour les petites filles. Mais certainement pas à apprendre qu'il n'avait jamais été embauché à Monticello.

— Euh... Il aurait travaillé chez vous à la fin des années quatre-vingt-dix. Comme jardinier, horti-culteur, plus précisément.

— Ecoutez, je suis directeur des ressources

humaines à Monticello depuis quinze ans et je pourrais vous énumérer les noms de tous les jardiniers, paysagistes et tutti quanti ayant travaillé chez nous depuis mon arrivée. Pas de Lucas Trowell.

— Mais il avait une lettre de recommandation enthousiaste de votre fondation, quand il a posé sa candidature pour Ayr Creek, en Virginie.

Il y eut un court silence.

— Vous êtes certain qu'il ne s'agissait pas de Mount Vernon ou d'une autre demeure historique ?

— Certain.

Joe serra les mâchoires. Il commençait à avoir la migraine. Il lâcha un instant le volant pour se frotter la tempe.

— Eh bien, merci beaucoup.

— Oh, je n'ai pas dû vous aider beaucoup !

— Si, justement.

Il raccrocha et jeta un coup d'œil à Paula. Celle-ci ne le quittait pas des yeux.

— Alors ? De quoi s'agit-il ?

Les mains de Joe se crispèrent sur le volant.

— Cette maison perchée dans les arbres... Il y a quelque chose de vraiment pas net là-dedans !

— Qu'est-ce que tu racontes ?

— Eh bien, apparemment, Lucas Trowell n'a jamais travaillé à Monticello.

— Qu'est-ce qui te faisait croire qu'il y avait travaillé ?

— C'est ce qu'il a dit à la Fondation Ayr Creek. Frank Snyder a même précisé qu'il était chaudement recommandé par Monticello.

— Je ne comprends rien... Qui t'a téléphoné ?

— La femme qui dirige le service du personnel à

317

Monticello. Elle n'a jamais eu personne de ce nom parmi ses employés.

— Mais pourquoi t'a-t-elle appelé pour te dire ça?

— C'est moi qui le lui ai demandé. Je voulais savoir quelle sorte d'employé Trowell était là-bas. Ce type est louche, tu sais!

Il la regarda.

— Je suis allé l'espionner un peu, hier soir...

C'était de toute évidence son jour de confession.

— Tu as fait quoi?

— Je voulais savoir pourquoi, s'il tient tant que ça à Janine, il ne pouvait pas retourner avec elle en Virginie-Occidentale, hier soir. Alors j'ai fait un tour chez lui. Je m'attendais à le trouver avec une autre femme.

— Et alors?

— Je l'ai vu chez lui, il travaillait sur son ordinateur.

— Oh oh! Activité extrêmement compromettante s'il en est!

— Je sais... mais qui me dit qu'il n'était pas trop tôt, ou trop tard, pour le prendre sur le fait? Et puis j'ai jeté un coup d'œil sur les papiers à recycler, dans sa poubelle.

— Joe!

— Oh, ça va, hein!

Il n'était pas d'humeur à supporter le ton moralisateur de la jeune femme. Celle-ci soupira.

— Et tu as trouvé quoi?

— De la pornographie enfantine.

— Oh... Beurk! (Elle porta la main à sa bouche.) Tu plaisantes, non?

— Je voudrais bien, mentit-il.

En fait, il commençait à prendre un plaisir sadique à inventorier ce qu'il savait maintenant sur Lucas Trowell.

— Tu veux dire que tu as trouvé des revues, ou quoi ?

— Juste une. Elle s'est ouverte sur la photo d'un enfant nu. Une petite fille. Je n'avais pas besoin d'en voir davantage. J'ai appelé Monticello parce que je voulais savoir s'il était parti de lui-même ou s'il avait été licencié. Ça ne m'est jamais venu à l'esprit qu'il ait pu ne jamais y avoir travaillé. Il faut avertir Janine.

Il avait l'intention de l'appeler à la minute où il serait chez lui. Paula resta un instant silencieuse. Puis :

— Je ne crois pas que ce soit une bonne idée de le lui dire.

Il la regarda, stupéfait.

— Tu ne crois pas qu'elle a le droit de savoir ? Tu ne voudrais pas savoir, toi, que le type avec qui tu couches est au mieux un menteur et au pire un pédophile ?

— Pour le moment, Lucas ne fait de mal à personne...

Comme toujours, elle parlait avec la voix de la raison.

— ... et, continua-t-elle, il est là pour la soutenir. Même s'il est ce que tu crois, ce n'est pas le moment de le lui jeter à la figure. Tout ce que tu feras, c'est lui enlever la seule personne qui l'empêche de craquer.

— Mais je ne veux pas qu'elle reste avec lui ! Je ne veux plus qu'elle couche avec ce salaud ! Ça me soulève le cœur de savoir qu'elle est avec un type pareil !

— Joe... (Paula tira sur sa ceinture de sécurité pour pouvoir se tourner vers lui.) Tu sais que j'ai

319

beaucoup d'affection pour toi, n'est-ce pas ? (Il opina de la tête.) Eh bien parfois tu es un vrai monstre d'égoïsme !

Ce n'était pas la première fois qu'il entendait ces mots, mais ça ne lui plaisait pas du tout qu'ils sortent de la bouche de Paula. Il savait qu'il pouvait toujours compter sur elle pour l'obliger à affronter la vérité, et, cette vérité-là, il n'avait pas la moindre envie de l'entendre.

— Tu me trouves égoïste d'aller dire à Janine que son petit ami est peut-être un scélérat ?

— Si tu le lui dis maintenant, oui, tout à fait.

Il n'arrivait pas à comprendre. Le mode de raisonnement de son amie lui semblait absurde. Mais il avait confiance en elle plus qu'en quiconque.

— Bon, d'accord. Je le garderai pour moi jusqu'à ce que tout ça soit fini.

Paula sourit et se pencha pour lui déposer un baiser sur la joue.

— Là je te retrouve ! Tu n'es pas si mauvais, finalement.

31

Lucas ne savait pas où poser les yeux. Assis à côté de Janine sur un banc au milieu de l'église, il lui tenait la main bien serré pour la réconforter. Mais il avait autant qu'elle besoin de réconfort, plus peut-être. Deux rangs devant eux, Joe et Paula étaient assis avec les Snyder. Joe avait accueilli son ex-femme en la serrant dans ses bras et en l'embrassant sur la joue, mais elle avait été totalement ignorée par ses parents. Lucas espérait que leur cruauté n'était pas uniquement due à sa présence. C'était tout à fait contraire à son tempérament de feindre de ne pas voir leur ressentiment, il avait plutôt tendance à s'attaquer au problème et à le régler. Mais, ces temps-ci, Lucas n'était pas lui-même.

La petite église de Vienna était pleine d'adultes et d'enfants. Le chagrin sur le visage des gens lui était insupportable. Une grande photographie de Holly Kraft avait été placée sur un chevalet à côté de la chaire. Lucas ne voulait pas la regarder, mais ses yeux s'étaient malgré lui portés dans cette direction, et une seconde avait suffi pour que le sourire de la fillette se grave dans sa tête.

Il évitait aussi de poser les yeux sur le premier banc, où avaient pris place les Kraft et leurs enfants, et ne voulait pas non plus voir le prêtre ni les autres membres de la famille de Holly qui, l'un après l'autre, allèrent au micro dire quelques mots sur la petite défunte, sa brève vie, sa gaieté et son avenir à jamais détruit. Quelques-uns tentèrent une anecdote amusante sur la fillette, et si la cérémonie avait été en mémoire d'un adulte, l'évocation d'un plaisant souvenir aurait fourni un répit bienvenu. Mais qui pouvait sourire alors que l'enfant avait disparu sans même avoir une chance de vivre vraiment ?

Lucas avait assisté aux obsèques d'un autre enfant, juste une fois, et c'était une fois de trop. Il s'était promis de ne plus jamais aller à une cérémonie de ce genre. Mais Janine l'avait supplié de l'accompagner, comment aurait-il pu refuser ? Il s'efforça de se concentrer sur elle, au moins ça lui éviterait de penser à lui-même. Il fixa la main blottie dans la sienne. Après avoir été négligée toute la semaine, elle avait des ongles courts et cassés, mais elle était légèrement hâlée et, à côté, la teinte jaunâtre de sa propre main le frappa. Il ne s'était pas aperçu que sa peau avait pris cette teinte maladive; cette constatation l'affola et il serra convulsivement les doigts de Janine. Celle-ci lui jeta un bref coup d'œil inquiet, avant de se tourner de nouveau face au centre de la chapelle.

« Plus sage de concentrer mes regards sur Joe, pensa Lucas, cela m'empêchera de voir le reste. » Effectivement, plus il fixait la nuque devant lui, plus les objets se trouvant dans son champ de vision périphérique devenaient flous. Les cheveux noirs de Joe semblaient ne jamais devoir blanchir ni se clairsemer. Au-dessus de son col de chemise, sa nuque était bronzée, et il était large d'épaules. Quant à ses yeux... Lucas n'avait pas besoin de les voir pour s'en souvenir. A l'instant où son regard s'était posé sur Joe pour la première fois, ces yeux lui avaient été si familiers qu'il avait l'impression d'avoir connu cet homme toute sa vie.

Paula avait passé le bras autour des épaules de Joe et lui frictionnait du pouce le haut de l'épaule. Elle était de toute évidence amoureuse de lui. Tout comme Joe l'était encore de Janine.

Les sanglots d'un violon tombèrent de la tribune. Une complainte désespérée, subtile, et infiniment douloureuse. Lucas eut envie de quitter l'église en courant, exactement comme il avait voulu fuir ces autres obsèques d'un enfant auxquelles il avait

322

assisté. Partir en courant et continuer à courir jusqu'à ce que son esprit devienne insensible à la douleur...

Mais il se comporta comme la fois précédente, il resta assis, serrant la main de la femme qu'il aimait et suppliant le ciel de faire en sorte que cette longue épreuve chargée de réminiscences se termine enfin.

32

Zoe ne savait pas si Sophie était malade ou juste déprimée, mais la petite ne s'était pas levée de la matinée. A midi, elle alla la voir dans la chambre. Elle prit avec elle la chaise bancale et s'assit à côté du grabat de la fillette. Sophie était couchée sur le dos, les yeux grands ouverts et aussi gonflés que si elle pleurait depuis des heures.

— Ça va, Sophie ?

La petite fille fit rouler sa tête de gauche à droite sur l'oreiller.

— Je vais retomber malade.

— Comment ça ? C'est ton problème aux reins ?

— Oui, je le reconnais, je me sens comme je me sentais quand je n'avais pas eu assez de dialyses, avant l'Herbaline. (Elle leva un bras.) Et mes mains sont enflées.

Effectivement. Et le gonflement de ses yeux n'était pas dû à des larmes mais à son état de santé. Sophie n'avait pas versé une larme, elle acceptait stoïquement son destin. Sa résignation brisa le cœur de l'ancienne actrice. Et elle savait bien que sa maigre provision d'antibiotiques ne servirait à rien dans ce cas.

Elle trouva Marti dans la clairière. Assise sur un des rochers plats, elle allumait et éteignait son briquet. Elle entendit sa mère approcher et se tourna vers elle.

— Pourquoi diable n'ai-je pas pensé à acheter une centaine de cartouches de cigarettes, avant de venir?

— Tu aurais été obligée de les porter pendant tout le trajet à travers bois.

— Exact.

Zoe s'assit à côté de sa fille. Elle trouva à côté d'elle le canif de Sophie et le glissa dans sa poche de short.

— Il faut qu'on parle de Sophie, Marti... Il faut absolument trouver un moyen de la faire soigner.

— Maman...

— Je n'ai pas le choix, Marti. Il faut qu'on en parle, qu'on trouve une solution au lieu de dire qu'on n'y peut rien. Elle est gravement malade. Il faut absolument que j'aille chercher de l'aide.

— Et après?

— Après, on affrontera les conséquences, quelles qu'elles soient. (Elle en parlait comme si c'était facile, mais elle savait que ce ne serait pas le cas.) Je te promets que cette fois je te trouverai le meilleur avocat en droit criminel du pays. On fera appel, tu seras relâchée.

Marti alluma son briquet et regarda fixement la flamme.

— Il faut que je te dise quelque chose...

— Quoi?

— J'ai tué Angelo... le gardien.

— Je ne comprends pas...

Elle ne voulait surtout pas comprendre.

— Je n'ai pas eu le choix, tu sais! Je lui ai remis l'argent trouvé dans la grange et une fois qu'il l'a eu en main son attitude a complètement changé. Jusque-là, on était d'accord : il allait repartir en me laissant là. Mais d'un seul coup il a changé d'avis et il a décidé de me tuer.

Elle regarda Zoe avec de grands yeux bleus bordés d'immenses cils, aussi innocents que ceux d'un enfant.

— Il avait peur que, si je me faisais reprendre, je le dénonce et qu'ils le recherchent aussi. Je crois qu'il avait décidé de me tuer et de m'enterrer quelque part dans les bois.

— Il te l'a dit?

— Non. Mais il est devenu très tendu, une fois qu'il a eu l'argent, et j'ai remarqué qu'il avait retiré son revolver de la boîte à gants, où il le mettait habituellement. Alors j'ai deviné ce qu'il allait faire, j'aurais dû le comprendre plus tôt. Maintenant qu'il avait l'argent, il n'avait aucun intérêt à me laisser en vie. Alors j'ai pris le revolver avant lui, et j'ai tiré avant qu'il n'ait le temps de me tuer moi.

Zoe avala la bile qui lui était remontée à la bouche. Marti décrivait la scène si froidement et calmement que sa façon de raconter était aussi effrayante que ce qu'elle disait. Sa voix impassible lui rappela Sophie et son ton stoïque. Etait-elle dans cette forêt la seule personne capable de ressentir de l'émotion? Ou bien Marti et Sophie savaient-elles mieux qu'elle que certains sentiments sont trop violents et trop dangereux pour s'y abandonner? Elle essaya d'y voir plus clair.

— Alors... on a trouvé le cadavre du gardien et compris que c'était toi qui l'avais tué ?

— Bien vu !

Pas étonnant que depuis son arrivée à la hutte sa fille se soit montrée si difficile, si distante, si désespérée. Elle était une meurtrière. Avait-elle tué l'homme d'une balle dans la poitrine ? Dans la tête ? Zoe n'arrivait même pas à imaginer le geste. Il est vrai que Marti avait bien facilement fait un sort à cette pauvre tortue.

— Qu'est-il arrivé à l'argent ?

— Je le lui ai repris et je l'ai remis dans la grange. On saura où le trouver si on veut le récupérer avant de partir pour l'Amérique du Sud.

— Ah bon...

« Un tel sang-froid ! Marti assassine un homme et reste suffisamment calme et calculatrice pour penser à remettre l'argent dans sa cachette... »

— Alors, maintenant, tu le sais. (La jeune femme se tapa sur les cuisses.) J'ai bel et bien commis un meurtre. Tu n'arriverais jamais à me tirer de là, même si on finissait par persuader un jury qu'en ce qui concerne Tara Ashton je dis la vérité.

— Mais c'était de la légitime défense. Tu n'avais pas le choix.

— Merci de penser ça, maman ! (Elle sourit et se leva.) J'ai bien peur que tu ne sois la seule personne au monde à raisonner ainsi !

Zoe regarda sa fille contourner la hutte en direction des latrines.

« Elle est courageuse. Depuis quelques jours, elle

porte sur ses épaules le poids d'un meurtre. Elle fait sans doute des cauchemars, mais elle n'en parle à personne. »

Mais, au fond d'elle-même, Zoe savait bien qu'elle projetait sur sa fille sa propre réaction si elle-même avait envoyé une balle dans la tête ou le cœur d'un autre être humain. Marti ne réagissait pas forcément de la même façon.

Elle se souvint d'un épisode vieux de plusieurs années, auquel elle n'avait pas pensé depuis fort longtemps. La directrice du pensionnat de Marti avait un jour téléphoné pour l'avertir que sa fille avait, avec son couteau suisse, volontairement blessé une camarade. Zoe, refusant de croire que la fillette ait pu faire une chose pareille, était aussitôt allée au pensionnat, à Santa Barbara. Et effectivement la « victime » était revenue sur ses accusations et avait avoué s'être blessée accidentellement en découpant une citrouille pour Halloween. Soulagée, Zoe était repartie en réussissant à ne pas s'appesantir sur l'attitude de Marti, qui, interrogée par les responsables de l'établissement, avait montré un calme et un détachement effrayants. Comme elle avait refusé de s'appesantir sur la soudaine disparition, à la même époque, de plusieurs milliers de dollars de son compte bancaire.

Elle n'avait pas pensé à cet incident depuis des années, ou plutôt elle n'avait pas voulu y penser. Il était infiniment plus facile de l'ignorer, de l'oublier. Mais maintenant elle attendait le retour de Marti la peur au ventre. Peur d'avoir sur les bras deux malades. L'une gravement malade physiquement, l'autre dont l'esprit et le cœur étaient tout aussi gravement atteints.

33

Dès le samedi soir, Janine et Lucas retournèrent en Virginie-Occidentale. Joe, Paula et les parents de Janine avaient l'intention de les rejoindre le lendemain, mais Janine avait hâte de se retrouver là-bas. Les obsèques de Holly avaient été pénibles et bouleversantes, mais son esprit avait travaillé pendant tout le temps qu'elle avait passé dans l'église endeuillée. L'image de la cabane en rondins qu'elle et Lucas avaient survolée l'avait hantée durant toute la cérémonie. Elle ne pouvait s'empêcher de revoir le foyer, la fente dans le rocher, le petit fragment de quartz scintillant au soleil.

Sauf que ce n'était pas du quartz, ni du mica. Cet éclat ne provenait pas du rocher lui-même, mais d'un objet posé sur ce rocher.

Tandis que les membres de la famille de la petite morte venaient un à un faire l'éloge de l'enfant qu'ils venaient de perdre, une idée s'était imposée à elle. Elle n'entendait pas un mot de ce qu'ils disaient : elle visualisait les rochers plats, et, dans sa tête, la forme oblongue qu'elle avait interprétée comme une fente du rocher avait pris celle du canif offert par Lucas à Sophie. Et l'éclat de lumière était la lame, reflétant le soleil. L'image était devenue de plus en plus nette, de plus en plus convaincante, et elle avait dû se retenir pour ne pas quitter l'église afin d'aller faire part de son idée à Valerie Boykin. Dès qu'ils étaient sortis, elle avait bondi sur le portable de Lucas pour appeler la responsable des recherches.

« Je crois avoir aperçu le canif de Sophie à côté

d'une cabane en rondins, à environ huit kilomètres de la route. »

Valerie Boykin l'avait laissée parler sans répondre, pour ne pas la contrarier, mais son silence était éloquent : la responsable des recherches était prête à abandonner la partie.

« Je vous en supplie, envoyez quelqu'un là-bas.

— Je sais que vous voulez retrouver Sophie vivante, et, croyez-moi, nous le voulons tous. Mais elle n'aurait jamais pu marcher si loin. Vous ne l'ignorez pas, d'ailleurs !... et vous n'êtes même pas sûre de l'emplacement de la cabane. »

Janine n'avait pas insisté. Elle avait compris : son seul espoir d'obtenir ce qu'elle désirait était d'arriver au QG tôt le lendemain matin et de plaider sa cause de vive voix. Lucas avait accepté de l'accompagner, mais de mauvais gré. Il semblait un peu distant, et elle craignait qu'il ne soit, lui aussi, en train de renoncer.

Ils arrivèrent au camion du QG très tôt le dimanche matin et s'aperçurent qu'il ne restait plus au bord de la route que lui et le treuil. Effectivement, quand ils avaient tourné sur la petite route, celle-ci n'était plus barrée de cônes orange. Plus de voiture du shérif, et les véhicules des sauveteurs avaient disparu. Le seul vestige de l'activité fébrile déployée toute la semaine à cet endroit était le petit édicule bleu des W.-C. chimiques.

— Où sont les gens ? demanda-t-elle à Lucas en se garant à côté du camion.

Il ne répondit pas et elle connaissait, hélas, la réponse. Les recherches avaient été abandonnées. Pour tout le monde sauf elle, un point final avait été mis à la brève vie de Sophie.

329

Valerie Boykin leva les yeux en les voyant entrer dans le camion, puis quitta lentement sa chaise.

« Elle se dit qu'elle n'a plus aucune raison de se dépêcher, pensa Janine, qu'il n'y a plus aucune urgence. »

— Je vous attendais, madame Donohue...

— Où sont passées toutes les équipes ?

— Nous avons pris la décision d'arrêter les recherches...

Sa voix était empreinte d'un sincère regret.

— ... Je suis désolée que nous n'ayons pu faire mieux. Mais sans aucune trace de Sophie nulle part, et avec des chiens complètement incapables de retrouver son odeur, en admettant d'ailleurs qu'ils l'aient jamais flairée, il ne nous a pas semblé...

— Mais vous ne pouvez pas arrêter comme ça ! Il faut au moins aller voir cette cabane en rondins !

— D'après nos médecins, il est impossible que, vu son état de santé, votre fille ait pu survivre si longtemps dans la forêt.

— Ce serait vrai si elle n'avait jamais été soignée à l'Herbaline, mais...

— Nos médecins ne croient pas qu'un traitement par les plantes ait pu entraîner une telle amélioration de son état. (Elle posa la main sur l'épaule de Janine.) Je sais que ce sont des mots très pénibles à entendre.

La responsable regarda Lucas comme pour lui demander de l'aide, mais il s'excusa et sortit en direction des toilettes.

— Eh bien, alors, maintenant on va me laisser la chercher moi-même ! Puisqu'une mère n'a le droit de chercher sa fille que quand tout le monde a abandonné parce qu'on la croit morte.

— Je comprends, Janine, mais...

— Elle n'est pas morte, bon Dieu! (Elle tapa du poing sur la table.) Je sais qu'elle n'est pas morte!

Elle descendit en coup de vent du camion et, bras croisés sur la poitrine, attendit Lucas sur la route. Quelques minutes plus tard, Valerie Boykin la rejoignit.

— Vous avez réellement l'intention de la chercher vous-même?

— Vous pouvez me croire!

— Eh bien, dans ce cas, prenez ça! (Elle lui tendit un petit objet; Janine le reconnut, c'était un GPS, un appareil de localisation par satellite, dont certains sauveteurs avaient été munis pour ne pas se perdre.) Je n'ai pas envie d'être obligée de revenir pour vous chercher, vous aussi.

Janine regarda le petit boîtier.

— Je ne sais pas comment ça marche.

— C'est très facile à utiliser. Je vais vous donner une leçon et vous pouvez emporter une de nos cartes. Ainsi vous saurez toujours où vous êtes, d'accord?

— Merci.

— Remontez tous les deux dans le camion, je vais vous expliquer son fonctionnement.

Une longue minute après, Lucas réapparut et la jeune femme lui montra le petit appareil.

— Valerie Boykin m'a donné un GPS. Tu vas m'aider à chercher Sophie?

— Tu veux dire... tout de suite?

— S'il te plaît, Lucas... Chaque minute compte, tu le sais bien.

331

Il regarda en direction des bois, et posa la main sur son bras.

— Comment vas-tu savoir où aller, Jan? Les chiens n'ont pas pu retrouver sa trace. Je me demande...

Il avait toujours son air dubitatif.

— Il faut absolument que j'essaie, Lucas. Je ne pourrai pas vivre en paix avec moi-même si je n'y vais pas.

Il détourna les yeux, puis croisa enfin son regard.

— D'accord, je vais t'aider aujourd'hui. Mais il faut absolument que je rentre à Vienna ce soir.

— Toi non plus, tu ne crois pas qu'elle puisse être encore en vie, hein?

Il retira ses lunettes pour se frotter les yeux, et elle vit son expression fatiguée, vaincue.

— Ce que je crois, c'est que tu ressens un besoin compulsif d'aller à sa recherche et que tu ne t'arrête-ras pas avant d'avoir exploré chaque recoin de cette forêt. Et ça, je le comprends très bien et je t'y aiderai. Mais il faut que je sois sur la route à seize heures, d'accord?

— D'accord.

A l'instar de Valerie Boykin, il voulait lui faire plai-sir, mais il pensait au fond de lui-même que c'était une quête inutile. Peut-être avait-il raison, mais elle ne le croirait que quand elle aurait elle-même fouillé les bois.

Dans le camion, la responsable leur montra com-ment utiliser le GPS, puis Janine se pencha sur la carte étalée sur la table.

— La cabane en rondins est quelque part là-haut. Les sauveteurs ne sont pas allés aussi loin?

— Comme je vous l'ai dit, c'est à plus de huit kilomètres d'ici. On a effectué des recherches dans un rayon de cinq kilomètres. Il est extrêmement peu probable que Sophie ait pu s'éloigner davantage.

— Vous ne la connaissez pas. Et je vous l'ai dit, j'ai aperçu son canif posé sur une pierre près de cette cabane.

— Vous croyez l'avoir vu. Il serait très difficile d'identifier un si petit objet depuis un hélicoptère. Notre esprit peut nous jouer de très sales tours, vous savez.

— Tu sais, Jan, je crois que Valerie a raison, intervint Lucas. Même si Sophie n'avait pas perdu une chaussure et même si elle avait été en bonne santé, elle n'aurait jamais pu faire tout ce chemin à pied. Je sais que cette cabane te hante, mais comme c'est une des rares choses qu'on a vues de là-haut, c'est là que tu l'imagines être. Mais je...

— J'ai besoin d'un but, Lucas, d'une destination vers où marcher. On peut partir du ruisseau où les chiens ont flairé la trace de Sophie, puis de là marcher vers la cabane. C'est une direction qui en vaut une autre, et je suis certaine que si Sophie a trouvé cette cabane c'est là qu'elle est.

— C'est très loin, Janine, tu sais.

La jeune femme regarda la responsable des recherches.

— Vous avez toujours mon Herbaline?

— Bien sûr !

Valerie alla au réfrigérateur à l'arrière du camion, sortit du compartiment à légumes le sac isotherme, prit dans le freezer un bloc réfrigérant et tendit le tout à Janine.

— Merci.

Janine ouvrit le sac isotherme, y glissa le bloc et passa la bandoulière par-dessus son épaule.

— Prêt, Lucas ?

— Je ne peux pas l'être plus.

Ils dirent au revoir à Valerie Boykin, puis suivirent la route en direction de la partie du ravin où la descente était moins périlleuse.

Au moment où ils entraient dans les bois, Janine entendit un moteur tousser, puis démarrer. Valerie Boykin partait. Comment réagissait-elle à cette mission infructueuse ? Serait-elle hantée par l'image de Sophie, ou bien allait-elle oublier l'échec de cette semaine de recherches pour passer à la prochaine opération, en espérant qu'elle se terminerait mieux ?

Elle et Lucas marchèrent sans un mot en direction du ruisseau. Le secteur avait été fouillé et refouillé, inutile d'y chercher de nouveaux indices. Janine était persuadée que Sophie s'était égarée bien plus loin que ne le croyait tout le monde. Ils ne connaissaient pas sa fille, ne savaient pas avec quel courage la petite était capable de se battre.

Elle était un peu déçue par le comportement de Lucas. Non seulement par son insistance pour quitter la forêt et retourner à Vienna dans l'après-midi, mais aussi par son peu d'enthousiasme pour la soutenir face à la responsable des recherches. Il ne voulait pas l'avouer, mais elle savait bien qu'il croyait Sophie morte. Il traînait derrière elle et elle l'entendait respirer comme s'il était essoufflé. A cette allure, il n'arriverait jamais jusqu'à la cabane en rondins.

Il ne croyait pas à cette expédition. Peut-être aurait-elle mieux fait de lui dire d'aller l'attendre au motel et de revenir la chercher l'après-midi ?

Ils s'étaient enfoncés d'une centaine de mètres dans le bois quand Lucas s'arrêta. Janine se retourna.

— Qu'est-ce qui se passe ? Tu vois quelque chose ?

Il secoua la tête, elle entendit sa respiration saccadée et, prenant peur, retourna sur ses pas pour le rejoindre.

— Je suis désolé, Jan, je ne me sens pas bien du tout, je vais être obligé de rentrer.

Elle lui prit le bras et scruta son visage. Dans la pénombre des arbres, sa peau avait une teinte jaunâtre, et il transpirait à grosses gouttes.

— Qu'est-ce qui se passe ?

— Il faut que je m'assoie...

Il regarda autour de lui comme s'il cherchait où s'asseoir.

— Il y a une souche devant. Tu peux arriver jusque-là ?

— Je préfère m'asseoir ici, répondit-il en se laissant tomber sur le sol.

— Tu ne sens pas un point à la poitrine, au moins ? (Elle pensait à un malaise cardiaque, mais il secoua de nouveau la tête.) Où est ta bouteille ?

— Je ne l'ai pas prise.

— C'est peut-être ça, alors, tu es déshydraté. (Sans quitter son sac à dos, elle sortit la sienne et la lui tendit.) Tiens !

— Non, je n'en veux pas !

Elle s'accroupit en face de lui. Il fronçait les sourcils comme s'il souffrait.

— Tu as mal quelque part?

— J'ai des crampes... et je me sens faible... j'ai la nausée.

— Bois un peu... (Elle lui tendit de nouveau la bouteille.) Tu as sans doute un vertige parce que...

— Je n'en veux pas, je te dis! protesta-t-il avec colère.

Elle s'écarta, quitta son sac à dos, y prit un mouchoir qu'elle mouilla avant de le lui passer sur le front et la nuque. Il ferma les yeux, elle mouilla de nouveau le mouchoir et le lui enroula autour du poignet droit avant de saisir le Velcro de l'orthèse. Lucas ouvrit aussitôt les yeux et lui attrapa la main. Le mouchoir tomba sur le sol.

— Ça ne fera pas de mal à ton poignet, voyons! Ton bras est brûlant, tu es trempé là-dessous, laisse-moi te l'enlever et te rafraîchir.

Il la fixa un instant d'un regard vide qui l'effraya, puis ferma lentement les yeux, et Janine commença à défaire le Velcro.

— Janine...

Sa voix mourut, il était trop faible et trop malade pour continuer à protester. Elle détacha tout doucement l'orthèse, soucieuse de ne pas toucher au poignet. Il y faisait tellement attention! Elle retira l'orthèse, posa la main de Lucas sur son genou, ramassa le mouchoir, le remouilla, prit doucement la main inerte, la retourna pour poser le mouchoir à l'intérieur du poignet et... cessa un instant de respirer. Sur la face interne de l'avant-bras, elle venait de reconnaître l'enflure caractéristique du canal reliant une artère à une veine.

— Tu as une fistule!

Les pensées commencèrent à bouillonner dans sa tête.

Lucas acquiesça, ouvrit les yeux, et elle comprit aussitôt la raison de son teint jaune, de son refus de boire, de ses crampes, de sa faiblesse.

— Oh Lucas... Oh mon Dieu! Pourquoi ne me l'as-tu jamais dit? Pourquoi me l'avoir caché?

— J'ai besoin d'une dialyse.

— Oui.

Elle se releva.

— Tu crois que tu pourras retourner à la voiture?

Elle jeta un coup d'œil en direction de la route. Ils n'avaient pas fait beaucoup de chemin.

— Je crois...

Il s'appuya lourdement sur elle pour se lever, elle lui passa le bras autour du corps pour le soutenir. Elle avait mille questions à poser, mais elles attendraient : Lucas allait avoir besoin de toute son énergie et de toute sa concentration pour revenir en arrière et remonter la paroi rocheuse. Ce fut effectivement long et pénible, et le malade était à bout de souffle en arrivant à la route.

— Assieds-toi au bord. (Elle l'aida à se baisser.) J'amène la voiture.

Elle partit en courant puis revint avec la voiture, et s'arrêta le plus près possible de lui. Il tomba plutôt qu'il ne s'assit sur le siège et, avant de se remettre au volant, elle lui attacha sa ceinture de sécurité.

— Tu sais où se trouve le plus proche centre de dialyse?

— Ramène-moi à Fairfax.

— Tu ne ferais pas mieux d'aller au plus près?

Il tourna la tête avec difficulté.

— Il va falloir m'hospitaliser, Janine, je ne veux pas être coincé ici.

— Très bien.

Si son état s'aggravait, elle trouverait bien un centre de dialyse en chemin.

Ils roulèrent en silence jusqu'à la 55. Une fois sur la grand-route, elle posa la main sur le genou de Lucas. Elle était furieuse contre lui, il lui avait menti. Mais ce n'était pas le moment de montrer sa colère.

— Quel est le problème avec tes reins?

— Comme Sophie. Mais ça ne s'est pas déclaré avant l'adolescence.

— Alors c'est pour ça que tu t'intéressais tant à Sophie?

— Au début, oui.

— Et l'Herbaline? Ça ne pourrait pas t'aider?

Il ne répondit pas tout de suite et elle eut peur qu'il se soit assoupi... ou pire. Elle lui jeta un regard inquiet, mais il était seulement en train de passer sa langue sur ses lèvres desséchées.

— J'en ai parlé au Dr Schaefer. Apparemment, ça ne marche pas pour les adultes. Peut-être en modifiant la formule...

— Et une greffe?

— Je suis sur liste d'attente. Depuis des années.

— Oh, Lucas, pourquoi as-tu fait ça? Pourquoi ne m'avoir rien dit? Tu sais bien que j'aurais fait tout ce que je peux.

— Tu avais assez à faire avec Sophie.

— A quand remonte ta dernière dialyse?

— Jeudi.

— C'est pour ça que tu as tenu à rentrer à Vienna jeudi? Bon Dieu, Lucas, tu aurais dû me le dire! C'est

338

complètement fou... Combien t'en faut-il par semaine ?

— Quatre.

— Quatre ! Et tu n'en as pas eu depuis jeudi ! Mais Lucas, tu es... (Elle comprit soudain.) Tu as manqué des séances pour venir avec moi, c'est ça ?

— Je n'ai pas été aussi assidu que j'aurais dû l'être. J'ai manqué une ou deux séances et j'ai abrégé les autres.

— Oh Lucas ! Si seulement tu me l'avais dit !

Elle serra fermement le volant et appuya sur l'accélérateur. Elle connaissait aussi bien que lui le risque qu'il avait pris avec sa propre vie.

34

Lucas ne voulait pas de la présence de Janine dans la salle de dialyse, mais lorsque l'infirmière poussa son fauteuil roulant devant les autres lits, il n'eut ni la force, ni le souffle, ni le cœur de l'empêcher de le suivre. Il n'avait pas voulu lui apprendre qu'il souffrait d'insuffisance rénale, et surtout pas de cette façon. Il sentait qu'elle lui en voulait d'avoir tout fait pour garder le secret, qu'elle se posait des questions sur ses raisons, et qu'elle était blessée de son obstination à lui cacher un état de santé qui exerçait une telle influence sur sa vie et, ironie du sort, sur la sienne aussi.

Il y avait quelques autres patients dans la salle, et il en connaissait un ou deux, mais il n'eut pas l'énergie

339

de leur retourner leur salut. Il passa du fauteuil roulant au lit médicalisé, relevé en position assise, puis se laissa aller contre le dossier et tendit le bras. Sherry, l'infirmière, s'était déjà maintes fois occupée de ses dialyses. Janine s'assit dans le fauteuil placé au chevet du lit.

— Il va s'en sortir?

— Il faut d'abord le purger de tout ce liquide... (Elle se tourna vers Lucas.) Je vais commencer par l'injection d'Epogen.

Lucas acquiesça et tendit l'autre bras.

— J'ai des fourmis dans les pieds et dans les mains.

Il savait que l'infirmière comprendrait le sens de ce symptôme, et Janine aussi, évidemment.

— Trop de potassium, dit celle-ci.

— Ouais, eh bien ça ne m'étonne pas de ce gros malin. Son analyse de sang va nous dire ce qu'il nous mijote.

Tout le temps de l'injection et de la prise de sang, Lucas sentit les yeux de Janine sur lui. Pauvre Janine... Ses cheveux étaient hirsutes, son visage blême et soucieux, de la boue séchée lui barrait la joue. Elle venait de passer sept jours épouvantables et, en ce moment, il ne lui facilitait pas les choses. Quand l'infirmière eut terminé la prise de sang et que son bras droit fut libre, il le tendit par-dessus le lit et lui prit la main.

— Je te demande pardon.

— De quoi?

— De t'avoir caché ça et de t'avoir empêchée d'explorer les bois aujourd'hui. Et de te donner une cause supplémentaire d'inquiétude alors que tu en as déjà tant.

Janine se mordit les lèvres. Son regard alla jusqu'au bras de Lucas, où Sherry introduisait des aiguilles dans la fistule.

— J'avais le sentiment de pouvoir te faire totalement confiance, de pouvoir tout te dire. Et pendant ce temps, toi, tu me cachais cet énorme secret. J'ai été idiote de ne pas avoir deviné, surtout aujourd'hui. Traits gonflés, crampes dans les jambes... Et moi qui voulais te faire boire!

— Tu pensais à Sophie, tu n'avais aucune raison de soupçonner que je n'étais pas en bonne santé.

— C'est tout Lucas, ça!

Sherry poussa le bouton de la machine, et continua à le gronder.

— Qu'est-ce qu'on va faire de vous, gros malin? Vous avez vraiment joué avec le feu, ces derniers temps. Dialyses sautées, retard aux rendez-vous, départ avant la fin de la séance... Ça ne pardonne pas! Et vous le savez bien, ce n'est pas comme si vous étiez nouveau à ce jeu.

Janine serra plus fort la main du malade.

— C'était pour m'aider.

— Et quelle aide apporterez-vous à votre amie quand vous serez mort, Lucas?

— Je sais, m'man!

Lucas avait beau persifler, il savait bien qu'elle avait raison. De toutes ces années passées sous dialyse, il ne s'était jamais conduit aussi cavalièrement avec son traitement que ces derniers temps. Et pourtant, il avait traversé de durs moments. Mais même alors, il avait fait tous ses efforts pour ménager autant que possible sa santé.

— J'appelle votre médecin traitant. Il va falloir vous hospitaliser un jour ou deux, le temps de stabiliser tout ça et de vous remettre sur pied.

Il accepta avec résignation. Il s'était attendu à être hospitalisé et, à tout autre moment, il aurait été plutôt soulagé de laisser un spécialiste se charger de son organisme récalcitrant. Mais pas aujourd'hui, ce n'était pas du tout le moment. Il avait tellement de travail ! Un travail dont Janine ignorait tout et qui, s'il mourait, resterait inachevé. Avec de désolantes conséquences. Rien que pour cette raison, il aurait dû prendre meilleur soin de lui-même.

Sherry quitta la salle de dialyse pour téléphoner au médecin, et Lucas regarda Janine.

— Je ne veux pas que tu restes.

Il était si fatigué... il n'avait qu'une envie : dormir.

— Mais je veux rester !

Elle serra sa main plus fort.

— Je n'arrive pas à croire que tu aies gardé ça pour toi, Lucas ! Tu n'as songé qu'à m'aider, alors que tu aurais d'abord dû te préoccuper de ta santé.

— Je suis sérieux, Janine... S'il te plaît, rentre chez toi. Je veux dormir pendant la dialyse.

Elle se détourna, et il eut l'impression de voir ce qu'elle avait en tête. Il savait exactement à quoi elle pensait.

— Tu ne devrais pas retourner là-bas toute seule.

— Je n'y retournerai pas aujourd'hui, je veux rester près de toi. Mais je ne renonce pas. Je ne peux pas l'expliquer, mais je sais qu'elle est là-bas.

Ses yeux avaient une expression qu'il n'y avait jamais remarquée auparavant. Déterminée, certes, mais avec une lueur un peu folle qui l'effraya.

— Janine, regarde-moi. Regarde dans quel état je suis parce que j'ai manqué des dialyses, mangé un peu n'importe quoi, négligé mes médicaments. Comprends-moi... Je sais que c'est très dur mais je t'en supplie, Janine, essaie d'être rationnelle. Sophie a encore besoin de dialyses, tu sais bien qu'elle n'en était pas encore au point où l'Herbaline pouvait remplacer les dialyses. Et elle en a manqué deux, maintenant. Elle n'a rien mangé depuis l'accident, à part peut-être quelques plantes trouvées dans la forêt.

Elle se détourna. La folle lueur dans ses yeux avait laissé place aux larmes, prêtes à rouler sur ses joues.

— Je sais que c'est horrible d'y penser, un supplice...

— Je ne peux pas, tu m'entends, je ne peux pas y penser. (Elle se leva.) Très bien. Tu as gagné, je rentre chez moi.

Sa voix n'exprimait aucune colère, mais il savait combien il lui avait fait mal en lui enlevant tout espoir.

— Appelle-moi si tu as besoin de quelque chose. Je téléphonerai dans quelques heures pour savoir si tu es hospitalisé.

— D'accord. Et merci de m'avoir amené ici.

Elle se pencha et déposa un léger baiser sur les lèvres du malade.

— Je t'aime, Lucas. Guéris, je t'en supplie. Je ne pourrais pas supporter de te perdre toi aussi.

Il la regarda sortir, le sac isotherme contenant l'Herbaline toujours suspendu à l'épaule. Peut-être devrait-il lui téléphoner ce soir, lui dire toute la vérité, lui expliquer qu'il avait lui aussi connu cette terrible douleur qu'est la perte d'un enfant? Non, pas encore, pas tout de suite. Elle avait découvert une partie de ses secrets, c'était assez pour aujourd'hui.

35

Ces dernières années, la maladie de Sophie avait valu à Janine sa part de moments d'angoisse et de désespoir, mais ce n'était rien comparé à ce qu'elle ressentait en cet instant. Assise sur le canapé, elle visionnait d'anciennes vidéos de sa fille. Dans sa tête, ces films se divisaient en deux séries. Ceux qui remontaient à la petite enfance de Sophie montraient une petite fille en relative bonne santé. Et les autres, plus récents, dont les premiers précédaient de peu la tentative de greffe, et où la fillette était gravement malade. Même si elle avait été filmée en train de danser, ou de faire du patin à glace, ou de grimacer devant la caméra, Janine voyait la différence d'une série à l'autre. Sophie en bonne santé était insouciante, avec un sourire franc, confiant, sans la moindre trace de peur. Sophie malade souriait aussi, mais c'était un sourire un peu forcé, destiné à cacher qu'elle ne se sentait pas bien et qu'elle avait peur. Un sourire destiné à rassurer sa mère.

Lucas figurait sur les deux dernières cassettes. La préférée de Janine avait été filmée quelques semaines plus tôt, sur la terrasse de la maison perchée dans les arbres. L'Herbaline commençait à faire son effet, et Sophie aidait Lucas à balayer avec, de nouveau, un sourire heureux et insouciant. Lucas se servait d'un grand balai, Sophie de la balayette, et leurs regards

344

témoignaient de leur affection mutuelle. Janine essaya de retenir ses larmes. Allait-elle les perdre tous les deux, Lucas et Sophie ?

Juste avant que Janine ne quitte le centre de dialyse, Sherry l'avait rattrapée.

« Il m'a parlé de vous, il m'a raconté, pour votre fille. Je voulais vous dire combien je suis désolée, ça doit être très dur pour vous.

— Oui, c'est très dur... Merci, Sherry.

— Lucas a beaucoup d'affection pour votre fille, vous savez. Il est extrêmement intelligent, mais il a pris trop de risques avec sa santé, ces derniers temps. Je me demande quelle mouche l'a piqué.

— Il m'a aidé à chercher Sophie.

— Oui, c'est vrai... Et j'ai l'impression que vous ne saviez pas qu'il était si malade.

— Non.

— Eh bien, maintenant que vous le savez, essayez de le surveiller un peu. Son organisme ne peut pas continuer à encaisser comme ça. S'il était arrivé un peu plus tard, il aurait couru un grand risque de faire un arrêt respiratoire ou une crise cardiaque. Il aurait facilement pu mourir. Ça peut encore arriver si les taux de phosphore et de potassium ne diminuent pas rapidement.

— Je sais. »

Et elle qui s'était montrée si déçue jeudi soir, parce que Lucas avait tenu à rester à Vienna au lieu de retourner avec elle en Virginie-Occidentale ! Combien d'autres soirs y avait-il eu, où il aurait mieux fait d'aller à sa séance de dialyse au lieu de tenir compte de ce qu'elle désirait ?

« Je regrette tellement qu'il ne m'ait pas dit ce qu'il en était !

— Il est cachottier, pour sûr! Il a attendu qu'on se connaisse depuis des mois avant de me parler de sa fille.

— Ma fille, vous voulez dire...

— Non, sa fille, celle qu'il a perdue.

— Je... (Janine n'y comprenait plus rien.) Vous ne confondez pas avec quelqu'un d'autre? Il a une nièce de l'âge de Sophie, mais elle est bien vivante... du moins à ma connaissance. »

Sherry plissa le nez d'un air surpris.

« Vous voulez dire que vous ne savez pas, pour sa fille?

— Il m'a dit qu'il n'avait pas d'enfant.

— Hou là là! Je crois que j'ai gaffé!

— Mais de quoi parlez-vous?

— Ce n'est certainement pas à moi de vous le dire. Je ne vous en aurais jamais parlé, si j'avais su.

— Eh bien, dites-moi, maintenant! Vous ne trouvez pas que j'ai eu ma dose de cachotteries pour aujourd'hui? »

Sherry jeta un coup d'œil vers la salle de dialyse, puis revint à la jeune femme.

« Eh bien, Lucas avait une fille, qui souffrait de la même affection. C'est en général héréditaire, vous le savez bien, puisque votre fille en souffrait.

— En souffre! »

Elle n'acceptait pas qu'on parle de Sophie au passé.

« Et ça affecte surtout les garçons, mais il y a des variantes, vous le savez bien. Quoi qu'il en soit, sa fille aussi était atteinte d'insuffisance rénale, et elle est morte à dix ans. »

Janine hocha la tête, c'était incroyable.

« Mais c'est impossible! Il me l'aurait dit! »

— Il ne vous a même pas dit qu'il était malade lui-même ! Pour une raison ou pour une autre, il ne voulait pas que vous sachiez tout ça. Je n'aurais sans doute pas dû vous en parler. »

Janine regarda la porte fermée de la salle de dialyse. Elle mourait d'envie d'entrer demander à Lucas des explications. Pourquoi tous ces mystères ? Mais ce n'était pas le moment de le harceler.

« Je suis contente que vous me l'ayez dit, Sherry.

— Peut-être est-ce pour ça qu'il a pris tant de risques avec sa propre santé afin de vous aider à retrouver votre fille. Une façon de compenser sa perte. »

Après sa conversation avec l'infirmière, la jeune femme était rentrée chez elle comme un zombi. Elle s'était arrêtée chez ses parents pour leur annoncer brièvement que Lucas était gravement malade, et que s'il avait parfois quitté son travail en avance, c'était pour aller à sa dialyse. Elle aurait mieux fait de se taire. Ils n'avaient pas exprimé la moindre sympathie et avaient reproché au malade son manque d'honnêteté. Il n'aurait pas dû accepter un travail que sa santé ne le mettait pas en mesure d'effectuer, avaient-ils dit. Puis ils étaient passés à Sophie.

« On veut commencer à réfléchir à une cérémonie en mémoire de Sophie, avait déclaré son père.

— On devrait mettre des ballons, Janine. Tu sais, aux couleurs préférées de Sophie. J'ai pensé que ça manquait aux obsèques de Holly, surtout qu'il y avait des enfants, et...

— On ne prépare pas une cérémonie commémorative pour une personne qui n'est peut-être pas morte ! »

Elle était partie en claquant la porte. Tous, y compris Lucas, étaient prêts à enterrer sa fille.

Une fois chez elle, elle se passa les vidéos de Sophie. Elle avait envie de la revoir, bien vivante.

La cassette suivante avait été filmée durant l'une des premières hospitalisations de la petite, à l'âge de cinq ans. Elle essayait d'apprendre la gigue irlandaise avec un clown itinérant venu distraire les petits malades. La chemise d'hôpital flottant autour de son corps frêle, elle sautillait maladroitement d'un pied sur l'autre et cette scène amena aux lèvres de sa mère un sourire involontaire.

Un bruit de pneus sur le gravier la ramena au présent. Elle appuya sur le bouton *Pause*, se leva et écarta le rideau pour voir à l'extérieur. La voiture de Joe approchait de chez elle. Elle le regarda s'arrêter devant la maison, puis alla à sa rencontre à la porte.

— Tu es là, alors?

— Oui.

— J'allais chez tes parents, mais quand j'ai vu ta voiture, j'ai voulu voir si tu étais chez toi.

— Entre!

Elle s'écarta pour le laisser passer. Joe aperçut sur l'écran l'image immobile de Sophie et du clown.

— Mon Dieu!

Il enfonça les mains dans ses poches de pantalon et ferma les yeux.

— Assieds-toi!

Il prit son souffle, rouvrit les yeux, se laissa tomber sur le canapé.

— Je suis soulagé de te trouver ici. De voir que tu n'es pas en train de chercher Sophie dans les bois.

— Je n'ai pas renoncé, si c'est ça que tu veux dire. (Elle s'assit à l'autre bout du canapé.) J'ai été obligée de rentrer parce que Lucas était avec moi et qu'il était malade.

— Qu'est-ce qu'il a?

— Tu ne vas pas le croire! Il souffre d'une insuffisance rénale à son stade ultime, lui aussi!

— Quoi?

— Je sais, ça semble complètement fou. Je suppose qu'il me l'a caché parce qu'il ne voulait pas que je m'inquiète pour lui alors que je me faisais déjà tant de souci pour Sophie.

— Alors... que s'est-il passé? je veux dire... quelle sorte de symptômes a-t-il eus?

— Il est sous dialyse, c'est pour ça qu'il est revenu l'autre soir. Et qu'il a été si souvent absent quand il était jardinier. Il avait tous les symptômes habituels chez un malade qui n'est pas dialysé régulièrement. Très fatigué, très faible, très essoufflé, le visage, les mains et les pieds gonflés. Il est en dialyse maintenant, et il va sans doute être hospitalisé quelques jours.

— C'est incroyable! Tu crois que c'est pour ça qu'il s'intéressait tant à notre fille?

— Bien sûr. Du moins en partie.

— Ah! Parce qu'il y a autre chose?

— Il était père d'une petite fille, souffrant elle aussi d'insuffisance rénale. Elle est morte à dix ans.

Il lui jeta un regard ahuri.

— Tu le savais?

— Mais non! Je viens de l'apprendre. Et pas de Lucas lui-même, de l'infirmière du centre de dialyse.

Joe regarda l'image immobile sur l'écran.

— Janine...

— Quoi?

— Rien... J'ai quelques questions à poser à Lucas, moi aussi. Tout ça devient de plus en plus bizarre.

— Qu'est-ce qui devient bizarre ? Des questions sur quoi ?

— Ça ne te paraît pas une étrange coïncidence, qu'il soit venu travailler à Ayr Creek, où habite une petite fille souffrant de l'affection dont souffrait sa fille ?

— C'est peut-être la raison, justement. Souviens-toi, mon père a dit que Lucas ne semblait pas tellement intéressé par ce travail, jusqu'au moment où il lui a expliqué que sa petite-fille habitait le domaine et qu'elle souffrait d'insuffisance rénale. Ayr Creek est beaucoup moins prestigieux que Monticello, mais quand il a entendu parler de Sophie, il n'a sans doute pas pu résister.

— Ouais, peut-être... (Joe ne semblait guère convaincu. Il regarda de nouveau l'écran.) Je ne pourrais pas t'emprunter quelques-uns de ces films ? J'aimerais bien les regarder quand je serai moins... moins bouleversé.

— Bien sûr. (Elle se pencha, prit trois cassettes sur la table basse et les lui tendit.) Je viens de regarder ceux-là.

— Merci. (Il posa les boîtes sur ses genoux, passa distraitement le doigt dessus.) Tu veux vraiment retourner dans les bois continuer à chercher Sophie ?

— Bien sûr. Elle est là-bas. Je sais bien que, logiquement, elle peut n'avoir pas survécu, mais je veux quand même la retrouver. Et en fait... j'ai l'intuition qu'elle est en vie.

— J'irais bien avec toi, mais...

— Non, merci. Ça ne me dérange pas d'y aller seule. Valerie Boykin m'a prêté un GPS et une carte, et j'ai mon portable.

— Ça m'étonnerait qu'il fonctionne dans les bois. (C'était aussi une des craintes de Janine.) On verra bien.

— Tu n'auras pas peur, à errer là-dedans, toute seule ?

Elle y avait bien réfléchi et sourit.

— Non. Si Sophie l'a fait, je peux le faire aussi. Ça te paraît sans doute absurde, mais là-bas je me sens proche d'elle. Et seule, sans Lucas ni personne d'autre, je me sentirai encore plus proche de ce qu'elle a vécu. (Ses yeux la piquaient, elle refoula ses larmes.) Ça me torture de laisser Lucas seul, c'est tout. J'ai vraiment cru qu'il allait mourir, Joe, vraiment. Et je ne pourrais pas le supporter...

Elle se tut, honteuse d'avoir exprimé devant Joe la force de ses sentiments pour un autre homme.

— Tu l'aimes vraiment, hein ?

— Oui... Je suis désolée, Joe, je sais que tu souhaiterais qu'il en soit autrement. Mais je l'aime.

— Ça ne me plaît pas du tout qu'il te mente.

— Il croit avoir de bonnes raisons. Ou, du moins, ses raisons lui ont à un moment semblé bonnes.

Joe regarda le sol, poussa un soupir.

— Je ne suis pas certain que ses mensonges s'arrêtent là.

— Qu'est-ce que tu veux dire ?

Il secoua la tête, regrettant d'avoir trop parlé, et se leva.

— Rien de précis. Mais... sers-toi aussi de ta tête, pas seulement de ton cœur. C'est promis ?

Elle eut envie d'insister pour qu'il en dise plus, mais ce soir, elle ne voulait pas en savoir plus.

— D'accord. (Elle se leva pour le raccompagner.) Promis.

Après le départ de Joe, elle s'appuya à la porte et ferma les yeux. Demain, avant de repartir pour la Virginie-Occidentale explorer seule les bois à la recherche de sa fille, elle irait voir Lucas. Elle avait besoin de savoir la raison de toutes ses cachotteries. Mais, ce soir, elle se contenterait de son ignorance.

36

Bien qu'il fût très tôt quand Zoe ouvrit les yeux, les rayons de soleil filtraient déjà à travers les fentes dans le toit de la chambre. La journée s'annonçait belle, mais l'ancienne actrice ne s'en sentait pas plus gaie pour autant. Elle s'était couchée la veille plus démoralisée que jamais. Ce matin, c'était pire.

Que diable était-il arrivé à sa vie? Quelques années plus tôt, elle était l'épouse d'un homme tendre et aimant, et sa carrière faisait l'envie de tous ceux du métier. Certes, elle n'était plus au zénith, mais, même si les goûts du public avaient évolué, l'actrice avait encore quelques admirateurs prêts à payer très cher pour la voir danser, chanter ou jouer un rôle. Elle vivait dans un endroit splendide et, quand elle oubliait ses appréhensions concernant son avenir professionnel, elle menait une vie pleine et gratifiante.

« Eh bien, regarde-toi, maintenant ! Plus de mari, plus de carrière, plus de maison en bordure de mer. » Au début, quand elle vivait seule dans sa hutte, seule dans la forêt et même, semblait-il, seule dans toute la Virginie-Occidentale, elle avait réellement apprécié sa solitude et les défis que posait chaque instant de sa vie quotidienne. Maintenant, dans ces mêmes bois, elle se sentait prise au piège avec Marti, sa fille bien-aimée, qui lui semblait d'ailleurs de moins en moins aimable. Elle avait en outre la lourde responsabilité d'une petite fille de huit ans, pour laquelle elle ne pouvait rien faire sans mettre en danger sa propre fille, et elle-même par-dessus le marché.

— Bonjour !

Sa tête quitta l'oreiller de fortune, fait d'une taie remplie de feuilles, sur lequel elle reposait.

— Bonjour !

Elle regarda de l'autre côté de la chambre en direction du grabat de Sophie. La petite était couchée sur le dos, les yeux grand ouverts et l'air résigné. Même dans la faible lumière de ce début de journée, il était visible qu'elle avait les paupières très gonflées.

— Comment te sens-tu, ce matin, Sophie ?

Elle ne répondit pas. Son seul signe de vie fut un lent battement de paupières.

— Sophie ? Comment vas-tu ?

— Je crois que je vais bientôt mourir, articula enfin une petite voix calme.

— Eh bien, on donne dans le tragique, ce matin ! ricana Marti.

— Pourquoi dis-tu ça, ma petite Sophie ?

— Parce que je le sais. Vous comprenez, ça fait longtemps que je sais que je risque de mourir. Je n'ai pas peur, ni rien.

— Mais tu ne vas pas mourir, mon lapin.

C'était la seule réponse possible, mais Sophie ne se laissait plus prendre à ces platitudes.

— Vous ne savez pas ce que c'est qu'une insuffisance rénale. Je ne peux pas vivre sans dialyse.

— Combien de temps te faudra-t-il pour mourir, si tu n'en as pas ? demanda la fugitive.

— Marti !

Zoe était horrifiée par le manque de sensibilité de sa fille. Elle avait en outre l'intuition que si Sophie répondait à cette question Marti commencerait à compter les jours.

— Eh bien, elle en parle comme si ce n'était rien du tout...

— Comment voulez-vous que je le sache, combien de temps ça prend ? Je ne l'ai jamais fait !

Zoe ne put s'empêcher de sourire à cette insolente réponse.

— Qu'est-ce que je peux faire, ma cocotte ? (Elle se releva sur un coude et quelque chose, sans doute une brindille, craqua dans son oreiller.) Tu m'as dit qu'il fallait que tu surveilles ton régime. Qu'est-ce qui serait bon pour toi ?

— Des protéines... de la viande... du poulet...

— Alors je peux probablement aller à la chasse et rapporter un écureuil ou un lapin pour déjeuner.

— Tu oublies qu'on ne peut pas faire de feu, maman !

— Je ne veux pas que vous tuiez une bête, protesta Sophie.

— Tue un de ces chiens galeux, suggéra Marti.

Zoe feignit de ne pas avoir entendu la suggestion.

— J'ai déjà attrapé un poisson dans le ruisseau. Il était délicieux. Tu veux que j'essaie de t'en pêcher un ? C'est plein de protéines, le poisson.

— Si vous voulez...

— Eh bien, j'espère que vous aimez les sushis, toutes les deux !

— Ça suffit, Marti, aboya Zoe. (Les deux autres sursautèrent.) On fera du feu, point final. Il faut que cette petite mange. Si on entend un avion ou quelque chose, on l'éteindra vite avec de l'eau avant de rentrer dans la hutte.

— Si tu en as décidé ainsi...

Zoe traversa la chambre jusqu'au grabat de Sophie.

— Fais-moi voir ton pied, mon lapin.

Sophie la laissa sans bouger dérouler le bandage. Au grand soulagement de Zoe, l'enflure avait un peu diminué et la plaie avait meilleure apparence.

— Il va beaucoup mieux, Sophie. (L'enfant leva la tête pour voir son pied.) Les antibiotiques font leur effet.

La petite fille laissa retomber la tête sur l'oreiller.

— Si seulement ils pouvaient guérir tout ce qui ne va pas chez moi !

— Je sais, ma cocotte. Je ne demande que ça, moi aussi.

Zoe était assise sur un rocher à côté du torrent et, le seau et l'épuisette à portée de main, guettait un de ces poissons à écailles sombres. D'habitude, ils étaient abondants. Aujourd'hui, elle en avait vraiment besoin et ils semblaient avoir déserté le cours d'eau. Leur absence lui laissait le temps de réfléchir. Elle pensait à l'insistance de Marti à lui interdire de faire du feu. L'association des deux mots, *Marti* et *feu*, la gênait, et elle avait bien peur de savoir pourquoi. Pendant des années, ces deux mots avaient, bien malgré elle, traîné ensemble dans sa tête. Quel âge avait Marti au moment de cet incendie? Onze ans, peut-être même dix.

Zoe et Max avaient été rappelés de New York où ils tournaient un film parce qu'il y avait eu un incendie dans leur villa de Malibu. Le feu avait complètement dévasté la chambre de la jeune femme qui s'occupait de Marti et, au début, tout le monde avait pensé qu'elle s'était endormie avec une cigarette allumée. Mais, après des recherches plus poussées, les enquêteurs avaient conclu que le feu avait été provoqué volontairement au milieu de la nuit. Un chiffon imbibé d'essence avait été caché dans un coin de la chambre et allumé. Un chiffon imbibé d'essence n'apparaît pas par miracle dans une chambre. Max avait tenté d'en faire porter la responsabilité à leur employée, elle était déprimée, elle buvait un peu, expliqua-t-il. De son lit d'hôpital, la jeune femme, qui souffrait de brûlures aux bras, plaida l'ignorance. Zoe et Max refusèrent de la croire et la renvoyèrent avec perte et fracas. L'incident fit la une des journaux, et Zoe doutait que la pauvre femme ait jamais retrouvé du travail. Mais il était d'une importance vitale que l'attention des médias se porte sur elle, et non sur la personne que les enquêteurs considéraient comme coupable : Marti.

Celle-ci nia avoir quoi que ce soit à voir avec cet incendie, et en l'absence de preuve tangible de sa culpabilité, Zoe n'eut aucun mal à refuser d'accepter l'hypothèse des enquêteurs. « Mon Dieu, comme j'étais douée pour me cacher la tête dans le sable, à cette époque ! »

La devise de la famille aurait pu être : *Ne pose pas de questions et on ne te dira rien*. Ni elle ni Max ne demandaient jamais à Marti si elle avait fait une bêtise, ni pourquoi. Ils avaient trop peur de la réponse. Il était bien plus facile de laisser tomber. Ils ne s'en privèrent pas.

Au moment de l'examen du dossier de Marti avant son entrée au pensionnat, la responsable du recrutement des élèves eut une longue conversation avec Zoe.

« Marti a-t-elle jamais mouillé son lit ?

— Oui, jusqu'à l'âge de douze ans », reconnut Zoe.

Lorsque cet incident arrivait, Max, qui considérait qu'elle le faisait exprès, lui donnait une fessée.

« Ah ah ! »

La femme écrivit quelque chose, et Zoe pensa qu'elle ferait mieux d'être prudente dans ses réponses.

« Est-ce qu'elle aime jouer avec le feu ? Craquer des allumettes ? Est-elle fascinée par les flammes ?

— Non. »

Zoe refusa de se souvenir de l'incendie dans la chambre de la femme qui s'occupait de Marti. Incroyable comme ce fut facile.

« Pas de cruauté envers les animaux ? »

Zoe pensa brièvement au chaton, mais il n'y avait jamais eu aucune preuve que Marti ait eu quelque chose à voir avec la mort de la pauvre bête.

« Non. Pourquoi ces questions ?

— Oh, on les pose à tous les parents de nos futurs élèves. Vous comprenez, l'association de ces trois types de comportement, incontinence tardive, jeu avec le feu, cruauté envers les animaux, laisse souvent présager une conduite ultérieure troublée ou violente. C'est pourquoi nous écartons systématiquement les candidates présentant ces caractéristiques comportementales. Remarquez, c'est rare, ici. On les trouve plutôt chez des enfants négligés ou maltraités.

— Oh... »

La mère de Marti avait réussi à rester jusqu'à la fin de l'entretien, et même à atteindre la route avant d'être prise d'une effroyable nausée.

Zoe en était là dans ses souvenirs lorsqu'elle aperçut un poisson noir juste sous son nez, glissant nonchalamment entre les pierres avec l'air de narguer le pêcheur. Elle l'attrapa facilement à l'épuisette et le jeta dans le seau. Un second alla quasiment se jeter dans les mailles du filet, puis un autre encore. Ce devait être un banc. Elle en pêcha encore quelques autres, suffisamment pour fournir à trois convives un copieux repas. Un repas cuisiné sur un feu. Elle surveillerait les expressions sur le visage de Marti, de l'autre côté des flammes. Si seulement il était possible de faire machine arrière, de revivre, et de lui faire revivre son enfance. Elle donnerait à la petite Marti tout l'amour, tout le temps, toute l'attention qu'elle méritait et dont elle avait été privée. Mais le passé ne revenait pas, il fallait s'accommoder du présent. Et faire l'impossible pour empêcher sa fille de retourner en prison. Car Marti avait certes besoin d'aide. Mais pas du genre d'aide qu'on trouve en prison.

Quand Zoe revint de sa pêche, Sophie était assise sur le petit escalier de la hutte. Elle avait l'air un peu mieux que le matin, mais peut-être était-ce simplement parce que, étant assise et non allongée, elle semblait avoir le visage moins boursouflé.

— J'ai pêché notre repas. Je prends un couteau à l'intérieur, et je viens à côté de toi les nettoyer.

L'enfant leva les yeux vers elle.

— Zoe? Je veux rentrer chez moi.

Zoe posa le seau sur le sol et s'assit à côté d'elle.

— Je le sais bien, ma cocotte. Je voudrais bien que ce soit possible.

— Je veux voir ma maman.

Zoe jeta un coup d'œil par-dessus son épaule et baissa la voix.

— Où est Marti?

— A l'intérieur. Elle lit.

L'ancienne actrice lança un autre regard en direction de la fenêtre ouverte, puis revint à l'enfant, essayant de trouver les mots propres à lui faire comprendre son dilemme.

— Ta maman veillait bien sur toi, n'est-ce pas?

— Oh oui!

— Moi je dois aussi veiller sur ma fille, tu comprends. J'ai peur, Sophie. Je suis très inquiète pour toi, c'est vrai, mais je le suis encore plus pour Marti. (Craignant que Marti ne soit plus dans la chambre, elle baissa encore la voix.) Elle n'est pas... elle n'est pas bien dans sa tête. Je ne m'en étais pas aperçue, ou alors je ne voulais pas me l'avouer. Mais je ne peux pas la laisser retourner en prison. Ça doit être difficile à comprendre pour toi, mais il n'y aurait rien de pire que la prison, pour elle. Elle n'aurait aucune chance de jamais guérir et elle serait très malheureuse.

Sophie se mordillait les lèvres.

— Si ma maman était la maman de Marti, rétorqua-t-elle, les yeux fixés sur la clairière, et si elle était avec nous, elle trouverait un moyen de nous faire soigner toutes les deux. Elle aurait une idée, elle !

Elle se leva et contourna en boitant la hutte en direction des latrines, laissant Zoe en proie aux questions.

« Serait-il possible que Sophie voie juste ? Qu'une autre mère soit capable de trouver une solution ? Eh bien, dans ce cas, elle serait une meilleure mère que je pourrais jamais espérer l'être ! »

37

Juste avant midi, Joe se gara sur le parking de l'hôpital. Dans quelques heures, Janine retournerait en Virginie-Occidentale pour continuer ce qui, à son avis, était une vaine recherche. Il ne savait comment l'en empêcher. Ni comment la réconforter, et cela lui faisait mal de s'avouer que Lucas, lui, savait. Mais cette douleur n'était rien par rapport à la souffrance de savoir Sophie morte. Sa fille, leur fille n'était plus, et Janine, la seule personne avec qui il aurait pu partager son chagrin, n'était pas avec lui. Elle était trop occupée à s'accrocher à son mince espoir d'une miraculeuse survie.

Toute la nuit, Joe s'était demandé que faire à propos de Lucas. D'accord, il souffrait d'insuffisance rénale. Et il était possible qu'il ait perdu une fille pour la même raison, mais Joe n'y croyait guère. Et cela n'expliquait pas pourquoi il avait prétendu avoir travaillé à Monticello, ni la présence de magazines de pornographie enfantine dans sa poubelle.

Il n'y avait qu'une attitude possible : une confrontation. Il lui jetterait à la figure ce qu'il avait appris, et exigerait des explications. Et si ses soupçons s'avéraient, il lui arracherait la promesse de ne plus jamais revoir Janine.

La chambre de Lucas était juste en face du bureau des infirmières. La porte était ouverte et il aperçut un homme et une femme enlacés se détachant à contre-jour sur la fenêtre. Il s'arrêta net. Lucas devait être dans une chambre à deux lits et son compagnon avait une visite. Il entra et se tourna vers le premier lit, s'attendant à y trouver Lucas. Mais le lit était vide, et en entendant Joe arriver la femme se retourna pour voir l'intrus et lâcha l'homme qu'elle serrait dans ses bras.

— Je reviendrai plus tard, chéri, dit-elle en s'écartant.

L'homme était Lucas. Il tenait la main de la femme mais la lâcha en voyant son visiteur. La femme fit quelques pas vers la porte, salua Joe d'un sourire au passage, et celui-ci vit qu'elle était enceinte d'au moins six ou sept mois. La colère monta en lui. Ça ne lui déplaisait pas que Lucas soit un salaud, mais pas à ce point, et pas aux dépens de Janine.

Lucas s'assit dans le fauteuil à côté du lit. Il était relié par une perfusion à un sachet de liquide transparent, et il déplaça la potence pour mieux voir Joe. Il montra l'autre fauteuil, au bout du lit.

— Venez vous asseoir !

Joe traversa à grands pas la chambre et s'assit. Il fusilla du regard le malade, enveloppé de la mince blouse d'hôpital bleu et blanc. Il était encore pâle et avait les traits un peu gonflés. Il avait vu la mort de près, mais Joe n'éprouvait aucune sympathie pour lui.

— Alors, j'écoute...

— C'est mon ex-femme.

— Et elle porte votre enfant?

Lucas sourit.

— Oh non! On est divorcés depuis plusieurs années et elle est remariée. Quand elle a appris que j'étais hospitalisé, elle est aussitôt venue me voir de Pennsylvanie. On est restés amis.

S'agissant de Lucas, Joe ne savait jamais ce qu'il devait croire et ne pas croire.

— Ecoutez, Trowell, attaqua-t-il, j'aimerais bien que vous m'expliquiez ce que vous fabriquez. Je sais pertinemment que vous cachez quelque chose. Vous débarquez à Ayr Creek avec la même affection rénale que notre fille, qui est quand même une maladie rare. Et je sais que vous n'avez jamais travaillé à Monticello... (Lucas cilla en entendant ces mots.) De plus... j'avoue que je n'aurais pas dû le faire... je suis passé chez vous l'autre soir et j'ai aperçu dans votre poubelle un magazine avec une photo de petite fille nue. Alors, étant donné que vous tenez à fréquenter mon ex-femme et que vous passez tant de temps en compagnie de ma fille, il me semble que j'ai le droit de savoir qui vous êtes et ce que vous manigancez...

La voix de Joe se brisa. Il s'était cru plus capable de maîtriser ses émotions. Mais la pensée de Sophie en compagnie de Lucas était insupportable.

362

Lucas se passa la langue sur les lèvres et appuya la tête au dossier, les yeux fermés, et Joe crut un instant qu'il s'endormait. Mais il rouvrit les yeux.

— Je ne suis pas pédophile, si c'est ça que vous voulez dire, et je ne vois pas du tout de quel magazine il s'agit. Quant à cette histoire de Monticello... (Il hésita, regarda par la fenêtre.) ... c'est un peu difficile à expliquer, mais, croyez-moi, j'ai eu d'excellentes raisons pour prendre quelques libertés avec la vérité.

— Je ne vous crois absolument pas !

Joe se leva, furieux.

— Vous avez menti sur plusieurs points à Janine, qui est honnête et vous croit sur parole. Vous avez menti aux Snyder, et sans doute à la fondation Ayr Creek, qui vous a embauché. Vous êtes un imposteur. Qui vous donne le droit de, comme vous dites, « prendre quelques libertés avec la vérité » ? Et où placez-vous la barre ?

— Allons, Joe, rasseyez-vous, je vous en prie.

Le ton calme et mesuré de Lucas contrastait avec les éclats de voix de Joe. Celui-ci fut tenté de quitter la pièce, mais l'attitude solennelle de Lucas le fit se rasseoir.

— Je ne voulais pas vous dire ça, du moins dans l'immédiat, mais il vaut mieux que vous le sachiez, sinon nous n'arriverons jamais à nous comprendre.

L'estomac de Joe se serra.

— Me dire quoi ?

— J'ai commencé à souffrir d'insuffisance rénale à l'adolescence et je suis sous dialyse depuis une dizaine d'années. C'est à ce moment-là que l'état de mes reins s'est gravement détérioré. J'étais alors marié à Sandra, la femme que vous venez de voir.

Nous avions une fille, Jordan, à laquelle j'avais trans-
mis mon insuffisance rénale, mais elle était beaucoup plus gravement atteinte. Ses reins ont cessé de
fonctionner dès l'âge de six ans. Sandra lui a donné
un rein, comme Janine a fait pour Sophie, et au
début ça a marché, mais son organisme a fini par
rejeter la greffe.

— Comme Sophie.

— Exactement. Elle a donc été remise sous dialyse.

Lucas secoua la tête et Joe aperçut dans ses yeux
un éclair de colère.

— Vous vous rendez compte quelle vie c'est, pour
un enfant? Des aiguilles, des machines, un régime
sévère... (Il regarda de nouveau par la fenêtre.) En fin
de compte, elle est morte. Elle avait dix ans. Une sep-
ticémie, qui l'a tuée en deux jours.

Lucas mentait-il encore? Le fait qu'il lui ait dit le
prénom de sa fille, Jordan, la rendait réelle, très
semblable à Sophie. Et Joe reconnaissait cette
expression de souffrance sur son visage, il la voyait
tous les matins dans son miroir. Il commença à
croire Lucas.

— Je suis désolé...

— Merci. (Lucas reprit son souffle.) Euh... A l'époque, j'étais professeur de botanique à l'université
d'Etat de Pennsylvanie et... attendez, je parlerai de ça
plus tard... (Il eut un faible sourire.) ... il est difficile
de savoir par quel bout commencer... Je savais que
cette maladie me venait de ma famille maternelle et
j'ai demandé à ma mère qui parmi les siens en avait,
à sa connaissance, souffert. Elle a mentionné deux

cousins, un oncle et son père. Et elle m'a aussi avoué qu'elle s'était toujours posé la question à propos d'un fils qu'elle avait abandonné alors qu'elle était très jeune.

Joe retint son souffle. « Où veut-il en venir ? »

— C'est de vous que je parle, Joe.

Celui-ci bondit sur ses pieds.

— Ça n'a aucun sens !

— Nous sommes frères, Joe.

Joe ne savait plus où il en était. Devait-il croire Lucas ? Cet homme avait déjà tellement menti ! Et son histoire était tellement improbable !

Lucas eut un autre pâle sourire.

— Ça ne m'étonne pas que vous ayez du mal à le croire. Moi aussi j'ai eu du mal. Elle a été une si bonne mère, une personne si droite. Ça semblait complètement impo...

— Pourquoi n'a-t-elle jamais essayé de me retrouver, alors ? Elle savait où j'étais.

Une pensée qui lui était souvent venue à l'esprit, bien qu'il ne l'ait jamais exprimée.

— Elle en avait tellement honte ! Il lui a été très difficile de m'en parler. Elle s'est mariée à dix-huit ans. A l'époque, elle buvait beaucoup, elle touchait pas mal à la drogue. Elle ne s'entendait pas avec son mari et se sentait piégée par son bébé. Par vous.

— Alors elle est partie. (Joe se rassit.) J'avais un an.

— C'est ça. Elle est partie pour Philadelphie. Elle a réussi à se désintoxiquer et à décrocher, elle a rencontré mon père, ils se sont installés ensemble et je suis né. Mon père n'ignorait pas qu'elle avait abandonné son premier enfant, mais, avant qu'elle ne m'en parle, c'était leur secret. Après l'avoir appris, j'ai voulu vous retrouver, savoir si vous souffriez aussi d'un problème rénal ou bien...

Il se tut un instant, puis secoua la tête.

— Je vois bien qu'il va falloir que je vous raconte tout, et...

Une infirmière entra dans la chambre. Il s'interrompit et attendit impatiemment. La femme vérifia la perfusion et ressortit.

— On ne se ressemble pas du tout! protesta Joe, refusant de toutes ses forces de croire Lucas.

Celui-ci sourit.

— Si vous voyiez notre mère, vous sauriez tout de suite qu'on est frères. Vous avez exactement ses yeux.

— Janine sait tout ça?

— Non. Et, s'il vous plaît, Joe, la suite de ce que j'ai à vous dire doit absolument rester entre nous. Je sais que vous ne m'aimez pas, mais il va falloir garder le secret. Je vous en prie. D'ailleurs vous allez vite comprendre pourquoi. On est d'accord?

Joe hésita. Il n'éprouvait pour cet homme aucun amour fraternel.

— Ça va dépendre de ce que vous allez me dire.

— C'est juste.

Il fixa le verre d'eau sur la table et Joe reconnut dans ses yeux le regard assoiffé qu'avait souvent Sophie quand elle avait déjà bu sa ration d'eau du moment.

— Quand Jordan est tombée malade, j'ai commencé à consacrer mon temps libre à chercher un moyen d'agir sur l'insuffisance rénale. Je me suis toujours intéressé aux plantes médicinales, et j'ai lu tout ce qui concernait celles dont on pensait qu'elles pouvaient avoir un effet bénéfique sur le fonctionnement des reins.

— Alors c'est pour ça que vous avez pensé que Schaefer était sur une piste, avec son Herbaline ?

Lucas eut un autre pâle sourire.

— Ça ne s'est pas passé tout à fait comme ça. J'ai commencé par tenter de me soigner moi-même avec ces plantes, mais je n'ai remarqué aucun progrès notable. En revanche, quand j'en ai administré à Jordan, son état s'est amélioré de façon spectaculaire. Nous avons pu espacer les dialyses. J'ai continué à affiner la formule, et j'ai eu l'idée d'une administration de la décoction par perfusion. Toutefois Sandra n'a pas voulu me laisser essayer sur Jordan. Ça l'effrayait, et c'est bien compréhensible. Jordan est morte alors que j'essayais toujours de convaincre sa mère, mais sa mort n'a aucun rapport avec ça. Elle n'en a pas moins brisé notre couple.

Lucas regarda son bras où était fixée la perfusion, tira machinalement sur le sparadrap qui la maintenait en place, regarda de nouveau Joe et continua.

— Sandra a toujours voulu être mère de famille. Maintenant elle a trouvé un homme qui ne risque pas de transmettre de maladie mortelle à leurs enfants.

Joe fit la grimace.

— Ça doit faire mal.

— Au début, oui. Mais plus maintenant. Je suis content qu'elle soit heureuse.

— Mais... attendez... je ne vous suis pas du tout, pour cette histoire de plantes.

— J'étais certain d'avoir trouvé une piste intéressante. Mais qui aurait écouté un petit professeur de botanique avançant la théorie que des plantes peuvent guérir d'une insuffisance rénale en phase terminale ? Alors j'ai cherché un médecin qui prenne mon travail au sérieux et accepte de prendre le risque de... de prétendre diriger mes recherches, alors que c'était moi qui les effectuais entièrement.

— Vous dites que l'étude de Schaefer, c'est en réalité la vôtre ?

— Oui. J'ai expliqué à Schaefer les résultats obtenus en traitant Jordan avec ces plantes, et il a accepté de coiffer l'étude. Il n'est pas au courant des détails dans toute leur précision, mais ça n'a pas d'importance, dans la mesure où je peux continuer à travailler sous sa responsabilité. L'Herbaline est efficace, Joe, que vous le vouliez ou non. Et je me moque que ce soit Schaefer qui ait la gloire de la découverte. Tout ce qui m'intéresse, c'est d'améliorer le sort de ces pauvres gosses qui, en ce moment, endurent tout ce qu'ont enduré Jordan et Sophie.

Joe secoua la tête.

— Vous êtes encore plus malhonnête que je ne le croyais ! Vous avez menti de A à Z pour convaincre ces pauvres enfants d'arrêter des traitements à l'efficacité reconnue pour leur faire prendre...

— La formule que nous utilisons a besoin d'être peaufinée. En outre, je voudrais bien trouver pour quelle raison elle est inefficace chez les adultes et comment la modifier pour la rendre efficace. Mais mon temps est compté. Il me faudrait quatre dialyses par semaine, maintenant, de quatre ou cinq heures chacune. Il m'est de plus en plus difficile de gagner ma vie, avec toutes ces interruptions, et elles dévorent aussi mon temps de recherche. Ma découverte nécessite encore des ajustements, mais je n'arrive pas à en trouver le temps.

Joe s'ébroua.

— J'ai l'impression que ma tête va éclater!

— Pour en revenir à vous et à Sophie... je voulais absolument savoir si vous aviez des enfants souffrant d'une affection rénale. Et quand j'ai découvert que c'était le cas, j'ai tenu à faire participer Sophie à cette étude. Je voulais que ma nièce puisse être soignée au P.R.E.-5... c'est le nom de l'Herbaline. Alors...

Il eut l'air gêné.

— Je suis un bon jardinier, mais je n'ai ni la formation ni l'expérience pour me faire embaucher à Ayr Creek... j'ai donc demandé à un ami de fausses références de Monticello.

— Vous alors! Rien ne vous arrête, n'est-ce pas? Vous inventez une formule secrète et vous considérez que ça vous met au-dessus des lois?

— Je sais que vous le voyez ainsi, et vous avez peut-être raison. Je considère sans doute que ce que je fais est assez important et utile pour m'autoriser à bafouer un règlement ou deux. Mais le fait est que le Dr Schaefer aussi croit au P.R.E.-5. A l'origine, l'étude devait être sous nos deux noms, avec le sien en premier, pour plus de crédibilité. Mais quand j'ai appris, pour Sophie... Etant une de mes parentes, elle n'aurait pas été acceptée dans le programme si mon nom avait figuré quelque part.

— Vous êtes complètement fou!

— Peut-être... (Il sourit.) Je crois que vous allez avoir une surprise, Joe. Schaefer donne une conférence de presse cet après-midi, pour annoncer les résultats après deux mois d'expérimentation. Ils sont excellents, splendides, bien meilleurs que je ne m'y attendais.

— Je n'en croirai pas un mot avant d'entendre

quelqu'un d'autre que Schaefer ou vous déclarer que cette décoction sert à quelque chose.

— Eh bien, regardez la conférence de presse !

— Elle sera aux informations ?

— Très certainement.

— Même si votre truc aux plantes est, comme vous le prétendez, un remède miracle, je n'aime toujours pas la façon dont vous vous êtes servi de Janine. Je sais que ça ne vous dérange pas d'utiliser les gens pour avancer dans vos recherches ou quoi que ce soit, mais vous avez joué sur ses sentiments afin de faire participer Sophie à votre étude.

— Non. Je suis tombé amoureux de Janine. Pour de bon.

Joe se frotta le menton. Devait-il croire Lucas ? Et même... voulait-il le croire ?

— Et comment expliquez-vous la présence de cette revue de pornographie enfantine dans votre poubelle ?

— Je ne vois pas du tout ce dont vous parlez. Je n'avais que de vieilles lettres et des journaux, dans ce sac... Oh, attendez... (Il eut l'air de se souvenir de quelque chose.) Ça ne pourrait pas être une revue médicale ? Il devait y en avoir une dans ce sac, un journal de pédiatrie. Ça ne pourrait pas être ça ?

Oui, ça pouvait certainement être ça. L'image de la petite fille nue réapparut devant les yeux de Joe, une photographie en noir et blanc, et une pose plus clinique qu'érotique. Pourtant, il n'avait pas envie d'abandonner si facilement son ressentiment contre Lucas.

— Je ne sais pas !

— Je comprends que vous ayez du mal à me croire, je n'ai jamais joué franc jeu.

— Et ma mère ? J'aimerais en entendre parler.

— Elle aussi aimerait entendre parler de vous... Elle...

— Joe !

Entendant la voix de Janine, les deux hommes se tournèrent vers la porte. Joe se leva.

— Bonjour, Janine ! Je suis juste passé remercier Lucas de nous avoir aidés à rechercher Sophie.

— Oh...

A son expression soupçonneuse, il fut certain qu'elle ne le croyait pas.

Les yeux de la jeune femme se posèrent sur Lucas et son ex-mari y vit, outre de l'inquiétude, une affection et une tendresse qu'elle n'avait jamais eues pour lui. Il lui effleura le bras et sortit. Sur le seuil, il se retourna pour les regarder. Janine, debout à côté du fauteuil du malade, lui fit un signe d'adieu, mais ce n'était pas pour elle qu'il s'était retourné. Il voulait voir une fois de plus l'homme qui prétendait être son frère.

38

— Tu es bien silencieux, ce soir, remarqua Paula, et tu as à peine touché à ton repas !

Ils étaient tous les deux chez elle et Joe, assis à côté de la jeune femme sur le canapé, regardait les informations de dix-huit heures en espérant y voir un reportage sur la conférence de presse du Dr Schaefer.

Un peu embarrassé, il posa les yeux sur le plateau devant lui, où se trouvait encore le steak spécialement cuisiné pour lui par son amie. Elle-même ne touchait jamais à la viande rouge. Mais Joe n'avait aucun appétit et, ce soir, la nourriture ne l'intéressait pas. Il ne pouvait penser à rien d'autre qu'à sa conversation du matin avec Lucas.

— Excuse-moi, je n'ai pas très faim en ce moment.

— Tu ne veux pas changer de chaîne ?

— Non, celle-ci va très bien.

Il se coupa une bouchée de viande. Elle était parfaitement grillée, saignante, et il la porta à sa bouche... et, entendant le présentateur, s'arrêta à mi-chemin.

« Et il y a de l'espoir à l'horizon pour les enfants souffrant d'insuffisance rénale, annonça l'homme d'un ton réellement intéressé. Vous allez voir pourquoi... »

Joe reposa sa fourchette et prit la télécommande pour monter le son. Il avait prévenu Paula de la conférence de presse donnée par Schaefer dans l'après-midi, mais n'avait pas soufflé mot de sa conversation avec Lucas. Il avait besoin de ruminer quelque temps les nouvelles avant de pouvoir les partager avec une tierce personne. Par moments, il se demandait même s'il n'avait pas rêvé.

— Qu'est-ce que tu crois qu'il va dire ?

— Je n'en sais rien. Et avec Sophie qui n'est plus là, je ne sais même plus ce que j'espère entendre.

La conférence de presse s'était tenue à l'hôpital pédiatrique. Schaefer était sur une estrade, encadré par plusieurs hommes et femmes. Il décrivit ses recherches avec un vague accent de Boston. Un film vidéo montrait plusieurs petits patients en train de recevoir leur perfusion d'Herbaline, que le médecin désignait du nom scientifique que Joe avait entendu Lucas utiliser, P.R.E.-5. Mis à part l'aiguille dans leur bras, les enfants avaient l'air heureux et en bonne santé, et plaisantaient gaiement avec leurs parents, Schaefer et l'équipe de tournage.

« Nous avions naturellement l'espoir que ce traitement s'avère... euh... efficace... mais les résultats dépassent de loin nos espérances, dit le petit homme de cette voix hésitante qui avait tant hérissé Joe le jour où il était allé le voir, avant que Sophie ne commence le traitement. Sur dix-sept patients ayant commencé le traitement depuis seulement... euh... deux mois... deux d'entre eux ont retrouvé des fonctions rénales normales. Quant aux autres, la fréquence des dialyses nécessaires a été réduite de façon considérable. »

Un néphrologue de l'hôpital pédiatrique prit à son tour la parole et Joe reconnut un des nombreux spécialistes que Sophie avait à un moment ou un autre consulté. En fait, il faisait partie de ceux qui avaient énergiquement tenté de dissuader Janine de faire participer Sophie à l'étude de Schaefer.

« Je suis le premier à admettre que je ne croyais pas du tout à ce traitement peu orthodoxe, déclarat-il. Or, ayant à ce jour examiné quinze des patients du Dr Schaefer, je suis bien obligé de reconnaître que non seulement leur état de santé s'est amélioré de façon spectaculaire, mais que, de plus, ils semblent ne souffrir que de très peu d'effets secondaires, sinon d'aucun. Il est temps d'étudier plus en profondeur le P.R.E.-5 et d'élargir les essais cliniques à une plus grande population. »

D'autres spécialistes vinrent exprimer leur opinion.

En résumé, ils étaient stupéfiés par les résultats obtenus par le P.R.E.-5, admiratifs devant le travail effectué, pensaient-ils, par le Dr Schaefer, et prêts à passer au stade suivant du processus de recherche.

Quand le présentateur passa à un autre sujet, Joe tremblait de la tête aux pieds. Il avait l'impression de n'avoir plus aucune maîtrise de son corps. Paula comprit. Elle éteignit la télévision, s'agenouilla à côté de lui sur le canapé et le prit dans ses bras. Il se laissa aller contre elle et fondit en larmes.

— Ça allait marcher, Paula... Sophie était mieux, elle allait s'en sortir, elle allait...

Il ne put continuer. Lucas ne lui avait pas menti, son échafaudage de mensonges avait eu un but honorable. Il avait pris d'énormes risques pour faire en sorte que Sophie soit acceptée dans l'étude et bénéficie du traitement auquel il croyait.

— Mon Dieu... Et moi qui ai tellement fait souffrir Janine avec mes reproches !

Paula le serra plus fort, comme si elle voulait l'empêcher de trembler.

— Tu ne le savais pas... Personne ne le savait, tu as agi en fonction des renseignements dont tu disposais. Tu as demandé l'avis des médecins de Sophie. Que pouvais-tu faire de plus, Joe ?

— Mais tu pensais toi-même que j'aurais dû avoir un peu plus foi en la phytothérapie...

— Oui, peut-être... mais maintenant je comprends pourquoi tu avais du mal à prendre au sérieux cet étrange petit bonhomme, à croire qu'il pouvait être l'auteur d'une découverte majeure.

— Il n'en est pas l'auteur.

Elle s'écarta un peu.

— Mais tu viens de dire que...

Il détacha les bras qui l'enserraient et s'écarta suffisamment pour pouvoir la regarder dans les yeux.

— Tu te demandais pourquoi j'étais si silencieux, ce soir ?

— Oui.

— Eh bien, j'ai rendu visite à Lucas, ce matin. Une longue visite.

— Et alors ?

— Alors c'est Lucas qui est derrière cette étude.

— Lucas ? Qu'est-ce que tu veux dire ?

— Exactement ce que je dis ! L'Herbaline est en fait la découverte de Lucas. Et il aurait sauvé Sophie, de même qu'il a défendu Janine contre ses parents et moi, pauvres têtes de mule que nous sommes. Et tout ce que j'ai fait, moi, ça a été de me liguer avec eux contre Janine et de la rendre malheureuse. Tu l'as dit toi-même. Lucas est la seule personne par qui elle se sent soutenue. Moi, je ne l'ai pas soutenue. (Il gémit, serra son front entre ses mains.) Je n'arrive pas à croire que je puisse m'être ainsi trompé du début à la fin.

— Je n'y comprends rien, Joe... Qu'est-ce que tu racontes ?

Elle se rassit sur le canapé, l'air à la fois interloquée et soucieuse. Il se rassit à son tour à côté d'elle.

— Tu sais que Lucas souffre d'insuffisance rénale ?

— Oui, tu me l'as dit. Et je continue à penser que c'est une bien bizarre coïncidence qu'il...

— Il n'est pas jardinier.

— Comment ça ?

— Il est professeur de botanique et, d'après ce que je comprends, il a expérimenté des formules à base

375

de diverses plantes et a mis au point l'Herbaline, qui, pensait-il, pouvait avoir un effet bénéfique sur les enfants souffrant d'insuffisance rénale. Il savait bien que personne ne prêterait attention à une recherche dirigée par un professeur de botanique, et il s'est arrangé avec Schaefer pour que celui-ci soit le directeur officiel du programme. Mais, en fait, il n'est qu'un prête-nom.

— Mais tu ne penses pas que c'est une coïncidence bizarre qu'il se soit trouvé embauché à Ayr Creek alors que Sophie habitait la maison d'hôtes?

— Ce n'est pas du tout une coïncidence...

Il reprit son souffle et lui confia tout ce que Lucas lui avait appris le matin. La mort de sa fille, la découverte de l'existence d'un demi-frère prénommé Joe, et ses manœuvres pour s'assurer de la participation de Sophie à son étude. Quand il eut fini, Paula pleurait.

— Pourquoi pleures-tu?

— Parce que j'ai mal pour toi.

Il la serra contre lui.

— Merci.

— Et parce que je t'aime.

L'émotion et la véhémence de sa voix le surprirent.

— Moi aussi, je t'aime.

— Non, Joe, je t'aime d'amour, pas comme une amie très chère. Toi, tu l'entends comme ça.

Il regarda attentivement le visage de la jeune femme, les fines pattes-d'oie, la tache de rousseur sur la narine gauche, la boucle de cheveux noirs qui lui retombait toujours sur le front. Elle lui était chère, très chère, mais c'était vrai qu'il n'avait jamais pensé à elle que comme sa plus proche amie.

— Tu sais bien que tu comptes beaucoup pour moi.

Il avait conscience d'offrir une réponse bien inadéquate à ce qu'elle venait de lui avouer.

— Oui. Et je te vois essayer de récupérer Janine. Et ça me fait mal parce que je voudrais que ce soit moi que tu veuilles.

— J'ai toujours été honnête avec toi, je ne t'ai jamais donné aucune raison de supposer que...

— Exact, tu m'as toujours clairement fait comprendre que nous n'étions que des amis. Ça ne m'a pas empêchée de vouloir davantage, ni de t'aimer.

Il secoua la tête avec dépit.

— Je ne suis même pas certain de savoir encore ce qu'est l'amour, Paula.

— Bien sûr que si !

— Qu'est-ce qui te fait dire ça ?

— Mais parce que tu me l'as montré quand j'ai perdu ma mère. Tu t'es dérangé en pleine nuit pour venir auprès de moi, tu as laissé tomber ton travail, ton tournoi de golf et tout le reste. Tu m'as accompagnée en Floride parce que tu ne voulais pas me laisser faire le voyage toute seule, tu t'inquiétais parce que je ne mangeais plus. J'ai senti que... que tu m'aimais vraiment. Je crois que tu es plein d'amour pour tout le monde, mon Joe, pour Sophie, pour Janine, et même pour moi.

Il revit le moment où Paula lui avait téléphoné pour lui annoncer qu'elle venait de perdre sa mère. Il avait physiquement ressenti son chagrin, et si profondément qu'il en avait eu les larmes aux yeux. Il aurait tout fait pour lui épargner cette souffrance.

— Viens ici, Paula...

377

Il la serra de nouveau contre lui. Il admirait tellement sa compréhension, sa force de caractère, il lui en était si reconnaissant... Peut-être était-ce elle, la femme qu'il lui fallait?

39

— Oh, monsieur Donohue, nous sommes tous si tristes, pour Sophie, dit l'infirmière quand Joe se présenta le mardi matin à la réception du cabinet médical du Dr Schaefer.

La jeune femme était rousse, exactement de la même couleur que Sophie, et Joe ne pouvait détacher ses yeux de sa chevelure.

— Merci. Et merci d'avoir pu m'obtenir un rendez-vous.

— Pas de problème, le Dr Schaefer préférera certainement vous présenter ses condoléances en personne. (Elle regarda derrière elle dans le couloir.) Vous pouvez le voir maintenant, les enfants sont dans la salle de perfusion et le docteur est dans son cabinet.

Elle lui fit traverser la salle d'attente et le précéda dans le couloir. Joe pensait à sa visite précédente, d'où il était parti en vociférant et en accusant le médecin de manipuler Janine et de se servir de sa fille comme cobaye. Bon Dieu, quel prétentieux imbécile il avait été!

Le Dr Schaefer ne devait pas être rancunier, il se leva et lui tendit la main par-dessus le bureau. Son sourire était chaleureux et sympathique.

— Je vous en prie, asseyez-vous, monsieur Dono-hue.

Il agita ses petites mains sèches et lui désigna un fauteuil. Joe s'assit en face du médecin de l'autre côté de la large table en noyer.

— Je suis tellement désolé pour Sophie... C'est une affreuse tragédie. Juste au moment où elle allait beaucoup mieux.

Joe fit un signe de tête affirmatif.

— Maintenant je sais que c'était vrai, qu'elle allait réellement mieux.

— Oui, n'est-ce pas, vous êtes au courant. Lucas m'a appelé de l'hôpital pour me dire qu'il vous avait tout raconté.

— Ça m'a... abasourdi. Je suis encore sous le choc.

— Vous comprenez que tout ce qu'il vous a révélé doit rester secret, n'est-ce pas ?

Schaefer avait l'air inquiet.

— Oui, bien sûr.

Il s'agita avec gêne sur son siège. Il était venu avec l'intention de poser un certain nombre de questions. Celles-ci l'avaient tenu éveillé la plus grande partie de la nuit et il voulait des réponses.

— Vous croyez que Sophie aurait guéri, si elle avait continué le traitement au P.R.E.-5 ? commença-t-il.

— Je ne peux pas affirmer qu'elle aurait été défini-tivement et complètement guérie. (Schaefer jouait avec le stylo argenté sur la table, le faisant rouler d'un centimètre vers la gauche, puis d'un centimètre vers la droite.) Mais je crois qu'on aurait fini par rendre son insuffisance rénale très maîtrisable. Lucas était sur la bonne voie, et, s'il en avait eu le temps, il aurait pu affiner sa formule, peut-être jouer aussi sur le mode d'administration. Il aurait fini par découvrir un remède pour les enfants, et... euh... peut-être un procédé pour rendre le P.R.E.-5 efficace pour les adultes. Il n'en était pas loin.

— Eh bien, il peut toujours le faire, non? Vous en parlez au passé.

Le médecin secoua la tête.

— Il ne vous a donc pas dit à quel point il est atteint?

— Je sais qu'il a besoin de fréquentes dialyses. On prévoit une greffe, je suppose?

— Il a été radié de la liste d'attente.

— Pour quelle raison? Il est trop atteint?

Il se souvenait qu'avant de recevoir le rein donné par Janine il avait fallu que Sophie soit, hormis son insuffisance rénale, en bonne santé.

— Non. Son état est stable. Physiquement, il pourrait supporter une greffe. Mais on l'a radié parce que... euh... il s'est montré très... très négligent envers son traitement, ces derniers temps. Il a manqué plusieurs dialyses et il a abrégé les autres. Il a pris trop de risques, alors qu'il y a tant de candidats qui suivent religieusement le traitement.

— Pourquoi a-t-il fait ça?

Le médecin ricana tout bas et Joe eut l'impression qu'il se moquait discrètement de lui.

— Tout d'abord parce qu'il a passé tant d'heures à travailler sur le P.R.E.-5 tout en jouant les jardiniers, expliqua-t-il, sarcastique. Et plus récemment parce qu'il a passé tant d'heures à chercher votre fille.

Joe n'apprécia pas.

— Il aurait dû faire passer sa santé en premier. Il

380

n'aidera personne s'il n'est plus capable de continuer à travailler.

Schaefer se remit à jouer avec son stylo et laissa le silence s'installer, avant de se décider à continuer.

— Vous savez ce que c'est que faire passer les besoins des autres avant les siens propres, monsieur Donohue ?

Joe fronça les sourcils. Cette fois, l'attaque était directe.

— Oui je le sais ! J'ai été un bon père pour Sophie, bon Dieu !

Schaefer eut l'air contrit.

— Je n'en doute pas, pardonnez-moi. Je suis allé trop loin. Mais Lucas Trowell est un homme généreux, totalement dénué d'égoïsme. Il aime votre femme, il a beaucoup d'affection pour votre fille, et il s'est toujours trop soucié des autres. Alors je ne supporte pas qu'on le critique, ces temps-ci. De plus, j'ai les officiels du ministère de la Santé sur le dos, parce qu'ils sont impatients de passer à la vitesse supérieure, et...

— Vous ne pouvez pas le faire ? (Joe se pencha en avant.) Vous êtes assez au courant des détails de la formule pour continuer les recherches sans Lucas, non ?

Schaefer secoua la tête.

— Je comprends la formule actuelle, je sais comment elle fonctionne, mais je ne connais rien à la théorie sur laquelle elle repose. Je ne saurais pas la manipuler, la peaufiner, comme dit Lucas. Et je crains bien que Lucas ne se remette pas suffisamment pour continuer à y travailler. Alors je ne vois pas du tout comment m'en sortir !

— Je comprends...

Joe, un peu vexé par les attaques du médecin, se leva. Il était venu le voir avec un certain nombre de questions, mais l'une d'elles lui tenait plus à cœur que les autres : Schaefer était-il capable de continuer seul la recherche, sans l'aide de Lucas ? Eh bien maintenant, il avait la réponse.

En le voyant sortir du cabinet du médecin, l'infirmière rousse s'approcha de lui en hâte.

— Monsieur Donohue, je voulais vous attraper avant que vous ne partiez ! Il y a quelques enfants dans la salle de perfusion, et leurs parents voudraient vous voir.

Joe continua son chemin.

— Je n'ai pas le temps, désolé...

Il n'avait surtout pas le cœur à rencontrer des gosses malades et leurs parents.

— S'il vous plaît... Ils m'ont supplié de vous amener dans la salle de perfusion.

Il regarda ostensiblement sa montre, bien qu'il ne fût attendu nulle part.

— Bon, juste une minute, alors.

Elle le précéda de nouveau dans le couloir. La grande pièce du bout lui rappela un peu une salle de dialyse, mais sans les grosses machines. Il n'y avait que quatre potences à perfusion, et quatre enfants installés sur des chaises longues. Dès que Joe entra, trois femmes et un homme bondirent sur leurs pieds.

— Joe ! s'écria une des femmes comme si elle le connaissait.

Elle lui prit la main, la serra entre les siennes.

— On a tant de chagrin pour vous !

— Sophie était une enfant tellement adorable ! s'écria une autre.

— Et elle était tellement mieux, depuis qu'elle était sous Herbaline. C'est vraiment trop injuste!

L'homme vint serrer la main de Joe.

— Je suis le père de Jack. (Il montra d'un signe de tête un petit garçon allongé sur une chaise longue.) On forme une sorte de grande famille, ici... Je sais que vous n'étiez pas trop partisan de ce traitement... Janine nous l'avait dit... mais elle avait fait le bon choix, n'est-ce pas?

— Je sais, oui.

Une femme montra la chaise longue la plus proche de la fenêtre : quelques peluches étaient appuyées au dossier.

— Les enfants avaient apporté ces peluches, vous voyez, pour quand elle reviendrait. J'imagine qu'on en fera don à l'hôpital, mais, pour le moment, on préfère les avoir ici, elles nous rappellent Sophie.

Joe ne put qu'acquiescer de nouveau en silence. Il avait perdu la voix. Il imaginait sa fille sur cette chaise longue, reliée elle aussi à une perfusion, comme ces autres gosses qui acceptaient avec courage une épreuve de plus infligée à leur frêle petit corps.

Il regarda les trois petits garçons et la fille. Deux des garçons lui sourirent, l'autre lisait un magazine et la fille était occupée avec un album de coloriage. Joe voyait bien qu'ils étaient petits pour leur âge, mais ils avaient les joues roses et les yeux brillants. Et, grâce à Lucas Trowell, toutes les raisons d'espérer.

40

Joe avait besoin de solitude. Après avoir quitté le cabinet du Dr Schaefer, il rentra chez lui, s'installa dans la grande salle du bas et se prépara un verre. Il n'était pas un gros buveur, mais, après cette visite à Schaefer, il en avait besoin.

Les vidéos empruntées à Janine étaient empilées sur la table basse. Il en prit une au hasard, la glissa dans le magnétoscope, se laissa tomber sur le canapé et appuya sur la touche de la télécommande. L'image représentait une salle blanche, où s'alignaient des chaises longues. Il la reconnut : il venait d'y passer quelques minutes à parler aux parents des enfants qui recevaient leur Herbaline. Mais, dans le film, les chaises étaient vides et il n'y avait personne dans la pièce. Puis des voix se firent entendre, et la caméra montra le couloir. L'infirmière rousse apparut la première, précédant Janine, Lucas et Sophie. Janine tenait la main de Sophie et Lucas guidait la jeune femme par le coude. Dans l'autre main, au poignet enfermé dans l'orthèse, il portait un sac en plastique.

« Tu vois la caméra, Sophie ? demandait l'infirmière en désignant quelque chose devant elle. Tu es l'une de nos premières patientes, alors on va tourner un petit film sur toi. »

Gros plan sur la fillette.

« Oh, Sophie ! » Si frêle, si pâle, les traits gonflés, l'air si malade. Joe avait presque oublié dans quel état se trouvait sa fille avant de commencer le traitement à l'Herbaline. Elle s'accrochait à la main de sa mère et, dans son regard effrayé, la question se lisait clairement : « Quel nouveau supplice va-t-on encore m'infliger ? »

Janine percevait son anxiété.

« Tu n'as pas besoin d'avoir peur, Sophie, on est juste ici pour voir comment ça se passe. Gina va tout t'expliquer, et on reviendra demain pour le premier traitement.

— Vous aurez d'autres enfants ici, demain, je suppose ? dit Lucas avec une feinte ignorance.

— Bien sûr ! J'attends six autres petits garçons et petites filles. Vous pourrez bavarder et vous amuser ensemble, et regarder des dessins animés là-bas. »

La caméra suivait le regard de Sophie en direction d'un grand écran de télévision au bout de la pièce. Cela ne semblait pas la tranquilliser.

« Pourquoi ne choisis-tu pas le fauteuil où tu voudrais t'asseoir demain ? Je te le réserverai, ce sera le tien chaque fois que tu viendras.

— Combien de fois je viendrai ?

— Tous les lundis et tous les jeudis, répondit Janine. Deux fois par semaine.

— Je ne veux pas venir si souvent, protesta la petite, toujours accrochée à la main de sa mère. S'il te plaît, maman !

— Sophie… » (Lucas s'assit sur une chaise longue pour être à sa hauteur.) Ils ont ici un médicament qui s'appelle l'Herbaline. Ta maman et le docteur qui travaille ici pensent que si tu le prends tu te sentiras mieux, beaucoup mieux. Tu n'auras plus besoin d'autant de dialyses, tu pourras peut-être même retourner en classe. C'est vrai, n'est-ce pas ? »

Lucas regarda l'infirmière comme pour lui demander son avis.

« C'est un comble ! Alors que c'est lui qui a découvert l'Herbaline ! »

Mais Lucas jouait la comédie de façon convaincante.

« C'est vrai, Sophie. On pense que l'Herbaline va te changer la vie. Alors, quel fauteuil préfères-tu ? »

Le regard de Sophie alla de chaise longue en chaise longue et elle montra du doigt celle qui se trouvait à côté de Lucas.

« Grimpe, alors ! »

Sophie lâcha la main de sa mère et s'assit au fond de la grande chaise longue. Elle semblait si fragile, si minuscule, si vulnérable là-dedans que Joe arrêta un instant la cassette pour reprendre le contrôle de ses émotions.

« Regarde, tu peux t'asseoir comme ça ou bien l'incliner. C'est toi qui choisis. Ensuite on te mettra une petite aiguille dans le bras et...

— Non ! »

Sophie serra son bras contre elle.

« Mais tu connais déjà ça, protesta Janine. Tu sais bien que ce n'est pas terrible !

— Non. Je n'en veux plus !

— L'Herbaline est un liquide, continua l'infirmière. Ça ressemble à de l'eau dans une poche en plastique. Pour qu'elle arrive dans ton corps, on est obligé de la faire passer par un petit tube qui entre dans ta veine par une toute petite aiguille. Ça ne fait mal qu'une fraction de seconde, tu sais.

— Maman... »

Sophie tendit la main vers sa mère et son regard désespéré brisa le cœur de Joe. Il avait mal pour

Janine aussi, car il savait combien elle avait souffert d'avoir à faire subir à Sophie un supplice de plus. Et, dans le cas de l'Herbaline, elle avait dû se sentir doublement malheureuse : son efficacité était loin d'être reconnue et elle allait avoir à affronter la colère de ses parents et de son ex-mari.

« Sophie, intervint Lucas, j'ai apporté quelque chose pour toi. »

Sophie se tourna vers lui et Joe remarqua son regard confiant. Janine n'était pas la seule femme de la famille Donohue à éprouver de tendres sentiments pour le jardinier.

Lucas sortit une plante de son sac en plastique et la posa sur les genoux de Sophie. Joe se pencha vers l'écran pour mieux voir l'espèce de fleur vert et rose. Elle ressemblait à une gousse de tulipier de Virginie, mais il n'en était pas certain.

« Qu'est-ce que c'est ?

— Une fleur d'arbre à courage, répondit un peu solennellement le professeur de botanique. C'est une plante magique.

— Quelle sorte de magie ?

— Eh bien, si tu mets une fleur d'arbre à courage sous ton oreiller le soir avant de t'endormir, tu te sens très courageuse quand tu te réveilles le lendemain matin. »

Joe s'attendait à ce que Sophie se moque de la réponse de Lucas. Elle était trop intelligente pour accepter ces sottises. Elle avait toujours été sceptique, doutant dès quatre ans de l'existence du Père Noël et refusant de croire à la petite souris. Mais Sophie passa le doigt sur la gousse vert et rose.

« Ça marche vraiment ?

« — Pour moi ça marche toujours, en tout cas. Parfaitement bien, même ! Tu ne veux pas essayer, ce soir ? »

Sophie regarda de nouveau la plante.

« D'accord... »

Gina battit des mains.

« Bravo, Sophie !

— Je suis si contente, ma chérie », la félicita Janine.

La petite fille répondit d'une ébauche de sourire et plissa le nez.

« Je peux me lever de cette chaise longue, maintenant ? »

Quelques minutes plus tard, Joe éteignit le magnétoscope mais resta assis, revoyant dans sa tête les images qu'il venait de regarder... les yeux de Janine où se lisaient clairement son amour pour Lucas et la force qu'elle paraissait en tirer... le subterfuge employé par celui-ci pour obtenir de Sophie qu'elle accepte le traitement. Un traitement susceptible de guérir tous les enfants souffrant d'insuffisance rénale.

Il avait toujours pensé que si Sophie était malade c'était la faute de Janine, de son égoïste décision de s'engager dans l'armée de réserve, de sa participation à la guerre du Golfe. Jamais l'idée ne l'avait effleuré que c'était peut-être lui le responsable, que ses gènes pouvaient être porteurs de la maladie, que si la santé de sa fille se détériorait c'était à cause de lui, son père, dont l'obstination et l'étroitesse d'esprit avaient failli l'empêcher d'aller mieux. Il avait une énorme dette envers Janine, il lui devait bien plus que des excuses.

Il se leva, sortit de chez lui et prit le chemin qui traversait le bois entourant son quartier. Il y avait des tulipiers de Virginie, par là. Il avait lui aussi besoin de se trouver un arbre à courage.

41

Il avait plu pendant la nuit et plusieurs flaques d'eau s'étalaient sur le sol de la hutte. Zoe déchira un de ses nombreux draps, et elle passa avec sa fille la matinée à colmater les gouttières de la première pièce. Elles s'occuperaient de la chambre plus tard : Sophie dormait encore.

Obligées pour atteindre les fentes du toit de grimper chacune à son tour sur la chaise bancale pendant que l'autre la tenait, elles travaillèrent en silence. Marti était encore furieuse parce que, la veille au soir, sa mère avait allumé du feu pour faire cuire les poissons. Sophie, bien qu'elle eût déclaré ne pas trop aimer le poisson, avait dévoré deux des filets cotonneux, mais Marti, outragée, était partie dans les bois manger une boîte de raviolis froids. Elle était revenue des heures plus tard, bien après le coucher du soleil. Toujours boudeuse, elle était restée longtemps dans la pièce de devant à jouer avec son briquet. Zoe lisait dans la chambre, ou plutôt faisait semblant. Elle entendait Marti allumer et éteindre son briquet, et ses appréhensions augmentaient à chaque petit clic.

Elle éteignit la lampe et ferma les yeux, mais fut incapable de trouver le sommeil. La respiration de Sophie était bruyante et irrégulière, mais ce n'était pas ce qui empêchait Zoe de dormir. Elle pensait aux trois comportements révélateurs de problèmes caractériels latents qui lui avaient été énumérés lors de l'entretien d'entrée de Marti au pensionnat. Qu'elle eût ou non l'habitude de poser ces questions provocatrices à tous les futurs parents d'élèves, la femme avait certainement perçu en Marti quelque chose que Zoe faisait tout son possible pour ne pas voir. Une fois de plus, Zoe n'avait pas rendu service à sa fille en refusant d'admettre l'existence de ces symptômes. Elle avait espéré que si quelque chose n'allait pas chez Marti le séjour au pensionnat y remédierait. Il n'était pas question que le monde sache que Zoe Pauling et Max Garson avaient une fille avec des problèmes psychologiques. « Et si j'avais accepté de les voir et réussi à les faire soigner, Marti aurait-elle retrouvé son équilibre ? Serait-elle maintenant une femme normale, heureuse, utile à la société, ou bien aurait-elle quand même assassiné le gardien... ou qui que ce soit d'autre ? »

C'était son tour de monter sur la chaise bancale, et Marti la lui tint pendant qu'elle enfonçait de la toile mauve dans les fissures. L'ancienne actrice se durcit, prit son souffle et s'apprêta à poser la question qui l'avait tenue éveillée pendant la nuit et la hantait encore ce matin.

— J'ai quelque chose à te demander, Marti... (Elle poussa le tissu dans la fente.) Et je veux la vérité.

— Une question sur quoi ?

Brève hésitation, puis :

— C'est toi qui as tué Tara Ashton ?

Elle garda les yeux fixés vers le haut et poussa de toutes ses forces sur le bouchon de tissu. Marti ne répondait pas, le seul bruit était la respiration de Sophie dans la pièce voisine.

— Alors?

Marti, les mains sur le dossier de la chaise, leva vers sa mère ses splendides yeux bleus frangés de longs cils.

— Oui.

Zoe descendit prudemment et se laissa tomber sur le bord de la chaise. Elle avait l'impression d'étouffer et elle eut besoin de quelques instants pour se remettre à respirer vraiment.

— Mais pourquoi? (Elle essaya de parler d'un ton calme.) Qu'est-ce qui t'a poussée à faire ça? Je croyais que tu ne la connaissais même pas.

— C'est exact. (Marti s'assit sur le canapé, en évitant soigneusement de croiser le regard de sa mère.) Je n'ai pas menti au jury en disant ça. Je l'ai vue pour la première fois dix ou vingt minutes avant... avant que ça n'arrive.

— Je ne comprends pas...

A la grande surprise de Zoe, les yeux de sa fille se remplirent de larmes. Elle l'avait pourtant rarement vue pleurer, même pendant son procès.

— Maman... ne me demande pas de te dire pourquoi je l'ai fait, je ne voulais surtout pas que tu le saches.

— Je veux le savoir.

— Elle m'a téléphoné... (Son regard erra vers les bois.) Tara Ashton... Environ deux semaines après la mort de papa.

— Pourquoi ça?

— Elle voulait me voir, c'était extrêmement important, a-t-elle dit. Je n'avais aucune idée de ce dont il s'agissait mais j'y suis allée quand même. Elle avait tellement insisté!

Donc Marti était bel et bien allée chez Tara Ashton. Et ces témoins qui avaient déclaré avoir aperçu sa voiture devant la porte de Tara Ashton, ou l'avoir vue sortir de la maison, avaient dit la vérité. Contrairement à ce qu'imaginait Zoe, ils ne se trompaient pas, ils ne mentaient pas. C'était elle qui avait tout faux.

— Elle m'a ouvert la porte. Toute souriante... enfin, tu sais comment elle était, superbe et tellement sûre d'elle.

Les yeux de la jeune femme se remplirent à nouveau de larmes et Zoe essaya de comprendre.

— Tu étais jalouse d'elle?

— Jalouse de cette garce? (Elle rit.) Sûrement pas!

— Eh bien alors... que s'est-il passé?

Marti hésita, visiblement très mal à l'aise. Elle changea de position, posa les pieds sur les coussins recouverts du drap lavande, les remit par terre.

— Elle m'a fait asseoir au salon et m'a offert un verre de ginger ale. Tu te rends compte? Qui boit ça, de nos jours? Et elle m'a annoncé que... (Marti regarda le toit et soupira.) Maman, je ne peux pas te le dire.

— Me dire quoi?

Zoe se préparait au pire. Elle n'avait aucune idée du contenu de la confession de Marti, mais elle savait déjà que la révélation allait lui faire très mal.

— Elle m'a annoncé qu'elle était enceinte et que papa était le père du bébé.

Zoe cessa un instant de respirer puis éclata de rire.

— Enfin, c'est grotesque!

— J'ai pensé ça aussi. Mais elle m'a raconté que c'était papa qui lui avait fait obtenir le rôle que tu

étais censée avoir, qu'il les avait persuadés de le réé-
crire pour une femme plus jeune, pour qu'elle soit
choisie.

— Je n'y crois toujours pas !

— Moi j'y crois. (Elle se pencha en avant.) Elle
avait décidé de demander un test d'ADN, elle avait
une mèche de cheveux de papa. Elle me l'a même
montrée.

Zoe rit de nouveau, d'un peu moins bon cœur,
toutefois.

— Il n'avait presque plus de cheveux.

— Je sais. Elle en avait quand même une petite
mèche, ça semblait bien être à lui, un peu bouclée,
comme étaient ses cheveux sur la nuque. Elle avait
l'intention de s'en servir pour le test d'ADN et de faire
paraître le résultat dans tous les journaux, à moins
que...

— A moins que quoi ?

— Qu'on ne lui donne une partie de l'héritage de
papa.

— L'héritage de ton père ? (Zoe secoua la tête.)
Chérie, je refuse de croire que...

— Maman, tu ne veux jamais rien croire !

Marti se leva et agita les bras.

— Tu as toujours refusé de croire que je faisais des
bêtises, alors que je n'arrêtais pas. Tu refuses de
croire que papa ait pu te tromper, alors que la moitié
de Hollywood savait qu'il couchait à droite et à
gauche.

Elle montra du doigt la porte de la chambre.

— Tu refuses même de croire que cette petite
gosse là-bas va mourir. Je n'ai vraiment pas eu le

choix, tu sais. Elle allait te faire mal d'une façon ou d'une autre. Je la détestais, à cause de ce qu'elle avait l'intention de te faire subir, surtout si peu de temps après la mort de papa. De deux choses l'une : ou bien elle allait venir te raconter ce qu'il y avait eu entre elle et papa et tu aurais été obligée de lui donner l'argent, et je peux te dire qu'elle était gourmande, ou bien elle déballait tout à la presse. Dans les deux cas, ça t'aurait fait très mal, et j'ai... (Marti secoua la tête et se rassit.) Elle était en train d'accrocher des tableaux et elle avait posé son marteau sur la table basse, et j'ai...

— Je suis sûre que tu n'avais pas vraiment l'intention de le faire. C'était un acte irraisonné, et...

— Pas du tout. J'ai vraiment voulu le faire, effacer de son visage ce sourire d'autosatisfaction. J'ai pris le marteau, et... eh bien, j'ai tapé.

— Et tu... tu n'as pas de remords ? Ça ne t'a pas secouée, de l'avoir tuée ? D'avoir détruit une vie humaine ?

— Si elle avait été quelqu'un de bien, je m'en serais voulu. Pour Angelo aussi, s'il n'avait pas été une telle ordure. Tara était une ordure, elle a tout à fait mérité ce qui lui est arrivé.

Que dire ? Comment réagir quand on trouve le mal tapi au fond de la cervelle de son enfant ? Inutile de récriminer. Autant que Marti, Zoe était responsable de ce qui était arrivé. Elle se pencha vers elle.

— Marti, pour commencer, merci de me l'avoir dit. (La jeune femme détourna les yeux et regarda fixement l'autre bout de la pièce.) Mais ma chérie, tu as besoin de retrouver ton équilibre, continua Zoe d'une voix bien plus calme qu'elle ne se sentait. Tu

t'en rends compte, n'est-ce pas ? Tu as toujours été...
un peu déboussolée. C'est ma faute, je l'avoue. Et tu
dis vrai, je ne voulais pas le voir. Je n'ai pas su venir à
ton secours quand tu en as eu besoin. Mais maintenant je veux le faire.

— Ne te berce pas d'illusions, maman, il n'est pas
question que j'aille me livrer à la police ou quelque
chose comme ça. On me renverrait en prison, tu le
sais bien.

— C'est la dernière chose que je veux, je ne les laisserai jamais faire, ce n'est pas ce dont tu as besoin,
ma petite fille.

— Mais c'est ce qui se passera, maman ! Si tu me
dénonces, je suis sous les verrous jusqu'à la fin de
mes jours.

Un son rauque parvint de la chambre, suivi d'un
silence. Zoe, effrayée, écouta jusqu'à ce qu'elle
entende Sophie respirer de nouveau.

— Sophie est si malade, Marti. On va bien être
obligées de...

— Maman, si tu as l'intention d'aller lui chercher
du secours, tu peux l'oublier. J'ai déjà commis deux
meurtres, tu sais !...

Elle parlait lentement, en articulant clairement les
syllabes, comme si elle craignait que sa mère ne soit
plus capable de la comprendre.

— ... Un de plus ne fera pas une grande différence.
Surtout s'il s'agit de quelqu'un qui est déjà à moitié
mort !

Marti se leva et une vague de peur submergea Zoe.

— Je te défends de toucher à cette petite !

— Ne t'en fais pas ! Je n'ai aucune intention de

faire du mal à ton précieux bébé! jeta-t-elle avant de sortir de la hutte.

Sophie se leva dans l'après-midi et sur ses pieds gonflés se traîna dans la pièce de devant. Zoe, allongée sur le canapé, leva les yeux.

— Comment te sens-tu, ma petite cocotte?

Les mots sortaient difficilement de sa gorge sèche.

— Pas trop bien...

Sophie s'assit au bout du canapé et Zoe retira ses pieds pour lui laisser la place. Elle n'avait pas bougé de l'après-midi, depuis que les révélations de sa fille avaient tout changé pour elle. Elle avait vécu dans un monde imaginaire, où tout n'avait été que chimères. Marti n'était pas la fille qu'elle présentait fièrement au public et sa vie conjugale avec Max n'était pas une plus grande réussite que celle des autres couples de Hollywood. Bien sûr, les rumeurs accusant Max d'être un coureur de jupons n'avaient pas manqué, mais elle avait fait la sourde oreille. Il y avait toujours des racontars à propos des célébrités ou des personnages importants. Si on les écoutait, ils vous dévoraient, alors elle avait toujours refusé d'entendre. C'était bien plus facile de prétendre que tout allait bien.

— J'ai peur, Sophie, très peur...

Elle regarda le visage bouffi de la fillette.

— De quoi?

— Eh bien, pour toi, et pour Marti. Et j'ai même un peu peur de Marti. Je crois qu'elle est... vraiment...

Sophie finit la phrase pour elle :

— Elle est complètement cinglée, à mon avis.

— Oui. Et moi je veux vraiment te faire soigner, ma cocotte. J'y tiens, c'est mon plus cher désir. Mais si je le fais, j'envoie ma propre fille en... Je ne peux pas faire ça... Ils l'enfermeraient jusqu'à la fin de ses jours. Peut-être pire. Eux, ils ne la voient pas comme je la vois, moi... comme elle est, la petite fille qui n'a jamais surmonté ses problèmes psychologiques. C'est toujours comme ça, on met les gens en prison au lieu d'essayer de les soigner.

Sophie regarda dehors et se leva avec difficulté.

— Je crois qu'il faut que j'aille là-bas...

L'enfant sortit en boitant.

« Elle n'a pas entendu un seul mot de ce que j'ai dit... C'est sans doute aussi bien... »

Ces réflexions n'étaient pas faites pour des oreilles d'enfant.

Elle dut s'endormir, car d'un seul coup elle vit Marti debout à côté d'elle.

— Où est Sophie ? Elle n'est pas dans la chambre.

Zoe s'assit, mal réveillée, et essaya de mettre de l'ordre dans ses idées.

— Elle... elle est allée aux latrines, mais il y a un bon moment de ça, je pense. (Elle bondit sur ses pieds, alla à la porte.) Elle ne doit pas être loin.

Les deux femmes coururent aux latrines. Elles étaient vides, aucun signe de Sophie nulle part.

— Je parie que cette petite saleté essaie de filer !

La fugitive retourna à la hutte. Zoe, derrière elle, la vit ressortir armée de son revolver.

— Qu'est-ce que tu fais ?

— Je vais la chercher, tiens !

— Tu n'as pas besoin de ça !

Zoe tendit la main pour prendre l'arme, mais Marti l'esquiva et prit en courant la direction des bois.

— C'est juste pour lui faire peur !

Zoe voulut la rattraper, mais sa fille fit volte-face et la menaça de son revolver.

— Laisse-moi tranquille, maman !... Et je ne plaisante pas !

Effrayée, Zoe prit la direction opposée, espérant être la première à retrouver la petite. Dans son état, elle ne pouvait pas être allée bien loin. Elle la chercha pendant presque une heure, les nerfs tendus, s'attendant toujours à entendre un coup de feu. Il n'y eut ni détonation ni Sophie, et quand elle retourna à la hutte, avant Marti, elle trouva l'enfant profondément endormie sur son grabat. Sa respiration était rauque et bruyante, mais elle était encore en vie.

Zoe s'allongea sur son matelas plein de bosses et de creux en se jurant de rester éveillée toute la nuit. Elle ne laisserait pas Marti faire de mal à cette petite.

42

Janine ne savait plus trop où elle était. Même avec l'aide du GPS, elle n'était plus certaine de la direction, bien qu'elle ait suivi pas à pas son avancée sur la carte. Si les bois s'épaississaient, elle ne serait plus capable de les traverser. Elle commençait à considérer les chemins de randonnée et les gens qui les traçaient d'un autre œil. Pourtant elle n'éprouvait aucune crainte à être seule dans la forêt. Elle en avait été la première surprise mais elle avait compris pourquoi : elle s'y sentait proche de Sophie, elle y avait le sentiment de partager le même espace, comme au camp de Kochaben.

C'était sa seconde journée de recherches. Elle y avait déjà consacré tout l'après-midi de la veille, et n'avait rejoint le motel que peu avant la tombée de la nuit. Et elle n'avait pas eu plus de chance aujourd'hui, pourtant la cabane en rondins ne pouvait être loin. Une heure plus tôt, elle était bien tombée sur une cabane, et elle avait pensé avoir atteint son but. C'était la gorge serrée d'appréhension qu'elle s'en était approchée : si Sophie n'y était pas, son dernier espoir s'envolait. La vue du toit complètement effondré à l'intérieur l'avait soulagée, ce n'était même plus une masure, juste un vieux tas de planches. Ce ne pouvait être la cabane aperçue par Lucas et elle lors de leur survol de la région en hélicoptère. Tant mieux... Plus de temps il lui faudrait pour la trouver, plus longtemps elle pourrait garder espoir. Son raisonnement n'était pas, elle s'en apercevait bien, très rationnel, il était peut-être même un peu fou. D'ailleurs, elle se sentait elle aussi à demi, peut-être aux deux tiers, folle.

Peu de temps après avoir rencontré la cabane en ruine, elle s'était trouvée sur une petite crête, et en avait profité pour appeler Lucas sur son portable. Il avait été impossible de le joindre tant qu'elle marchait entre les grands arbres mais elle y réussit sans peine de cet endroit plus dégagé. Il était toujours à l'hôpital, et on lui menait la vie dure pour le punir de ne pas avoir pris mieux soin de sa santé. Il semblait pourtant assez optimiste, et elle se souvint des nombreuses fois où elle l'avait entendu parler de cette voix gaie pour remonter le moral de Sophie. C'était pour elle qu'il jouait ce jeu, mais elle n'était pas aussi facile à réconforter que la petite fille. Et, en fait, il ne fut pas capable de continuer à jouer la comédie très longtemps.

— Janine, lui dit-il après un petit silence, je crois que tu devrais revenir.

— Tu as besoin de moi ?

— Bien sûr que j'ai besoin de toi ! Là n'est pas le problème. Mais... il faut savoir lâcher prise, Janine.

« Lui aussi ! »

— Mais je ne l'ai pas encore trouvée !

— Cela fait trop longtemps que tu cherches, je m'inquiète pour toi.

— Je suis tout près du but, je crois que la cabane en rondins est quelque part par ici.

Elle l'entendit soupirer.

— Sois prudente, d'accord ?

— Bien sûr. Et toi, soigne-toi bien.

Elle avait éteint son téléphone et continué à marcher dans ce qu'elle espérait être la direction de la cabane. Maintenant elle avait des doutes. La lumière commençait à baisser, elle regarda sa montre. Dix-sept heures. Si elle voulait sortir des bois avant la nuit, il serait bientôt temps de faire demi-tour.

« J'avance juste encore un peu. »

Elle avait à peine fait dix mètres qu'elle entendit quelque chose d'assez gros dans les broussailles à sa droite. Elle s'arrêta, tendit l'oreille. Rien, le silence. Puis encore ce bruit de feuilles froissées. Depuis hier, elle avait entendu bon nombre d'écureuils, lapins, oiseaux et autres bestioles gratter dans le sous-bois, mais ceci était différent.

— Sophie ? cria-t-elle d'une voix moins forte qu'elle ne l'avait voulu. Sophie ? répéta-t-elle plus fort.

Le bruit cessa, puis reprit, et elle s'avança lentement dans cette direction. Elle s'arrêta net en voyant d'où il provenait : un chien creusait frénétiquement le sol, faisant voler dans toutes les directions feuilles et brindilles. Un gros chien, avec des épaules osseuses, un pelage jaune galeux et maculé de boue. Il tourna la tête vers elle et retroussa les babines.

Elle s'immobilisa et détourna le regard pour ne pas le provoquer. Elle poussa un soupir de soulagement en le voyant partir au petit trot dans la direction opposée. Quelque chose attira son regard à l'endroit où il avait creusé, un objet de couleur claire, qui n'appartenait pas à la nature. Elle s'approcha presque sur la pointe des pieds, effrayée de ce qu'elle allait trouver. C'était le bout d'un chiffon. Elle se mit à genoux, en essuya la terre et eut le souffle coupé en reconnaissant le tissu à petites fleurs de la culotte de Sophie. Elle la déterra complètement. Le sous-vêtement était taché d'excréments. Sophie avait eu la diarrhée. Elle continua à creuser tout autour à la recherche d'autres vêtements, d'indices. Ses mains, écorchées par des épines, de petits cailloux, furent rapidement en sang. Rien, absolument rien. Elle s'assit en tailleur, regarda ses doigts maculés de terre, ne sachant que penser.

« Pourquoi la culotte de Sophie est-elle enterrée ici ? »

Elle essaya de s'éclaircir les idées, de réfléchir calmement. « C'est elle qui l'a enterrée ? Ou bien a-t-elle été enlevée, violée, tuée ? L'assassin se serait débarrassé de ses vêtements en les enterrant, en les éparpillant ici et là dans la forêt ? »

Quelles que dussent être les réponses, une chose était claire : il fallait rappeler les équipes de recherche. Elle essaya d'utiliser son portable, mais il refusa de fonctionner dans ces bois profonds. Où donc se trouvait la crête d'où elle avait appelé Lucas ? Assez loin, et elle n'était pas certaine de la retrouver. Elle se leva et essaya d'aller dans plusieurs directions pour voir si son portable fonctionnait. A chaque pas la forêt semblait devenir plus sombre. Si elle ne prenait pas maintenant le chemin du retour, elle serait obligée de passer la nuit seule dans les bois.

Mais elle était si proche de Sophie, elle sentait sa présence, depuis onze jours elle ne l'avait pas sentie si intensément. Ce n'était pas le moment de retourner sur ses pas.

Essayant toujours à intervalles réguliers son téléphone, elle continua à chercher la cabane en rondins. Elle s'égara dans la pénombre, mais peu lui importait. Enfin, il fit trop noir pour qu'elle pût continuer sans danger. Elle s'assit par terre. Elle allait passer la nuit dans la forêt, avec sa fille.

43

Ce jour-là, Zoe s'éveilla juste comme l'aube pointait. A demi endormie, elle se retourna sur le ventre et glissa les bras sous l'oreiller. Le contact de quelque chose de frais la réveilla tout à fait. Qu'est-ce que c'était que ça ? Elle s'assit et souleva l'oreiller. Il ne faisait pas encore jour et, tout d'abord, elle ne reconnut pas l'objet posé sur le tas de chiffons qui lui servait de matelas. Elle l'examina plus attentivement : c'était une gousse de l'arbre à courage.

Voilà donc pourquoi Sophie avait disparu la veille

dans l'après-midi. Le cœur de l'actrice se serra en comprenant que la petite fille avait essayé de lui donner du courage. Elle ne se rendait pas compte quelle tâche herculéenne c'était.

Que lui avait dit l'enfant un peu plus tôt ? Que sa mère trouverait un moyen de les aider toutes les deux, elle et Marti. « Du moins, elle essaierait, elle », pensa Zoe.

Elle prit la fleur et regarda la fillette. Son visage était bouffi, et sa respiration rauque et difficile était le seul bruit dans la chambre. Sur l'autre grabat, Marti dormait profondément. Sa main pendait sur le sol, serrant la crosse du revolver.

Zoe posa la fleur d'arbre à courage sur son oreiller et enfila sans bruit ses chaussures. Puis elle alla à pas de loup jusqu'au lit de Sophie et se pencha sur elle.

— Sophie... chuchota-t-elle.

L'enfant ouvrit les yeux et Zoe posa un doigt sur ses lèvres.

— Chut ! Lève-toi sans faire de bruit, mon lapin, on s'en va !

44

« C'est aujourd'hui ou jamais ! »

Janine n'avait que cette pensée en tête en se réveillant, raide d'avoir dormi appuyée contre un bouleau. Elle s'étira méthodiquement et se détendit la nuque en effectuant plusieurs rotations de tête. La forêt, voilée d'écharpes de brume, sentait la terre mouillée et les arbres. Le soleil commençait à peine à filtrer à travers les feuilles.

C'était aujourd'hui qu'elle allait retrouver Sophie. Morte ou vivante. Après, tout serait fini.

Elle se leva, but une longue gorgée d'eau, essaya son portable. Rien. Il fallait pourtant qu'elle arrive à joindre le shérif. Et qu'elle parle à Lucas. A l'aide du GPS, elle essaya de déterminer sur la carte l'endroit exact où elle se trouvait. A huit kilomètres de la route, en pleine forêt. La carte indiquait un cours d'eau. Quand on se construit une cabane, la proximité de l'eau est un impératif. Elle prit cette direction.

Elle n'avait pas fait quinze mètres quand ses pieds se mirent à la faire souffrir. Elle s'arrêta. Comme Sophie avait dû avoir mal, à marcher si loin avec un pied nu! Cette pensée la fit repartir.

D'après son GPS, elle était tout près du ruisseau, quand elle entendit dans les bois sur sa gauche de bruyants craquements de branches. « Pourvu que ce soit un chevreuil, pas un ours! » Elle s'arrêta. Ce n'était ni l'un ni l'autre. Elle aperçut des taches de couleur entre les arbres, mais il lui fallut quelques instants pour distinguer une silhouette humaine. Une femme?... Oui, une femme en short marron et chemise rouge. Elle portait quelque chose sur son dos... un enfant... un enfant aux cheveux roux!

— Sophie!

En dépit des broussailles, Janine se précipita comme une flèche vers la femme. Celle-ci, courbée en deux sous le poids de l'enfant, continua à marcher d'un pas rapide.

— Sophie!

L'inconnue tourna la tête mais ne s'arrêta pas.

Janine voyait la tête de sa fille appuyée contre le dos de l'inconnue, et un de ses pieds, bandé, battait contre la cuisse de la femme.

— Qu'est-ce que vous faites avec elle? cria Janine en s'approchant.

La femme parut accélérer, et Janine courut derrière elle.

— Mais attendez-moi!

La femme s'arrêta enfin et Sophie leva la tête. Elle était très malade, le teint d'un jaune malsain, le visage gonflé de toxines.

— Mon bébé...

— Maman!

La petite tendait vers elle un bras enflé. Elle semblait ne ressentir aucune crainte à se trouver sur le dos de cette femme. Ou bien elle était trop malade pour s'en soucier. Janine prit le visage bouffi de sa fille entre ses mains.

— Oh, Sophie... Sophie... ma Sophie!

— Elle est malade, expliqua la femme, il faut l'emmener d'ici au plus vite.

— Laissez-moi la porter, je suis sa mère.

— Je la tiens bien, pour le moment. On la portera chacune notre tour. Le chemin est long jusqu'à la route, et je ne suis pas trop certaine de la direction.

Qui était cette femme? Pourquoi portait-elle Sophie sur son dos? Elle n'était pas une ennemie, en tout cas. Peut-être un des sauveteurs resté derrière pour continuer tout seul?

— J'ai un GPS et un portable. Je vais appeler et...

— Non. On ne peut pas s'arrêter.

L'inconnue jeta un coup d'œil inquiet derrière elle. L'état de santé de Sophie n'était pas la seule raison de sa hâte.

— Par ici...

Janine garda le sac isotherme à l'épaule, mais laissa tomber son sac à dos pour courir plus vite. La femme repartit. Elle n'était pas jeune, mais encore très solide et agile, Janine mit quelques secondes à la rattraper. Elle avait mille questions à poser, mais elles devraient attendre. D'ailleurs, quelle importance, maintenant ? Elle dépassa l'inconnue et courut devant elle, vérifiant de temps en temps son GPS, les yeux pleins de larmes. Sophie était vivante ! Des branches lui griffaient le visage. Si elles continuaient à ce rythme, l'une ou l'autre allait finir par se tordre une cheville sur une branche morte.

— On ne peut pas s'arrêter un instant ? Je voudrais essayer de téléphoner.

De nouveau, la femme regarda derrière elle avec inquiétude.

— D'accord. (Elle s'arrêta.) Je vais la poser un peu, ajouta-t-elle d'une voix entrecoupée.

Janine l'aida à descendre Sophie. Elle ne l'avait jamais vue si mal, la peau tendue et décolorée par l'enflure.

— Tu peux t'asseoir, ma chérie ?

Sophie parut à peine l'entendre, mais s'arrangea pour lui sourire faiblement. La femme, toujours haletante, et la chemise collée au dos par la transpiration, s'assit à côté de l'enfant et regarda Janine allumer son portable.

— Toujours rien... Ecoutez, je vais essayer de trouver un endroit un peu plus haut.

Elle pensait à la petite crête de la veille. Où diable était-elle exactement ?

— Restez ici avec Sophie pendant que...

— Non! (La femme lui prit le bras.) C'est dangereux de rester ici!

— Quel danger courez-vous? A cause de qui?

— On est en danger, c'est tout. Il faut continuer. Vous pouvez porter un peu Sophie?

— D'accord.

La femme l'aida à soulever Sophie et à la prendre dans ses bras. Pendant un instant, elle fut incapable de faire un pas. Elle enfouit son visage dans la nuque de la petite, respira l'odeur terreuse de ses cheveux et de son crâne. La femme la tira par la manche.

— Partons d'ici!

Au bout d'un kilomètre, Janine n'en pouvait plus.

— Il faut que je m'arrête.

Elle posa l'enfant sur le sol et consulta le GPS.

— Je vous en prie, restez avec elle. Je vais chercher une petite élévation pour essayer de téléphoner.

La femme ne la regarda même pas. Elle se laissa tomber à côté de Sophie et lui passa le bras autour des épaules.

— Bon, mais revenez le plus vite possible. Je vous en supplie...

Prenant soin de toujours vérifier le GPS, Janine avança un peu vers le nord et trouva une petite butte. S'accrochant aux arbustes pour éviter de glisser sur les rochers, elle commença à l'escalader. Elle essayait son téléphone toutes les quatre ou cinq minutes, et lorsqu'elle approcha du sommet, elle parvint à le faire fonctionner. Elle sortit un papier de sa poche et composa le numéro du bureau du shérif. Elle était si essoufflée qu'elle pouvait à peine parler.

— Allô, ici Janine Donohue. Je viens de retrouver

ma fille. Nous sommes dans les bois et il faut qu'elle soit immédiatement évacuée. Elle a un besoin urgent de soins médicaux. Elle ne peut pas marcher, il faudra un hélicoptère.

Il y eut un instant de silence, le shérif pensait sans doute qu'elle avait perdu la raison.

— Vous savez où vous êtes?

Elle lui donna les coordonnées de l'endroit où elle avait laissé Sophie et l'inconnue.

— On arrive!

Avant même d'avoir coupé la communication, elle commença à redescendre, tenaillée par le besoin d'être auprès de sa fille.

45

Zoe était appuyée contre un arbre tombé. A côté d'elle, la mère de Sophie, assise en tailleur sur le sol, tenait dans les bras, joue contre joue, son enfant malade, peut-être mourante.

— Comment vous appelez-vous?

La jeune femme releva la tête.

— Janine.

Elle regarda à travers les arbres en direction de la route, sans doute encore distante de deux ou trois kilomètres. « Mon Dieu, faites qu'ils arrivent vite! »

Il y avait maintenant une bonne vingtaine de minutes qu'elle était redescendue de la butte et avait annoncé à Zoe que les secours arrivaient. Puis le silence s'était établi entre elles, Janine étant trop occupée à contempler sa fille. Et Zoe ne pouvait s'empêcher de tendre l'oreille, craignant d'entendre un bruit de feuilles qui indiquerait que Marti s'était lancée à leur poursuite et les avait rejointes. Mais, à part les bourdonnements d'insectes et les chants d'oiseaux, la respiration irrégulière de Sophie était le seul bruit dans la forêt.

— Où l'avez-vous trouvée ? finit par demander Janine. Vous faisiez partie d'une équipe de sauveteurs ?

— Non, j'habite un peu plus loin dans la forêt et Sophie est apparue il y a quelques jours.

— Vous ne saviez pas qu'elle était perdue ? Pourquoi n'avez-vous pas prévenu ?

— Je n'ai pas le téléphone et je n'avais pas compris que c'était urgent. Je n'ai pas vu tout de suite qu'elle était gravement malade.

Elle se détestait de débiter ces fausses excuses. Si cette petite mourait, ce serait entièrement de sa faute.

Janine pencha de nouveau la tête contre le visage de Sophie, ferma les yeux et berça doucement sa fille, serrant dans sa main une des petites mains enflées de Sophie. Et Zoe se renferma dans un silence coupable.

Au bout d'une autre demi-heure, deux hommes et une femme en uniformes de secouristes arrivèrent. Aucun d'eux ne sembla s'intéresser à Zoe. Sa métamorphose d'actrice en vieille montagnarde était mieux réussie qu'elle ne l'aurait cru. Les secouristes avaient apporté une civière, sur laquelle ils attachèrent l'enfant. Elle semblait endormie, et sa respiration était toujours rauque et irrégulière.

— J'ai son médicament, dit Janine en faisant

409

glisser de son épaule la bandoulière du sac isotherme. Vous pouvez lui faire une perfusion ?

— Pas ici, il faut la ramener à l'hélico, ils ont le
matériel.

Ils traversèrent la forêt le plus vite possible. La présence de la civière les ralentissait et rendait leur
marche difficile. Ils arrivèrent enfin à la route, mais
elle était en surplomb et ils durent s'y mettre tous
pour pousser et tirer jusqu'en haut la civière où gisait
Sophie.

Sur la route étaient garés plusieurs véhicules, des
voitures de police, un camion de pompiers, une
ambulance, et des gens vêtus de divers uniformes
s'approchèrent de la civière dès qu'elle apparut en
haut de la falaise. Devant cette soudaine activité Zoe,
après deux mois de solitude, se sentit complètement
déboussolée et resta au bord du ravin.

— On va la monter tout de suite dans l'hélico, dit
un des sauveteurs avec un geste en direction des
ambulanciers.

Zoe se retourna et aperçut l'hélicoptère posé en
équilibre précaire au bord de la route, sur une petite
avancée de terre qui devait être un parking ou un
point de vue. Elle ne savait que faire. Où aller, maintenant ? Devait-elle dire au shérif qui elle était ? Mais,
avant qu'elle ait pu se décider, Janine lui saisit le
bras, et elle la suivit de bon gré dans l'hélicoptère.

— Vous êtes secouriste ? demanda Janine à la
jeune femme qui les aida à monter.

Celle-ci acquiesça et, prenant le stéthoscope qui lui
pendait au cou, commença à ausculter Sophie.

— Elle souffre d'une insuffisance rénale, c'est ça ?

— Oui, et j'ai avec moi un médicament qui doit lui
être administré par perfusion.

Elle ouvrit le sac isotherme et sortit la poche en plastique pleine de liquide.

— C'est quoi ?

— Du P.R.E.-5, elle participe aux essais cliniques.

Elle chercha au fond du sac l'ordonnance et la tendit à la secouriste, qui la parcourut rapidement.

— Très bien, allons-y !

Zoe la regarda chercher une veine dans le bras gonflé de la petite fille et y introduire l'aiguille. La perfusion coulait lentement et l'hélicoptère avait décollé quand elle se décida enfin à parler.

— Ça fait de l'effet rapidement ?

— Il lui faut le plus tôt possible une dialyse, mais j'espère que ça lui donnera le temps d'arriver.

— C'est de l'Herbaline, n'est-ce pas ?

— Comment le savez-vous ? Sophie vous en a parlé ?

— Oui.

Janine lui sourit, puis pencha la tête, et Zoe devina à sa mimique qu'elle la voyait vraiment pour la première fois.

— Mon Dieu, mais vous êtes Zoe, murmura-t-elle en écarquillant les yeux.

Zoe se pencha par-dessus la civière et posa la main sur le poignet de la mère de Sophie.

— Pour l'instant, je suis moi aussi une maman qui fait tout son possible pour sauver sa fille.

46

Il était clair que Sophie allait dormir pendant toute sa dialyse. Janine, assise à son chevet à l'hôpital de Martinsburg, en Virginie-Occidentale, priait pour qu'elle survive aux nombreux problèmes causés par la détérioration de ses reins. Elle était sous assistance respiratoire et branchée à diverses machines. Le médecin avait déclaré que c'était un miracle qu'elle soit encore en vie, et était aussitôt devenu un partisan convaincu de l'Herbaline.

Elle lui avait communiqué le numéro de téléphone du Dr Schaefer, afin qu'ils puissent discuter ensemble du traitement de Sophie. Certaine que sa fille était entre de bonnes mains, elle sortit de l'unité de soins intensifs pour téléphoner à Joe.

Pas de réponse à son domicile, ni sur son portable. Si celui-ci était éteint, cela signifiait sans doute qu'il jouait au tennis avec Paula. Elle était à la fois stupéfaite et furieuse qu'il soit capable de jouer au tennis alors que leur fille était toujours portée disparue. Mais évidemment, s'il était persuadé qu'elle était morte et qu'il ne pouvait plus rien pour elle... Elle lui laissa un message, puis appela les renseignements et demanda le numéro de Paula à son domicile. Elle n'était pas chez elle, naturellement, mais le message sur son répondeur indiquait son numéro de portable et Janine le nota. Puis elle appela Lucas à l'hôpital de Fairfax.

— Lucas Trowell ? Il est au bloc opératoire, madame.

— Au bloc opératoire ! (Son cœur sembla s'arrêter de battre.) Mais pour quelle raison ?

— On lui a trouvé un rein, il est en train de subir une greffe.

— Mon Dieu, mais c'est merveilleux !

Elle voulut savoir combien de temps durerait l'intervention et quand il serait en salle de réveil, mais n'obtint pas de réponse précise.

Elle essaya de nouveau les numéros de Joe, toujours en vain, et composa celui du portable de Paula, qui répondit aussitôt.

— Paula, c'est Janine. Joe n'est pas avec vous ?

Paula parut hésiter.

— Euh... non. Où êtes-vous ?

— En Virginie-Occidentale. Je l'ai retrouvée, Paula !

— Janine ! Oh mon Dieu, Janine... Elle n'est pas...

— Elle est vivante, mais très malade. Elle est ici, à l'hôpital de Martinsburg.

— Oh, Janine, vous avez bien fait de ne pas abandonner ! Où l'avez-vous retrouvée ?

— C'est une longue histoire...

Le chien dans les bois... l'apparition de Zoe portant Sophie sur son dos... La décision prise par Zoe d'aller voir la police après leur arrivée à l'hôpital et de leur proposer de les conduire à Marti. Elle les avait suppliés de faire en sorte qu'elle soit soignée et non renvoyée en prison. Il était arrivé tant de choses... Bien trop pour les raconter à Paula maintenant.

— Vous ne savez pas où je pourrais joindre Joe ?

Nouvelle hésitation.

— Je ne sais pas trop. Je lui dirai de vous rappeler s'il me téléphone.

— Oui, s'il vous plaît. Il faudrait qu'il vienne le plus vite possible.

— Je... Très bien, je le lui dirai. Et... Janine, tenez-moi au courant de l'état de santé de Sophie, d'accord?

— Bien sûr.

47

Joe n'avait pas la moindre idée de l'endroit où il se trouvait. Il essaya d'ouvrir les yeux, mais, ébloui par la lumière, il les referma aussitôt. Il s'entendit pousser un gémissement, le monde était centré sur cette sourde douleur au côté.

— Comment te sens-tu, mon Joe?

Il tourna la tête vers la voix et s'obligea à garder les yeux ouverts. Paula, assise à son chevet, lui écartait les cheveux du front. Lentement, il commença à se reconnaître... et à se souvenir de la raison pour laquelle il était là.

— C'est fini?

Il avait la bouche douloureusement sèche. Il essaya de se lécher les lèvres, mais sa langue aussi était sèche.

— Oui. Tout s'est bien passé. Lucas est toujours au bloc, mais jusque-là tout se passe bien pour lui aussi.

Il hocha la tête. Il se rappelait vaguement avoir déjà eu cette conversation avec elle, il avait déjà dû reprendre un peu conscience tout à l'heure. Mais, cette fois, il se sentait bien réveillé.

— J'ai une autre nouvelle pour toi, Joe, une splendide nouvelle...

— Quoi donc?

Elle souriait.

— Janine a appelé, elle a retrouvé Sophie. Ta fille est très malade, elle est en soins intensifs dans un hôpital de Virginie-Occidentale, mais elle est vivante !

Il rêvait, il n'était pas si bien réveillé qu'il avait cru. Il tenta de s'asseoir, mais la douleur lui vrilla le flanc, et Paula lui posa la main sur l'épaule pour l'empêcher de bouger.

— Hou là ! Ne bouge pas... Ils ne tarderont pas à te faire lever, ils m'ont dit que tu seras sur tes jambes demain matin.

— Où l'a-t-elle retrouvée ?

— Je ne connais pas les détails. Mais... Joe, je vais être obligée de lui dire où tu es. Elle te cherche partout pour t'annoncer qu'elle a retrouvé Sophie.

Il imagina Janine toute seule au chevet de Sophie. Combien de fois l'avaient-ils ainsi veillée, tous les deux ?

— Il faut que j'y aille !

— J'en ai parlé avec ton médecin. Il n'est pas question que tu bouges d'ici avant trois jours et même alors, le seul endroit où tu iras, ce sera chez toi.

— Mais je veux voir ma fille !

Sa voix était boudeuse, puérile, un exact reflet de son état d'esprit, un enfant désirant désespérément quelque chose.

— Je veux sortir d'ici !

— Je sais... Et tu sortiras d'ici peu, mais pas encore. Qu'est-ce que je dois répondre à Janine ? Tu ne crois pas qu'il vaudrait mieux lui dire la vérité, Joe ? Je ne vois pas d'autre explication à lui donner.

— Non. Tu serais obligée de lui révéler que Lucas et moi sommes frères, et ça mènera à d'autres questions... Il ne faut pas que ça se sache. Lucas n'aurait pas dû me dire tout ça, et je n'aurais pas dû t'en faire part.

Comme s'il avait eu le choix! Comme s'il pouvait avoir des secrets vis-à-vis de Paula!

— Je suis contente que tu me l'aies dit, mon Joe. Et je veux que Janine sache ce que tu as fait, que tu as sauvé la vie de Lucas, quel homme merveilleux tu es, qui as sacrifié...

— Paula...

— Oui?

Il lui prit la main et la porta à ses lèvres.

— Ce n'est pas grave, qu'elle l'ignore. Ce n'est plus l'opinion de Janine qui m'intéresse.

48

Janine fut enfin autorisée à voir Lucas. Craignant de le réveiller s'il dormait, elle entra dans sa chambre sur la pointe des pieds. Il était allongé, branché à deux écrans, et une perfusion coulait goutte à goutte dans son bras. Son visage était pâle, ses traits tirés, mais il avait les yeux ouverts et l'accueillit d'un sourire.

— Bonjour! Alors, tu m'as trouvé?

Elle se pencha et lui déposa un baiser sur la tempe.

— Je n'ai pas trouvé que toi. J'ai aussi retrouvé Sophie. (D'étonnement, il ouvrit la bouche comme un poisson.) Elle est sauvée, Lucas! Elle va se remettre.

Il eut l'air hagard.

— Je suis mort et monté au paradis, non ? Ou bien je rêve ?

— Ni l'un ni l'autre.

Elle approcha le fauteuil et s'assit.

— C'est une très longue et incroyable histoire...

« Trop longue pour être racontée maintenant... »

— Elle était dans une cabane en...

— Celle qu'on a vue d'en haut ?

— Exact.

— Tu en avais vraiment l'intuition, hein ?

— Oui, c'est vrai.

— Où est-elle ?

— Ici, en pédiatrie. On l'a ramenée ce matin de l'hôpital de Martinsburg.

— Je meurs d'impatience de la voir. (Il hocha la tête, encore incrédule.) Je peux à peine y croire, c'est tellement merveilleux !

Elle aperçut les larmes qui lui montaient aux yeux et lui tendit un mouchoir en papier. Quelques instants s'écoulèrent avant qu'il ne retrouve sa voix.

— Oh, Jan ! Je suis si heureux pour toi... Et pour Joe.

— Joe ne le sait pas encore, je n'arrive pas à le joindre. Paula m'a dit qu'il fait une retraite ou quelque chose de ce genre. Il n'a même pas pris son portable. Ça ne lui ressemble pas, pourtant !

Lucas sourit.

— Il fait une retraite ? Voyez-vous ça...

— C'est étonnant de la part de Joe, non ?

Le sourire de Lucas se fit malicieux.

— Oh, je crois bien qu'à propos de Joe tu n'es pas au bout de tes surprises ! (Il tendit la main, lui prit le poignet et l'attira vers lui.) Approche, ma chérie, j'ai tellement de choses à te dire !

Epilogue

(Un an plus tard.)

La salle d'attente de l'hôpital était glaciale, et Janine enfila son pull.

— Pourquoi font-ils marcher leur climatisation à fond, geignit sa mère, ils ne savent pas qu'il y a des malades dans un hôpital?

Elle était assise quelques sièges plus loin, un magazine à la main, mais Janine savait qu'il y avait au moins une heure qu'elle n'avait pas lu une ligne. Son père était tout aussi distrait. Il avait apporté un livre sur la guerre de Sécession, mais ses yeux étaient plus souvent sur la porte à deux battants, au bout de la salle d'attente, que sur les pages.

— Je ne sais pas, maman. Tu veux que je te prête mon pull?

— Non, merci. Je vais aller me chercher un autre thé, si on n'a pas bientôt des nouvelles.

Sophie entra en courant, venant du couloir et précédant Lucas, qui marchait prudemment, un gobelet de café dans chaque main. Sophie, qui buvait un Coca, s'assit bruyamment à côté de sa mère.

— Toujours pas de nouvelles?

La question rappela à Janine l'époque où, un an plus tôt, Sophie avait disparu. Tout le monde la lui posait, alors.

— Pas encore.

Elle prit avec un sourire un des gobelets apportés par Lucas.

— Merci.

— Donna, Frank, vous êtes certains que vous ne voulez rien ?

— Non, merci.

— Rien, à moins que vous ne puissiez faire entrer un peu d'air chaud dans cette pièce.

La mère de Janine continuait à se plaindre à la moindre occasion, elle ne changerait jamais, mais, ces temps-ci, elle faisait bonne figure à Lucas et à sa fille. Grâce à Joe. Il avait fait remarquer à ses beaux-parents que s'ils avaient toujours leur petite-fille c'était bien grâce à la discrétion du chercheur et à l'obstination de Janine à « n'en faire qu'à sa tête », comme ils disaient. L'argument semblait avoir porté.

Soit parce qu'il faisait frais dans la pièce, soit à cause de la boisson glacée, soit par énervement, la fillette frissonna. Elle avait les bras nus, et Janine les lui frotta.

— Mets ton pull, Sophie !

Elle prit le pull violet sur le dos de la chaise et le lui tendit. Sophie posa son Coca sur la table et se leva pour l'enfiler. Lucas l'aida de sa main libre.

— Je ne savais pas que les bébés mettaient si long-temps à naître ! Combien de temps j'ai mis, moi ?

— Douze heures, à peu près...

— Hou là là ! (Elle écarquilla les yeux.) Désolée, m'man !

Janine rit.

— Tu en valais la peine.

— Ça fait drôle d'être dans la salle d'attente, pour une fois, au lieu d'entrer là-dedans !

Elle désignait la porte à deux battants.

— C'est merveilleux, tu veux dire, corrigea Lucas en s'asseyant sur une chaise de l'autre côté de Janine.

— Ça c'est sûr !

Renonçant à feindre de lire, le père de Janine ferma son livre et le posa sur ses genoux.

Depuis qu'elle était remise de sa traumatisante aventure dans les grands bois de Virginie-Occidentale, l'été précédent, Sophie n'avait été hospitalisée qu'une seule fois, pour retirer le cathéter de son abdomen. Elle n'en avait plus besoin. Elle était dans la seconde phase de son traitement à l'Herbaline, et cela faisait six mois qu'elle n'avait pas eu de dialyse.

De l'autre côté de la pièce, une femme était plongée dans un journal à sensation et, d'où elle était, Janine pouvait lire le titre en caractères gras :

Zoe aperçue à Cancún.

Elle sourit, espérant que, pour une fois, ce journal disait la vérité.

Marti Garson avait passé l'année à l'hôpital psychiatrique, et il était douteux qu'elle puisse jamais le quitter. Après son arrivée en hélicoptère à l'hôpital de Martinsburg avec Janine et Sophie, Zoe était allée à la police. Janine l'avait entendue accepter de les conduire à la cabane en rondins et à sa fille, et les supplier de faire soigner Marti plutôt que la renvoyer en prison. Ensuite, elle avait eu l'esprit trop occupé par la gravité de l'état de santé de sa fille pour suivre ce qui se passait. Le lendemain seulement, les journaux ne parlant que de l'actrice, elle avait de nouveau pensé à la malheureuse Zoe.

Personne ne semblait savoir ce qui était arrivé exactement. Zoe, escortée des autorités, s'était approchée de la cabane, et Marti, prise de panique, s'était barricadée, menaçant de tuer tout le monde et de se suicider. Selon le shérif, elle s'était mise à tirer tous azimuts par la fenêtre, et une balle perdue avait touché et tué sa mère.

Il y avait une autre version, que Janine préférait : Zoe aurait à nouveau feint d'être morte, et vivrait dans une heureuse solitude, loin du monde et, oui, loin des attaques de la presse à sensation, quelque part dans les montagnes de Virginie-Occidentale. Ou, pourquoi pas, à Cancún ? Cette conclusion plaisait à Janine, elle y croirait dorénavant.

Souriant jusqu'aux oreilles, Joe, en blouse d'hôpital, entra par la porte à double battant.

Il regarda Sophie.

— Ça y est, tu as un petit frère !

— Hourra !

Sophie courut l'embrasser, Donna Snyder applaudit.

— Splendide !

— Félicitations, Joe !

Lucas passa le bras autour des épaules de son frère et le père de Janine félicita l'heureux papa.

— Comment va Paula ? demanda son ex-femme en allant l'embrasser sur la joue.

— Très bien.

Même s'il avait voulu cesser de sourire, il n'aurait pas pu. Sophie leva vers son père des yeux inquiets.

— Papa ?

— Quoi ?

— Il est en bonne santé, mon petit frère ?

Joe lui posa la main sur l'épaule.

— On va le vérifier dès qu'il sera à la pouponnière.

Lui et Paula avaient refusé une amniocentèse pour voir si le foetus était porteur des gènes de l'insuffisance rénale dont avaient hérité Lucas et Sophie. Cela n'aurait rien changé et il existait maintenant un moyen de la soigner.

— On peut aller à la pouponnière, maintenant, si vous voulez. Tu vas pouvoir le voir, Sophie.

Ils abandonnèrent gobelets de café, canettes de Coca et magazines pour suivre Joe jusqu'à la pouponnière. Alignés devant la baie vitrée, ils regardèrent l'infirmière rouler vers eux un berceau en plastique. Le nom, *Donohue*, était écrit sur une carte à l'extrémité du berceau, et un petit ange à cheveux sombres y dormait, poings serrés.

— Regardez-moi tous ces cheveux ! s'exclama la mère de Janine.

Le bébé avait certes les cheveux bruns de Paula, mais Janine trouva qu'il avait le nez et la bouche de Sophie. Celle-ci était devant Joe, collée à la vitre.

— Qu'est-ce qu'il est petit ! Je ne pourrai pas le prendre dans mes bras, papa ?

— Très bientôt.

Il y eut d'autres commentaires sur le teint frais du nouveau-né, ses minuscules poings, son sommeil paisible, puis pendant quelques instants personne ne dit mot.

— On va l'appeler Luke, dit enfin Joe, les yeux toujours fixés sur son fils.

Ce n'était pas une surprise pour Janine, Paula lui avait dit bien des semaines plus tôt que si l'enfant était un garçon il porterait le même prénom que Lucas. Elle avait gardé le secret, et elle sentit à la façon dont Lucas lui prit la main combien ce choix le touchait.

Elle et Sophie s'étaient installées chez Lucas en février, quand les travaux à la villa avaient été

423

terminés. Ils avaient ajouté un étage, afin d'avoir des chambres ayant vue sur les arbres. Les gousses vert et rose du tulipier de Virginie étaient en pleine floraison en cette saison, et, chaque matin en se réveillant, Janine les voyait par la fenêtre de sa chambre. Il y avait un autre arbre semblable juste en face de la fenêtre de Sophie.

La veille du jour où Sophie devait se faire retirer le cathéter, elle et Lucas étaient montés dans sa chambre lui dire bonsoir. Ils s'attendaient à la trouver un peu inquiète de ce qu'elle allait subir le lendemain, et Lucas avait déploré que les fleurs de l'arbre à courage ne soient pas encore en gousses, n'ayant donc rien à offrir à Sophie pour déposer sous son oreiller.

Du seuil de la chambre, Janine avait écouté Lucas, assis au bord du lit de la fillette, lui expliquer que maintenant qu'elle vivait dans une maison entourée d'arbres à courage elle n'avait plus besoin de fleurs sous son oreiller.

« Je ne crois plus à l'arbre à courage », avait-elle déclaré.

Les mots de l'enfant avaient un peu déçu Janine.

« Ah bon ?

— Non. La magie n'existe pas. Cette histoire d'arbre à courage fait croire qu'on tire son courage de lui, mais en fait, il est en nous. »

Lucas avait souri et s'était penché pour déposer un baiser sur le front de l'enfant.

« Quelle sage, très sage petite fille que ma Sophie ! »

Aucun d'eux n'aimait évoquer le souvenir de ce terrible mois de juin où leurs vies n'avaient été qu'une succession d'heures d'angoisse, alourdies par trop de secrets. Sophie était la seule, semblait-il, à être sortie indemne de l'aventure. Le week-end au camp de Kochaben approchait, et, à la surprise générale, elle désirait y participer. Elle parlait d'acheter un nouveau sac de couchage et se réjouissait à la perspective de pouvoir, cette année, se baigner dans le lac, comme si elle était certaine de l'accord de tous.

Joe avait donné sa permission, mais Janine était réticente. Mais à cet instant, en regardant sa fille et tout le reste de la famille admirer le nouveau-né, elle comprit qu'elle ne pourrait refuser à sa fille l'autorisation d'y aller. Elle trouverait au fond d'elle-même le courage nécessaire. Il y était, elle le savait.

Composition Euronumérique
92120 Montrouge

Aubin Imprimeur
LIGUGÉ, POITIERS

Achevé d'imprimer en juillet 2002
pour le compte de France Loisirs
123, bd de Grenelle, 75015 Paris
N° d'édition 37315 / N° d'impression L 63921
Dépôt légal août 2002
Imprimé en France